# 二戰

THE LAST IMPERIAL WAR 1931–1945

(下)

# BLOOD & RUINS

•帝國黃昏與扭轉人類命運的戰爭•

RICHARD OVERY

李察・奧弗里——著 黃煜文——譯 揭仲——審定

# 目次

## ◎下冊


**第八章　民防與敵後抵抗**

·民防人員 013
·各種面貌的戰時抵抗 031
·抵抗運動與同盟國 048
·我們輸了，但我們必須戰鬥：猶太人的抵抗 074

**第九章　戰時情緒與心理**

·戰爭造成的精神官能症 092
·維持士氣 109
·後方民眾的情緒 122

第五章　軍事作戰的技藝
第六章　經濟戰與戰時經濟
第七章　正義與非正義的戰爭
中冊注釋

◎特別收錄別冊
外國媒體與國際學界推薦
臺灣各界試讀推薦
從全球史的視角重新認識第二次世界大戰史（楊肅獻）
二戰史給臺灣社會的啟示（張國城）
致力於調整二戰敘事下歐亞時差的巨著（葉浩）
戰爭與性別政治的矛盾交錯（劉文）
審訂者序（揭仲）
地圖參照
中英譯名對照表

一九四四年的波蘭救國軍佐斯卡營（The Battalion Zoska），該營與其他部隊共同參與了一九四四年八月到十月的華沙起義，但最終遭德軍與安全部隊殘酷鎮壓。
圖源：*UtCon Collection/Alamy*

CHAPTER

第八章

# 8

# 民防與敵後抵抗

「今日的戰爭不只是在戰場上廝殺或取勝，也不只是由雙方派出大軍交戰來決定。今日參與戰爭的人包括了宣傳部門、忠誠的公務員、在工廠裡工作的男女低技術勞工、文職人員與官員、白天在田裡辛苦耕作的農民……還有卑微的家庭主婦，她們在結束白天的工作之後，晚上還要出門巡邏燈火管制的街道……今日的戰爭，所有階層的人都參與其中，每個人都要擔負單調乏味的任務。」

——丹尼爾（Raymond Daniell），一九四一年[1]

我們知道第二次世界大戰期間平民的死亡人數比軍人多了數百萬，這種狀況與第一次世界大戰形成明顯的對比。美國記者丹尼爾在倫敦報導德軍大轟炸時發現，每死亡一名英國士兵，就有將近十名英國民眾喪生。在遭受轟炸的倫敦流傳著一則笑話：一名女孩送了一根白色羽毛給正要參軍的男友。*軍事人員從前線返回遭受空襲的後方城市時，他們表現得比周遭市民更為慌張。一九一四年到一九一八年的一戰，各國民眾很少不受影響，特別是在敵軍占領區或因為爆發武裝革命而結束戰爭的國家，但至少此時民眾直接涉入戰爭的狀況依然有限。一九一八年到一九二一年的俄羅斯內戰與一九三六年到一九三九年的西班牙內戰，可說是一九三九年到一九四五年戰爭「平民化」的先聲。到了二戰時期，已有大批民眾挺身而出為守護家園與捍衛信仰而戰，甚至犧牲性命。

我們對於戰爭時期的平民有一種既定印象，認為在戰爭暴力橫掃下，他們只是被動的受害者，然而實際上卻有相當比例的民眾起而自我防衛或爭取自身解放，他們並非只是戰爭的見證者，而是主動的參與者。這是二戰的一個顯著特徵，那就是民眾為了捍衛自身利益而願意挺身對抗空襲、入侵與占領，或者，在猶太人大屠殺的極端例子裡，民眾甚至憤而抵抗滅絕的惡行。與軍人不同，民眾在反抗時必須冒著額外風險，因為他們缺乏法律或其他方面的保障。民防人員每天晚上都要蒙受空襲造成突發傷亡的風險。敵後的反抗軍，無論是正規游擊隊還是非正規叛軍，都知道自己一旦被俘，將無法獲得戰爭法的保障，敵人將可任意處決他們。占領軍會對占領區民眾進行種族或意識形態的挑撥分化，使民眾不僅要抵抗占領軍，還要與自己的同胞進行血腥內戰。因此，與服役的軍人相比，平民抵抗的戰線顯得更加混亂與危險。猛烈的轟炸使民防人員必須面對前所未見的肉體傷亡，但敵後抵抗與內戰帶來的暴力卻比絕大多數軍事作戰更能造成內心創傷與震撼。平民戰爭雖然是整場二戰衝突的一部分，但平民戰爭卻有著自己的獨特性。

一般民眾能否成為戰士，主要取決於環境、機會與性格。絕大多數民眾並未選擇成為民防人員、反抗分子或游擊隊員，而是尋求其他方法，讓自己的私人世界與圍繞在身邊的戰爭共存。在英國與德國，約有百分之一到二的民眾願意加入正式民防單位；另有一些估計顯示，法國只有百分之一到三的民眾積極進行某種形式的抵抗，不過這些數據都無法證實。[2]這群願意肩負戰鬥任務的民眾，普遍抱持著一個信念，那就是戰火並不會止於戰場上，而是會延燒到大後方，無論是抵禦敵軍轟炸、政治顛覆或游擊戰。民眾參與的各種反抗行動，也包括由戰敗士兵組建或領導的游擊隊，這

* 編注：在當時，白色羽毛被視為是和平主義或怯弱的象徵，顯示待在被空襲的都市比上前線更危險。

些人不認為軍事失利或投降等同於戰爭結束，也不接受停戰或軍事占領之後交戰就必須停止的軍事慣例。「總體戰」是一種涵蓋全社會的衝突，在這種觀念影響下，民眾會把自己的抗爭視為更大軍事衝突不可或缺的一部分，而不是一種例外。這種現象與其說是戰爭的平民化，不如說是平民的軍事化。

鼓起勇氣積極參與作戰的民眾，往往基於各種不同的個人動機，我們不可能以單一原因概括解釋。愛國心、意識形態信仰、追求新的戰後秩序、痛恨敵人、絕望、渴望復仇，甚至於自利，這些都可能是參與者選擇行動的原因。有時候，民眾並非出於自願，而是被迫參與。協助民防工作通常屬於強制性而非自由選擇。支持武裝抵抗可能是出於自願，但也有可能是受到當局逼迫。蘇聯游擊隊定期從各地村落捕捉男丁充當游擊隊員，因為若不這麼做就根本沒有人願意加入。游擊隊在烏克蘭村莊季亞基夫卡（Diakivka）張貼的徵兵令，上面明白表示，拒絕服從的人「將被槍斃，住家將被燒毀」。[3]還有一些人是為了逃避占領者的強制勞動或流放而加入抵抗行列，因此成為平民戰士也不是完全出於自願。當平民暴力轉變成內戰時，彼此交戰的民眾時常驚訝地發現，無論是否出於本意，自己都已經是戰鬥人員。一名參與希臘內戰的女性游擊隊員日後表示，環境迫使人們投入自己不願投入的戰鬥：「生活逼迫你成為英雄，但沒有人想成為英雄。」[4]民眾面對出乎意料的要求，發現自己不得不做出艱難的道德抉擇，包括是否參與行動，是否要選邊站，以及自己要接受什麼樣的條件。

## 民防人員

使平民無法置身事外而必須直接參與戰爭的最直接因素，就是戰時的民防投入。無論是為了摧毀城市內的軍事經濟目標，或是為了瓦解敵方的民心士氣，對城市進行遠距離轟炸的做法，抹除了原本區隔平民與前線戰鬥部隊的界線。一戰期間，對敵國後方的轟炸還僅止於小規模：德國使用飛船與飛機轟炸英國的濱海城市與倫敦、英國轟炸德國西部城鎮、奧國與義大利偶爾會轟炸更遙遠的城市目標。雖然早期的轟炸帶有實驗性質，規模也十分有限，但一九一四年到一九一八年的轟炸，卻影響了戰間期人們對未來戰爭的想像。人們開始認為轟炸城市也許可以迅速引發社會與政治動盪，最終能迅速結束戰爭。關於這方面的預測，最著名的主張出自義大利將領杜黑（Giulio Douhet）於一九二一年出版的《制空論》（*The Command of the Air*，又譯《空權論》）。書中認為唯有藉由空中力量無情地打擊敵方城市、基礎設施與人口，把敵人大後方的居民當成主要戰略目標，讓敵軍保護人民的目的落空，才能迅速贏得未來的戰爭。[5]「平民在未來戰爭中將蒙受可怕的傷亡」，這種想法開始普遍流行。但至少在一九三九年之前，傳統空軍的能力仍與這類預測有著很大的差距。這些關於未來的災難性想像，並未將重點放在實際相對有限的軍事能力與科技上，而是強調現代都市人口由於缺乏牢固的社群意識，因此在遭遇空襲時特別容易產生恐慌與絕望。[6]英國軍事理論家富勒（J. F. C. Fuller）認為，空襲倫敦將使倫敦變成「一座巨大而喧鬧的瘋人院……交通將會癱瘓，無家可歸的人將會尖叫求救，整座城市將會陷入混亂。」[7]英國另一名擔心災難可能發生的學者是劍橋大學的哲學家狄更森（Goldsworthy Lowes Dickinson），他針對敵機可能在三小時內對倫敦居民造成重大傷亡做出評論，認為空戰擴大了毀滅的範圍，「不僅士兵受害，民眾與文明也將受害。」[8]

各大國民眾都對都市社會遭受轟炸的可怕後果普遍感到擔憂，然而這種擔憂卻與未來戰爭可能是一場總體戰的預言產生矛盾：如果都市社會真的會因為幾天轟炸而土崩瓦解，那麼針對全國資源進行總體動員就變得毫無意義，因為很可能動員來的資源都還沒充分利用，戰爭就已經結束。一九三〇年代，為了因應大戰即將到來，各國開始建立民防措施——民防的出現，使上述彼此矛盾的未來戰爭觀有了相互結合的可能。雖然早在一戰期間，遠程轟炸（不久便改稱為「戰略轟炸」）的初體驗已促使各國建立小規模的民防措施，但全國性民防組織的建立得要等到二戰爆發前十年才出現。民防是獨特的全新經驗，其背後推動的因素源自於轟炸帶來的威脅，以及人們普遍相信，所有民眾都將捲入下一場戰爭的戰火之中。民防將民眾與衝突的現實緊密連結，使民眾取得一戰時期缺乏的參與感與重要性。民防的目的是動員民眾保護自己的社區，以避免可能的災難造成的危機。民防反映了前所未有的企圖心。之所以必須大規模動員民眾來保護現代社會，主要是由兩個因素造成，首先是轟炸機的出現，其次是總體戰的邏輯。民防也成為國家定期監控民眾是否認真投入總體戰的一項工具，例如民眾是否服從燈火管制的命令，是否進行防空演練，是否輪班防範火災發生。為了將前線作戰人員與後方民眾結合起來，民防人員必須轉變成準軍事人員，必須學習軍事風格的紀律、穿上制服與接受軍事訓練。義大利從一九四〇年八月起將民防人員定義為「被動員的民眾」，不僅賦予他們較為正式的軍事地位，也不許他們擅離職守。[9]戰爭結束時，英國內政大臣莫里森回顧過去數百萬民眾投身的民防工作，形容他們是由「一群戰士」組成的「平民大軍」，其中包括了男性與女性。[10]

民防措施最終傳布到全球各地，就連實際上不可能遭受轟炸的地區也組建民防。要估計民防人員的總數並不容易，因為要進行估計就必須先區分從事全職或兼職民防工作的民眾，以及數百萬居民或年輕人。前者從事像空襲警報員、輔助消防員、防空洞管理員、急救實習人員與救難人員的工作，後者則負責協助空襲訓練與防空勤務，卻不是穿上正式制服的民防人員。第二類人員包括了廣大的都市（有時也包括農村）民眾，數量可達數千萬人。根據德國當局的說法，這些民眾應該要在正式民防組織的督導下「自行保衛」家園與工作場所。民防部隊與數量龐大負責輔助他們的人員，通常肩負著保護鄰里的任務，很少被派到遠離自己居住地或城鎮的地方，這說明了為什麼這些民防人員能夠長時間忍受艱苦也要保護自己的熟悉之地。民防囊括了所有社會階層，沒有性別限制，女性在社區防衛上扮演著重要角色，與正規軍女性的待遇有著天壤之別。由於各地社區缺乏年輕男子，大量女性紛紛自願加入民防部隊。在德國，民防組織大約有二十萬名全職人員是女性。在英國，到了一九四〇年，民防工作人員有十五萬一千名全職與兼職女性，包括輔助消防隊員，此外還有十五萬八千名女性支援緊急救護工作。[11]在美國，華府的防衛義勇隊將近三分之二是女性，底特律則將近一半。[12]男女學生也要接受徵召從事特定任務：英國的童子軍義勇隊英勇地在各空襲哨所之間傳達緊急訊息、蘇聯從共青團徵召青年加入救護隊或留意屋頂是否著火；而在德國遭受轟炸的最後幾個月，希特勒青年團成員被派去擔任防空輔助員，負責操作防空砲，以彌補正規空軍部隊的不足。

規模最大的民防組織出現在日本、德國與蘇聯。在這三個國家，減少轟炸造成的損失已成為各地鄰里每一個居民都應該遵守的義務。日本的民防準備始於一九二〇年代晚期，大城市所有的居民都必須參與燈火管制與防空演習的操練。一九三七年四月，日本制定《防空法》，規定全國各地方長官與市町村長防空委員會要確保所有民眾都能成為潛在的民防人員。兩年後，政府在各地鄰里招募民眾成立消防與治安單位，協助應對空襲。日本的民防建立在集體主義傳統之上，因此幾乎沒有異議空間。蘇聯與德國建立的大型民防組織也帶有威權與集體主義傾向，兩者都反映出獨裁政權動員民眾投入各項活動的企圖，希望藉此統合民間力量，為民族共同體的生存而努力。一九二七年，蘇聯成立「支援國防協會」(Osoviakhim)，到了一九三三年，成員至少已經達到一千五百萬人，其中包括三百萬名女性，而此時轟炸的威脅還未真正浮現。這些人接受了因應空襲、毒氣戰與轟炸後緊急救難的基本訓練。一九四一年七月，蘇聯頒布法令，「強制全民必須」針對空襲進行應對準備，所有民眾在一夕之間成為民防人員。到了一九四四年，據說有多達七千一百萬名涵蓋各年齡層的蘇聯民眾接受了一定程度的民防訓練。在容易遭受轟炸的城市，蘇聯當局設立了都市「自衛」單位，負責協助救火救難，到了戰爭結束時這些單位已有兩百九十萬名成員。被徵召的民眾必須讓社區做好準備以因應轟炸與轟炸過後的各項災害。除了將民眾組成民防部隊，蘇聯也於一九三二年成立地方防空總局，負責訓練民防人員、在住宅區大樓建立防空洞網路，以及在空襲後救火救難。地方防空總局由具有準軍事人員性質的民防部隊構成，在戰爭高峰期，總局人數達到七十四萬七千人。[13]

德國的帝國防空聯盟於一九三三年由新成立的德國空軍總部設立，很快就擴展為教育與訓練民眾針對空襲採取預防措施的主要機構。一九三七年五月，《自衛法》通過，規定所有住戶都必須對自己的房屋與建築物進行防護以抵抗空襲，此外還要協助公共建築物與官署做好抵禦空襲的防護措施，以及參與工廠的「工作防護」。[14]跟蘇聯及日本一樣，納粹政權堅持每個社區都有義務做好自我防衛，因此一九三七年已有一千一百萬人加入帝國防空聯盟，一九三九年增加到一千三百萬人，一九四三年達到兩千兩百萬人，相當於德國人口的四分之一。一九四二年，帝國防空聯盟有一百五十萬名職員，開設了三千四百所「空襲學校」提供基本訓練。[15]此外還有防衛空襲的正式組織，如防空警察、消防警察與各地的德國空軍地區司令部，但這些組織的工作非常仰賴帝國防空聯盟成員的自願協助，包括組織與監督各地社區的空襲準備，確保民眾能確實做好「自衛」，提供民防需要的男女人力。

相較之下，西方國家的民防制度更仰賴民眾的自願參與，政府只能藉由呼籲希望民眾能在戰時承擔起公民責任。在英國，民防人員的徵召直到一九三〇年代晚期才開始。英國不像德國或蘇聯那樣擁有龐大的防空組織，然而一旦空襲在一九四〇年秋天開始，英國政府便改弦易轍，從鼓勵民眾自願參與民防，轉變成讓民防成為全民義務。一九三七年下半年，擔心戰爭即將爆發的英國政府通過《防空法》，要求各地方政府建立民防體制與任命防空官員（通常由地方政府長官擔任），一旦遭受轟炸，便立即組織緊急或戰爭執行委員會。一九三九年，地區專員網路成立，負責協調地方決策與充當中央政府與地區之間的溝通橋樑。[16]整個組織架構從性質上來說完全屬於文官體制，陸軍與空軍只負責槍砲與戰鬥機這類主動的防空措施。為了強調文官性質，當一九三九年九月戰爭爆發時，所有民防人員全都交由屬於文官體系的國土安全大臣指揮。一九四〇年夏天，民防人員有六十二萬六千人，其中五分之一是全職，遭遇緊急狀況時，還可以再動員三十五萬四千名兼職民防人員。消防工作也從一九三七年的五千名正規消防員，增加到一九四〇年的八萬五千名全職消防員與十三萬九千名輔助消防員。這些消防員有男有女，一九三八年下半年成立的婦女防空義勇隊在戰爭的高峰期曾多達一百萬名成員。[17]一九四〇年下半，工廠與公共建築物也必須依照規定強制派員瞭望火警，此後兼職的民防人員數量又增加了四百萬人，占總人口的十分之一左右。[18]即使政府並未強制規定，但民眾仍須組織起來沿街巡守社區，與德國一樣，每個住戶都要負責保衛自己的住處。

法國與義大利在一九三〇年代晚期已經預料未來很可能遭到轟炸，然而兩國的民防組織規模並不大。一九三五年，法國政府堅持設立「被動防衛體系」，要求所有地方社區跟英國一樣建立防空措施，並且訓練地方民眾擔負民防責任。直到一九四〇年六月法國投降之前，這套體系始終未受到適當檢驗。在維琪政權時期，民防體系完全廢弛，直到英國空軍與之後的美國空軍開始轟炸法國境內目標，法國才重新恢復民防。貝當政府不願在國內明顯未捲入戰爭的狀況下動員民眾，也不願負擔啟動民防體系的龐大成本。然而在德國的壓力下，地方與鄉鎮首長不得不再度負起被動防衛的責任，但他們手上卻極度缺乏資金與人力。[19]義大利於一九三四年三月頒布法令，要求各省首長建立地方分權的地區民防系統，但各省防空檢查廳卻依然無法優先取得資源。[20]義大利民防仰賴國家防空聯盟成員的自願加入，國家防空聯盟是義大利戰爭部在一九三四年八月成立的組織，目的是為了建立民防隊伍。然而到了一九三九年，義大利民防人員仍只有十五萬人，更有數千人在一九四〇年義大利對英法宣戰時退出了民防組織。民防官員往往優先選擇法西斯黨員出任，在主要城市地區，動員與組織民眾的工作缺乏協調，民眾訓練不足，難以產生「自衛」效果。[21]

在遠離歐洲與東亞戰場的地方，民防不僅仍具有戰略必要性，更成為動員與訓練民眾履行公民義務的有效手段。一九四一年十一月，馬歇爾將軍在美國廣播節目上表示：「我認為，我們已經來到一個歷史時刻，所有民眾都必須投入戰爭……。」[22]一九四一年五月，總統下令成立民防辦公室號召志願者加入，不僅為了因應未來日本或德國可能轟炸美國的西岸或東岸，也為了鼓勵民眾參與其他戰時的社會計畫。民防辦公室起初由紐約市長拉瓜迪亞主持，一九四二年二月後改由哈佛大學法學教授蘭迪斯（James Landis）接替。蘭迪斯徵召數百萬美國人加入民防隊伍，負責擔任空襲警報員、輔助消防員、急救志願隊與救難人員。總計有七八百萬名民眾自願加入，此外還有數百萬人（包括學生）也在工作場所與學校接受基本民防演練。[23]民防報刊《平民前線》（*Civilian Front*）明白表示民眾直接參與美國的總體戰。一九四三年，蘭迪斯寫道，民防「是一項軍事任務，就像武裝部隊奉命攻占敵軍據點一樣明確」。[24]雖然美國本土並未真的遭到轟炸，而德國空軍始終無法建造出「用來轟炸美國的理想轟炸機」，但美國民防人員直到戰爭結束之前都持續接受訓練，空襲警報員也努力不懈地在美國濱海城市街道持續巡邏。一九四一年十二月，太平洋戰爭爆發，大英帝國的邊陲地區也同樣遭受空襲威脅，其中香港、新加坡與澳洲北部更是確實遭到了轟炸。紐西蘭與美國一樣從未遭到轟炸，一九四二年三月，紐西蘭仿照英國的民防體系建立了緊急預防勤務，包括空襲警報員（每五百名民眾設立一人）、急救人員、救助與救難人員。在紐西蘭，民防的存在使紐西蘭民眾每天都能意識到，現代戰爭不光只是靠軍隊而已，也需要所有民眾參與。徵兵標語寫著，「帝國的子民要做好準備，戰爭也可能在這裡發生。」[25]

民防人員在保護鄰里上投入的努力，往往因時空不同而有所差異。在歐洲或亞洲，許多地方只被轟炸過一次，有些地方則完全沒遇過空襲。在空襲較多的地方，每次空襲的間隔也有數月或數年的差異。有些德國城市，如漢堡、科隆、埃森，被轟炸超過兩百次，算是相當罕見的例子。在亞洲戰場，只有國民政府戰時首都重慶在一九三八年到一九四一年間被轟炸了兩百一十八次，足以與德國經驗相提並論。[26]載彈量不同也會造成巨大差異：六百架蘭開斯特重型轟炸機可以投下數量驚人的高爆彈與燃燒彈，足以燒毀一座城市的市中心，反觀五十架中型轟炸機投放數量相對較少的炸彈，只會嚴重損害城市局部地區，卻無法造成大規模破壞。對絕大多數民防人員來說，空襲往往是突發而短暫的；許多民防人員幾乎沒有遭遇過空襲，或者是數年才遭遇一次。日本民防體系持續準備了四五年之久，直到一九四四年下半年才首次遭遇空襲，一些接受徵召的民眾因為長時間戒備而變得冷漠與不滿。直到太平洋戰爭的最後六個月，日本城市才逐漸進入美軍的轟炸範圍，此時日本的民防體系才終於受到考驗。在還沒遭到美軍轟炸之前，日本民防人員一直持續執行著民防規定，各地的民防命令都成了一種有效的工具，時刻提醒民眾拉下窗簾執行燈火管制，準備消防用水與滅火用的沙土，以防範轟炸造成的火災，這些都讓民眾產生身處前線的真切感受。一九四三年，一名東京女性寫道：「每次進行防空操練時，我們都要排成一列接受點名，大聲喊出自己的名字。我們經常可以聽到有人抱怨說，哪一戶人家沒有派人出來參加演練……。」[27]凡是違反燈火管制規定的人都會受到處罰。在戰爭時期，國家的干預直接深入每位民眾的日常。

空軍針對平民採取的戰略性質不同，也會導致經驗差異。二戰期間，幾乎所有的轟炸都是不精確的，甚至誤差很大，而當時轟炸的目標通常都是遠方的軍事與經濟目標，藉此削弱敵軍的軍事能力。各國空軍刻意針對平民居住區進行戰略打擊以殺傷大量平民的例子只有三個：一是日軍轟炸重慶。二是英國皇家空軍轟炸機司令部在一九四一年夏天後對德國城市採取無差別轟炸的戰略。三是美國第二十一轟炸機指揮部在一九四五年三月對東京投擲燃燒彈，此後便開始對日本各大城市進行轟炸，最終還投下了兩顆原子彈。英國皇家空軍希望透過轟炸都市地區來打擊敵方士氣，這種戰略起源於一九三〇年代的轟炸戰略討論。當時的人認為，戰鬥人員與非戰鬥人員在現代戰爭中將不再有任何區別。平民被當成目標是因為平民會對敵人的戰爭提供物質支持，反過來說，就連民眾自己也相信，持續支持戰爭終將使自己成為未來戰爭的攻擊目標。一九四四年，負責英國皇家空軍對外宣傳的佩克空軍少將（Richard Peck），是這麼為無差別攻擊都市平民居住區辯護：

> 勞工是工業軍隊，他們身上穿的工作服就是他們的軍服，每名男性工人都是陸軍的預備隊；每名女性工人負責填補男性工人留下的空缺，這些工人往往駐紮在城市周圍，他們居住的房屋等同於士兵居住的營地或壕溝。[28]

針對德國工業城市的轟炸行動，主要是要對工人階級的居住區與設施造成最大破壞，乃至於殺死勞工。要用最簡單的手段實現這個目的，就要盡可能集中燃燒彈來轟炸市中心的住宅區。[29]這是一場對抗民防的戰爭。少量的高爆彈混和了燃燒彈，可以炸開窗戶與屋頂，威懾民防人員。更讓民防人員恐懼的是，這些炸藥會搭配一定比例的燃燒彈（約十分之一），設置了不同的時間引信。一九四二年，飛機開始掛載人員殺傷炸彈，目的是為了殺死或致殘那些運氣不佳剛好位於附近的民防人員。[30]

美國陸軍航空軍也針對日本採取類似政策來癱瘓其民防體系。眾所周知，木造的日式建築很容易起火燃燒。馬歇爾將軍在珍珠港遭受攻擊前不久的一場祕密記者會上表示，如果戰爭爆發，日本的「紙城市」將會被燒得一乾二淨，「我們會毫不猶豫地轟炸平民，不會心慈手軟。」[31]然而一直要等到一九四五年，美國轟炸機才真正對日本城市進行猛烈的燃燒彈空襲，其目的明顯是為了破壞城市環境、殺死或致殘日本勞工及瓦解日本民心士氣。一九四五年，美國陸軍航空軍副司令依克將軍表示：「燒毀整個區域，殺死那些技術勞工，這項做法十分合理。」[32]與英國皇家空軍一樣，美國陸軍航空軍也仔細研究最佳的作戰條件，好讓日本的消防與緊急救難人員無計可施。早在空襲前數年，美軍已經針對如何最大程度燒毀日本房屋進行研究，英國也以自身經驗提供協助，針對燃燒彈的破壞性進行了科學估算，並且將成果分享給其他盟國。與英國皇家空軍轟炸德國一樣，美國陸軍航空軍大規模毀滅平民區與都市平民人口的計畫，使消滅平民成了轟炸的主要目標，民防人員因此成為盟軍空軍的直接攻擊對象。

這些以平民為目標的戰爭為民防人員帶來最嚴苛的考驗。民防人員必須面對的艱困現實是，一旦敵機來襲，絕大多數的轟炸機總是能突破防線，將所有炸彈全部傾瀉到底下的平民居住區。即使是最密不透風的防空系統也難以抵擋轟炸機的攻勢。直到一九四四年為止，全世界最嚴密的防空系統就是德國由雷達、防空砲、戰鬥機與夜間戰鬥機構成的防空防線，也就是所謂的「卡姆胡伯防線」（以設計此防線的卡姆胡伯將軍命名），然而絕大多數盟軍轟炸機依然可以在機隊大量耗損下逼近到投彈地點進行轟炸。在防衛較弱或根本不設防的地區，轟炸機甚至不用擔心敵機與有效防空砲火的威脅，而能長驅直入進行轟炸。一九三八年下半年，日軍曾在完全未遭受反擊的狀況下對中共首都延安進行空襲，之後中共在幾座明代塔樓上安裝了防空砲，這才稍稍壓制了日軍的氣焰。在重慶，中國弱小的空軍遭日軍橫掃，防空砲火也極其有限，日本轟炸機因此能游刃有餘地任意進行轟炸。[33]即使在英國，在倫敦大轟炸初期的一九四〇年九月，英國戰鬥機雖然有能力在白天重創來襲的德國轟炸機，但到了夜間，英國城市就只能仰賴防空砲（防空砲可以擊落一些德國轟炸機，迫使他們提高飛行高度，降低投彈的精準度）與不太管用的夜間戰鬥機──直到一九四一年春天引進雷達之後，夜間戰鬥機才得以進行有效攔截。[34]無論民防人員願不願意，他們都成了轟炸機與被轟炸者之間的前線，這是個獨特的前線，因為民防人員從來未能看清造成威脅的敵人長什麼樣子。

從一九四〇年冬天到一九四一年春天，德軍對英國城市足足轟炸了九個月，英國民防人員因此有機會證明有組織的民防力量能產生什麼效果。起初的經驗凸顯了一些問題，顯示當時的人對於恐慌來源與如何消除恐慌幾乎一無所知。一九四〇年，資深精神分析學家格洛弗（Edward Glover）在談到對轟炸的恐懼時，也只能提出一些老掉牙的說法：他建議膽子比較大的民眾應該隨身攜帶一瓶白蘭地或一包餅乾，用來安撫其他飽受驚嚇的同胞。[35] 經常有許多民眾在空襲後陷入恐慌或逃出城外，不過當局很快就提供了防空洞與救助措施以免釀成更嚴重的社會危機。「逃離城市」的現象在普利茅斯、南安普敦與赫爾這幾座經常被轟炸的港口城市最為嚴重。一九四〇年十一月底，南安普敦遭到猛烈轟炸，民防體系一度停擺，地區專員說道：「面臨這場大規模的災難，人們一籌莫展。」一名糧食部官員發現，空襲後的隔天，民眾「茫然、迷惑、失去工作、不知如何是好」。[36] 交通中斷，加上中央防空管制中心停止運轉，民防人員無所適從。城市居民紛紛逃往郊外的樹林與村莊，儘管實際上兩次空襲只造成了兩百四十四人死亡。相較於日後盟軍對德國的轟炸，傷亡的程度還算輕微。

初期的失敗經驗迫使英國民防體系迅速進行改革，更加重視有效的通訊與資訊流通，設置數量更多與儲存量更大的救助中心與緊急廚房，更重要的是迅速推動容易修繕的房屋重建計畫。對於空襲警報員來說，他們的任務就是在空襲警報響起時通知所有居民避難，他們面臨的主要困難是維持防空洞的紀律，而這是他們明顯能減少傷亡的方式。在德國與蘇聯，躲防空洞是一項強制性措施，警察會以強硬手段支援各地空襲警報員維持防空洞的「紀律」（德國還會將猶太人與強制勞動的外籍勞工趕出防空洞，讓「雅利安」德國人優先進入防空洞）。與此相反，英國的空襲警報員不具法律地位，因此躲防空洞成了一種個人決定，而非法律義務。英國政府也傾向於由個人自行決定在地下室與地窖設置防空洞，或者就在自家花園裡挖掘「安德森防空洞」（Anderson shelters）。根據統計，遭受轟炸威脅的英國人，只有半數使用指定的防空洞，儘管事實上是幾乎所有防空洞都沒有做好防爆設施。日後針對戰時防空洞進行的研究顯示，家中沒有防空洞的家庭，只有百分之九使用了公共防空洞。[37]公共防空洞很快就出現建造不牢固與不衛生的問題，而且幾乎所有的公共防空洞都沒有供人睡眠的設施。即使政府在一九四〇年十二月積極推動計畫，在防空洞設置床鋪、補給品與適當的衛生設施，民眾對公共防空洞的信心依然低落。無數人選擇違抗民防體系，躲在自家床底下、樓梯底下或桌子底下，這也是為什麼英國並未像日後德國與日本一樣遭受飽和轟炸，卻依然出現大量傷亡的原因之一。在英國，都市地區只有百分之三被摧毀，德國卻有百分之三十九，日本更高達百分之五十。[38]

飽和轟炸旨在破壞敵軍的民防組織與引發可能的無限制破壞，後者通常需要大火來完成。一旦出現大規模的風暴性大火，如一九四三年七月的漢堡、三個月後的卡塞爾（Kassel）與一九四五年二月的德勒斯登，民防體系實際上就毫無用武之地。漢堡發生風暴性大火期間，當局出動了三萬四千名消防員、士兵與緊急救難人員，但他們也只能限制大火蔓延，不讓災情擴散到漢堡市郊。漢堡警察局長針對七月二十七日到二十八日晚間的風暴性大火提出報告，坦承民防人員對風暴性大火無能為力——他試圖描述當晚發生的事，卻發現自己「無法用言語形容」。最後他建議民防人員對火災威脅必須做出重大改變，必須檢查所有住家的防空洞或「防爆室」，確保這些防空洞設有緊急出口，以免躲在裡面的人像漢堡一樣因為大火燒光氧氣而窒息；同時還要在市中心設置逃生路徑並公告周知，讓市民在風暴性大火吞噬他們之前及時逃出。[39]民防人員要訓練所有住戶在遭遇燃燒彈轟炸時必須防止小火延燒成大火，但這等於是要求市民得像正規民防人員一樣直接面對火災帶來的危險。到了一九四四年，德國已有一百七十萬名消防員，絕大多數是由志願民眾組成，包括二十七萬五千名婦女與女孩。大約有十萬名志願者組成七百個緊急救難小隊，他們必須四處移動進行救火任務。一九四三年八月，德國成立特殊「自衛小組」，依法要求所有民眾主動參與自己住家以外的所有民防任務。[40]漢堡特別針對被轟炸地區進行糧食供應、興建緊急避難所與給予醫療支持，同時也跟柏林一樣，提供有效資訊、糧食與救助，以及推動疏散或迅速重建計畫（部分由集中營勞工來完成）。事實顯示，一旦民防與救難人員能夠被適當地加以組織，就有可能防止被轟炸的城市出現社會性崩潰。漢堡估計有百分之六十一的住房遭到破壞或摧毀，然而幾個月之後，依然留在城內的居民中（原本有五十萬戶，現在只剩下約三十萬戶）已有九成住進了修繕完成或以預製構件建成的新屋。[41]

日本城市遭到燃燒彈轟炸，也使日本民防在極度壓力下崩潰。日本政府原本預期美國空軍會像一九四四年下半年到一九四五年二月的第一波轟炸一樣，對經濟與軍事目標進行精準轟炸，而當時美軍的轟炸並不成功。結果美軍卻是在三月九日到十日晚間對東京進行大規模燃燒彈轟炸，引發的大火完全失控。日本的民防人員過去接受的訓練是因應有限空襲，但當大火迅速延燒到整座都市時，一般民眾平日接受的空襲演練已派不上用場。一九四五年五月，一名日本母親寫信給已經疏散到郊區的女兒，「如果發生空襲，就當房子已經燒掉，逃命第一。」[42]日本防空洞的空間僅能容納百分之二的城市人口。日本城市由於建築物多半是木造與紙門，因此特別容易在燃燒彈轟炸下引發大火。東京有百分之九十八的建物是用可燃物建造，主要都市區域的人口密度更是高得嚇人。[43]

日本海軍航空隊曾在一九三九年與一九四〇年轟炸中國首都重慶，當時就已充分顯示這類城市在遭受轟炸時有多脆弱。狹窄擁擠的街道，兩旁的建築物主要是木造與竹造房舍，即使只是被少量燃燒彈轟炸，也很容易引發大火延燒。當時日本只派出為數不多的轟炸機進行幾番轟炸，重慶的商業中心便有五分之四被大火燒毀。[44]日本民防當局為了避免類似災難在日本本土發生，於是下令拆除三十四萬六千六百二十九棟建築物，藉此在都市地區建立防火線。然而，美軍卻派出B-29大型轟炸機在低空對都市地區進行飽和轟炸，在極為狹小的地區投擲了數千噸燃燒彈——美軍在日本投下了十六萬噸炸彈，其中有九萬八千噸是燃燒彈。[45]在東京大空襲中，民防、救助與急救體系完全崩潰，八百五十七座急救站有四百四十九座被毀，兩百七十五家醫院有一百三十二家被毀，此外還有數百間預先建立的救助站被毀。日本把維持士氣避免恐慌的單位，也就是所謂的「政治思想隊」，列為第一優先，反而使得救難與消防員缺乏足夠人力、重機具或專門的救難設備。結果造成東京出現嚴重傷亡，估計有八萬七千人死於三月九日到十日發生的風暴性大火。經過五個月的轟炸，官方統計遭到轟炸的城市地區有二十六萬九千一百八十七人死亡、十萬九千八百七十一人重傷與十九萬五千五百一十七人輕傷。[46]

凡是遭到猛烈轟炸的地區，都出現了龐大的平民死傷數字，就連在轟炸較不猛烈的地區，民防體系也無法避免平民傷亡與大規模破壞。在德國，今日估計約有三十五萬三千人到四十二萬人在轟炸中喪失生命（一九五六年的官方數字是六十二萬五千人）。在英國，炸彈、火箭與飛彈造成六萬零五百九十五名民眾死亡。針對歐洲德國占領區進行的轟炸，雖然已經刻意避免對都市地區使用燃燒彈飽和攻擊以減少傷亡人數，但在法國還是造成五萬三千名到七萬名平民死亡，比利時估計有一萬八千人，荷蘭則是一萬人。在義大利，從成為軸心國直到一九四三年九月投降為止，以及遭受德國占領直到一九四五年五月為止，戰後官方統計數字顯示空襲死亡人數達到五萬九千七百九十六人。德國轟炸蘇聯的規模較小，但也造成五萬一千五百二十六人死亡。中國死於轟炸的人數，最可信的估計達到九萬五千五百二十二人。[47]另外空襲也造成許多人重傷，在大多數狀況下，重傷人數與死亡人數相當。總計大約有一百萬人在二戰的空襲中喪生，重傷者也接近此數。從這裡或許可以看出，整體而言，各國在民防上的投入最後還是以失敗收場。這條戰線顯然是一場不對稱的戰爭：轟炸機裝備了各種令人生畏的武器，與之對抗的民防人員卻毫無武裝，而且絕大多數還只是兼職的平民志願者。然而，儘管實力懸殊，民防人員與許多支援自衛行動的平民，即使身處於被燃燒彈轟炸的城市裡，依然堅持對抗敵軍的空中力量，試圖避免戰前小說與軍事未來學所預言的不可控制的社會崩潰真正發生。

毋庸置疑的是，少了民防人員，傷亡人數與都市社會崩解的程度只會更糟，轟炸的衝擊也只會更接近杜黑當年的預測。一旦民防崩潰，特別是在遭遇風暴性大火之時，受害地區就只能仰賴外界援助，將物資迅速送往被轟炸的城市，以避免危機往外蔓延。在英國，民眾習慣性地遷出被轟炸的港口城市，不過並沒有因此引發永久性的社會危機。救助服務在市郊建立了讓家庭可以居住的緊急「緩衝帶」，到城鎮工作的工人依然可以每天通勤。在被轟炸地區引進正式與非正式的大規模疏散計畫，讓更多人得以倖免於難。一九四五年初，德國有將近九百萬人離開城市。日本在戰爭結束時，也有將近八百萬人離開城市。空襲發生時，民防人員努力指示民眾有序地前往防空洞避難，挽救了不少生命。此時如果突然出現恐慌，很可能釀成一場大禍。一九四〇年六月五日，日本對重慶進行的一場漫長空襲就是例證。當中國民眾準備離開隧道防空洞時，另一批民眾因為聽說日軍又折回來投擲毒氣彈，因此拼了命想擠進隧道，兩批人因此衝撞在一起。警方紀錄顯示，多達一千五百二十七人皆因窒息與踩踏而死。[48]一九四三年三月三日，倫敦貝斯納爾格林（Bethnal Green）地鐵站因為空襲警報引發恐慌，人們在潮濕陰暗的階梯上發生推擠，導致一百七十三人同樣因窒息及踩踏而死。[49]

上述例子屬於少見的例外。在一般狀況下，空襲警報員總能英勇地控制住驚恐的鄰里，確保民眾井然有序地進入公共防空洞或監督民眾使用自家防空洞。消防與急救人員也會在轟炸期間冒險執勤。在重慶，當局在山坡臨時挖掘了超過一千個隧道充當防空洞，空襲警報員總能在空襲警報響起時成功讓民眾躲進防空洞避難。一九三七年，重慶的防空洞只能容納七千人，而重慶有將近五十萬人口，但到了一九四一年，重慶的防空洞已經能容納三十七萬人。[50]一九三九年，在重慶每落下兩枚炸彈就會造成十一人死亡，但到了一九四一年，每落下三點五枚炸彈僅造成一人死亡。[51]倫敦大轟炸死亡人數的高峰介於一九四〇年九月到十一月之間，此時英國的民防系統正在不斷地學習調整。各地民防人員都努力降低轟炸造成的直接與間接損害。當時對空襲的描述總是包含了許多民眾英勇救人的故事。在德國，民防人員因公殉職會比照陣亡士兵，在報紙列出死亡名單時，會在他們的姓名後面附上鐵十字；活下來的英雄則會獲頒軍方的鐵十字勳章。英國遭受大轟炸期間，英王喬治六世設立喬治勳章以表彰在轟炸中表現英勇的一般民眾。第一批受勳者包括兩名消防員與一名來自多佛的輔助消防員，他們在敵軍轟炸時解救了一艘滿載炸藥的船隻。另外還有薩福克（Suffolk）的兩名女性救護車司機，她們在空襲中解救了一名重傷男子。

民防人員與數百萬民眾通力合作，阻止轟炸瓦解民心士氣，也減緩空襲帶來的創傷。這些人的角色如同國家公務員，他們成為地方民眾管理的一個層級，一方面將遭受破壞的鄰里與努力維持士氣的國家連結在一起，另一方面也協助避免轟炸造成的損害繼續擴大。當然，這個過程不可能完全順遂，但一般來說，民防確實有助於維持地方鄰里的團結，而這一點光靠中央政府是做不到的。轟炸使民眾更仰賴國家，但要讓民眾真正感受到國家的協助則有賴民防、救助與救難人員的投入，民眾才能在周而復始的空襲之下繼續維持鄰里生活。對抗轟炸的平民戰爭也讓地方鄰里與戰爭現實更加緊密地連結起來，服從民防的指示，數百萬民眾接受訓練，這些正規化的紀律使後方成為另一道前線。一九四一年七月十二日，邱吉爾對民防人員演說時使用了軍事用語：「訓練平民軍隊，為防火戰爭準備彈藥，動員、操練與裝備對抗燃燒彈的打火大軍……。」[52] 當然，平民志願者不是軍人，就算穿上軍服也不是，平民志願者是非武裝的民眾，他們接受訓練為的是從事獨特形式的戰鬥。在轟炸的衝擊下，民眾發現自己是在打一場不平等的戰爭，不僅遭受龐大的死傷，而且往往要持續數年之久。沒有任何事物比民防戰爭更能清楚顯示戰爭平民化的現象。

## 各種面貌的戰時抵抗

平民抵抗構成的前線，與民防構成的前線迥然不同。平民抵抗不是為了團結鄰里對抗共同威脅，而是要讓敵人占領下的社會變得動盪不安。平民抵抗的對象是已經擊敗國家或帝國軍隊而以征服者姿態控制平民居住區的敵人。民防相對來說還比較容易定義，至於平民抵抗則是從過去到現在都始終難以清楚定義。抵抗可以有許多形式，可能是暗中進行，也可能是公然反對。不服從或異議這類輕微抵抗相當常見，但戰時的抵抗則完全是另一回事。一九四〇年八月，法國記者特西耶（Jean Texcier）匿名發表《給占領區民眾的三十三條建言》（*33 Conseils à l'occupé*），但他只列舉了幾個方式，要求法國人應該避免接觸德國人、避免同情德國人或甚至不應該與德國人交談。[53]這種消極面對占領者的態度是最常見的抵抗行為。絕大多數民眾只是等著被解放，法國反抗軍不屑地形容這種態度是attentisme，而義大利游擊隊則說這是attendismo，也就是「等待觀望」的意思。[54]在占領區，民眾心存這種渴望是可理解的，因為這樣既不會引人注目，也不會招來風險，因此無論在歐洲還是亞洲，這種心態可說相當普遍。戰後出現了一種觀點，認為占領區社會呈現出兩極的立場，好比法國民眾不是抵抗者就是通敵者，中國的日本占領區民眾若非抗日分子就是通敵者，然而這種觀點從歷史上來看並不合理。[55]事實上，在這兩種極端之間，存在著數百萬並未積極抵抗的人，這些人有時迫於時勢，必須在兩種極端中做出選擇，然而在絕大多數時間裡，都只是小心翼翼維護自己的私人領域，避免讓占領者或占領者在地方上的代理人侵犯。抵抗者與通敵者，無論是否出於自願，通常都只是占領區裡的極少數人。

積極抵抗其實不是一種均質現象。從抵抗的起源來看，幾乎所有重要的抵抗運動都想尋求民族解放，這點從抵抗運動選擇的名稱就可看出：義大利的民族解放委員會、法國的民族抵抗委員會、希臘民族解放陣線與希臘民族人民解放軍，以及南斯拉夫民族解放軍等。然而，這些民族解放運動掩蓋了抵抗運動可能的展現形式，甚至讓人忽略了一些規模較小的地方運動，這些地方運動往往基於意識形態、政治或戰術上的考量，不必然對整體的民族解放運動表示認同。用最簡要的方式來說，抵抗可以解釋成對占領當局採取的任何積極對抗，從輕微的違反占領規則，到嚴重挑戰占領者的政治與軍事存在。有時，抵抗也指顛覆性的政治活動，如出版報紙、小冊子，或者在牆上張貼海報，違法集會或建立組織網路，但這些活動不一定會升級成組織游擊隊或發動恐怖攻擊。流傳最廣的法國抵抗報紙《保衛法蘭西》（*Défense de la France*）就是在索邦大學的地下室印製，目的是從文化層面對抗占領政權，該報的發行者並未積極採取暴力對抗的行為。[56]在中國，以傳統秧歌為基礎的流行農村戲曲成了占領區裡一種文化抵抗形式，這類以抵抗為主題的短篇劇作「加入游擊隊」、「抓住叛國賊」，就連農村觀眾都能輕易瞭解。[57]然而，絕大多數抵抗運動或多或少牽涉以暴力抵抗占領者，即使最初主張採取政治途徑與避免恐怖主義的組織或團體也從未排除使用暴力的可能。到了一九四四年三月，在歷經德國的多年殘酷鎮壓之後，《保衛法蘭西》發表了一篇社論，標題為〈殺人的責任〉：「我們的責任很清楚：我們必須殺人。殺死德國人，將我們的領土清掃乾淨。殺死德國人，因為他殺死我們的人民。殺死德國人，讓我們重獲自由。」[58]

武裝抵抗有許多類型，包括個人自發性採取恐怖行動、反抗軍組成廣大網路以團體行動進行破壞與暗殺、在敵後組織游擊隊負責騷擾敵軍或讓敵軍心生恐懼。武裝抵抗也因為人數多寡或抵抗方式不同而有很大的差異，例如有些抵抗團體只有數百人，以地下組織的方式運作，盡可能讓自己保持隱密；有些游擊隊人數龐大，採取的積極抵抗行動已經與實際戰爭無異。中國共產黨的軍隊到了一九四五年已多達九十萬人；希臘民族解放軍在一九四四年有八萬人，預備隊也有五萬人；南斯拉夫民族解放軍派出八個師重新征服了塞爾維亞，另外還派了六萬五千名游擊隊支援紅軍攻下貝爾格勒。[59]武裝抵抗的形式之所以有這麼大的差異，一部分是地理條件使然，另一部分則是時機問題。在歐洲進行游擊戰，可以利用義大利廣大的山區與濃密的森林，南斯拉夫、馬其頓與希臘也有崎嶇的山嶺，波蘭東部與蘇聯西部則有遼闊的森林與沼澤地帶。如果游擊隊是在西歐城市地區，或烏克蘭與俄羅斯遼闊的大草原進行抵抗，恐將成為容易捕殺的獵物。一九四三年之後，法國反抗軍終於選擇法國中央高地或法國阿爾卑斯山區做為聚集地，他們以科西嘉方言的 maquis（灌木叢）來為自己命名，充分反映這一地理特徵。在亞洲，菲律賓或緬甸的叢林地區，華北與華中遼闊的山地、高原與河谷地形，使敵軍的兵力分散，也讓反抗軍有機會累積力量。

時機是所有大大小小的抵抗運動都必須面對的問題。早期的抵抗運動通常是敵人入侵下產生的自發性反應，這種反抗注定不會產生太大效果。之後的抵抗者必須根據戰爭實際的發展，來決定如何與何時行動。即使戰局長期處於混沌不明的狀態，抵抗也仍須持續，但武裝行動還是要盡可能保存人力與裝備，以等待盟軍勝利漸露曙光的那一刻。波蘭救國軍在占領區各地建立了預備軍網路，他們平時絕不輕舉妄動，只等待解放的時機到來，才會傾巢而出發動最終起義。一九四三年春天，救國軍總司令羅維茨基（Stefan Rowecki）表示，我們的策略是「手持武器，耐心等待，絕不貿然出擊，導致流血失敗」。[60]毛澤東在華北與日軍進行會戰失敗後，轉而堅持中共的武裝抵抗應局限於小規模游擊，即使長時間不發動攻擊也無妨，目的是為了保存中共的實力以支持到戰爭結束，並且為即將到來的內戰做準備：「抗日戰爭是持久戰而不是速決戰……。」[61]有些抵抗運動則認為對占領者採取消耗戰的策略是較合理的做法，他們不考慮時機的問題，也不在意這麼做是否徒勞或影響士氣。一九四一年九月，希臘民族解放陣線針對抵抗運動的目標發表宣言：「無論何時何地，無論是在市場、咖啡館、工廠、街道、莊園與所有工作上，都要持續鬥爭。」[62]

抵抗運動與軍隊一樣，組成分子來自各個階層，而且隨著時間而變遷。早期抵抗運動十分仰賴一小群知識分子、專業人士與學生，這些人協助形塑抵抗運動的目標，撰寫與發行抵抗文學，建立抵抗網路。在前線打敗仗的軍官如果能順利逃脫不被關進戰俘營，也有可能鼓動民眾起事或成為抵抗運動的領袖。最初在法國南部非占領區成立的幾個法國抵抗團體，反映了初期活躍人士的社會性格：一九四一年夏天，觀點特別激進的陸軍上尉弗雷奈（Henri Frenay）成立了「戰鬥」組織，另一名左翼記者達斯提耶（Emmanuel d'Astier de la Vigerie）則成立了「南部解放」組織。一九四〇年十二月在法國北部的德軍占領區，一名法國前情報部官員與幾名工會幹部成立了「北部解放」組織。[63]隨著戰爭持續，抵抗運動變成了群眾運動，抵抗運動的社會組成也出現變化。許多初期的領袖與活躍人士或被捕入獄或遭到處決，取而代之的是較年輕的運動人士。一九四三年到一九四四年，成千上萬名法國年輕男性為了避免被送到德國強制勞動，因而選擇加入游擊隊。當義大利在一九四三年投降後，也有無數義大利年輕男性為了不被殘餘的法西斯國家徵召入伍或被德國人強制勞動，於是紛紛加入游擊隊。[64]

歐洲抵抗運動的組成變化，與歐洲共產黨願意加入有很大的關係。隨著軸心國入侵蘇聯，歐洲共產黨就不再受制於《德蘇互不侵犯條約》。義大利的共產黨員就構成了義大利游擊隊的主幹，義共的「加里波底旅」大概占了游擊隊兵力的一半。[65]法國共產黨在一九四二年成立了自由射手與法國游擊隊，這個組織到了一九四四年已成為法國規模數一數二的抵抗組織，一共有六萬名法國共產黨員加入。[66]在希臘、南斯拉夫與蘇聯，游擊隊成員主要來自共產黨組織動員的大量農民，而共產黨幹部與成員則多半具有城市或工人階級背景。雖然共產黨游擊隊身上穿著類似軍隊的制服，但其中很高比例只是平民志願者或被徵召來，仍需要調適才能在艱困的準軍事戰鬥與規定下存活。中共軍隊徵召的平民僅受過一個月的訓練，而且這些訓練幾乎有一半是政治與歷史教育，並非戰鬥準備。除了軍隊之外，中共也將各地民兵組織成人民自衛軍，成員完全由農村民眾組成，包括徵召十八歲到二十四歲年輕人組成的「抗日先鋒」與由年紀較大者組成的「模範部隊」。到了一九四五年，各地徵召的平民士兵已將近三百萬人，任務是保衛自己的鄉土。[67]

抵抗運動有相當比例由女性構成。女性的參與充分顯示抵抗戰爭就像民防一樣，民眾的參與往往跨越性別。女性在各個階段參與了各種類型的抵抗，包括武裝或非武裝。雖然在抵抗敘事中，女性經常以輔助者的角色出現，例如為游擊隊提供補給、傳遞消息與警戒守望，也為逃亡者提供安全屋或照顧傷者，但這些行為全都被敵人當成反抗行為，而敵人對這種行為的懲罰，就跟處罰武裝游擊隊員一樣嚴厲。儘管如此，女性仍有屬於自己的特殊關切。女性通常會針對食物配給的不足提出抗爭，也會針對自己接替男性工作，但工作條件與福利欠佳表達不滿。當時的女性無論是否參與抵抗運動，保護家庭永遠是最優先的關切事項。在法國，估計女性針對與家庭有關的事項至少發起了兩百三十九次抗爭。[68]對部分女性來說，政治抵抗是一種附加手段，可以用來挑戰男性的支配與為女性的解放鋪路，使女性可以同時追求兩種形式的解放。女性的這些關切不一定非得要以積極抵抗的方式來表現不可，但為家庭而抗爭的女性與積極從事抵抗的女性，兩者之間也並非截然二分。許多從事抵抗運動的法國男性認為女性為他們提供食物、避難所與醫療只是家庭工作的延伸，而非真正從事抵抗運動，儘管當時法國確實沒有多少女性真正拿起武器戰鬥。[69]在南斯拉夫，估計大約有一百萬名農村婦女非法提供某種形式的支援給一小群積極抵抗的女性戰士。許多女性參與了反法西斯女性陣線，該陣線到了一九四五年已經有兩百萬以上的成員，在各地設有委員會與發行自己的報紙。[70]在義大利，於一九四三年十一月成立的婦女保衛團體提供救濟與支援給家庭、職業婦女與因轟炸而無家可歸者，她們也製作與流通非法報紙與傳單，並且也以更直接的方式支持游擊隊。婦女保衛團體的成立章程強調她們的抵抗色彩：「野蠻人偷竊破壞，四處劫掠與殺人。我們不能退讓。我們必須為解放而戰。」[71]

許多女性確實與男性並肩作戰，她們擔負起過去只有男性才擔負的任務。當占領里昂的德國當局在法庭上要求解釋為何拿起武器時，南部解放組織的地方領導人瑪格麗特（Marguerite Gonnet）

回應道：「因為男人放下了武器。」[72]年輕女性持槍的形象雖然引人注目，但絕不只是宣傳而已。在義大利，估計有三萬五千名女性加入了潛伏在森林與山區的游擊隊；大約有九千到一萬名女性被殺、受傷、被捕、被流放或遭到處死，這種傷亡程度已經超過任何正規部隊所能夠承受的程度。[73]在希臘，女性加入民族解放軍與軸心國進行游擊戰，之後由共產黨領導的希臘民主軍也有二到三成由女性構成，她們不僅只是輔助，更參與直接作戰。[74]一九四二年二月，南斯拉夫共產黨領導人決定，讓女性除了擔負原本的照護與輔助角色之外也拿起武器作戰，此後便有十萬名女性加入民族解放軍。女性游擊隊約占南斯拉夫所有游擊隊的百分之十五，與男性並肩作戰，並且遭受嚴重的傷亡，估計陣亡人數高達四分之一。這些女性的訓練普遍不足，對於自己使用的裝備也不熟悉，男性隊員對於突然湧入的大批年輕女性往往抱持著敵視心態而不願給予協助。資深女性隊員回憶，男人會要求她們在戰鬥之外，還要負責營區的雜務與照護工作。懷孕的女性被迫遺棄自己的孩子或者是出生後就殺死孩子，這種現象也出現在蘇聯游擊隊中。[75]

男性與女性共同參與的游擊戰是一種極為特殊的戰爭形式，與正規軍的戰鬥截然不同。游擊隊往往對外孤立，因此要得知其他游擊隊採取什麼行動或者在哪裡發動攻擊並不容易。戰鬥一旦發生，結果都是殘忍的：殺人或是被殺。戰鬥也是目無法紀的，不僅因為抵抗者不在戰爭法保障範圍之內，一旦被抓，占領者就可以任意對其進行處置，也因為抵抗者的行為在和平時期是嚴重的罪行。事實上，一九四五年後，義大利司法體系起訴了許多前游擊隊隊員，因為他們殺害法西斯官員與法西斯民兵的行為違反了現行法律，必須加以懲罰。抵抗運動的確擁有自己的一套倫理法則，而這套倫理法則是在抵抗者所處的極端危險環境中產生。參與抵抗運動者跟祕密會社一樣必須歃血為盟，如果有人背叛或開小差就是死路一條。任何有背叛嫌疑或因魯莽而造成他人傷亡的抵抗者，都將受到簡陋粗糙的審理，如年輕的法國共產黨員瑪蒂爾德（Mathilde Dardant），她被處決後屍體被赤裸棄置在巴黎的布洛涅森林，成為共產黨粗糙司法體系的受害者。[76]真正的背叛者一旦被發現，就會當場遭到殺害，或者遭到追殺與暗殺。抵抗者轉變成背叛者，其間只有一線之隔，不管是賄賂、威脅還是幻滅，都有可能讓一個人越過這條線。游擊隊也應該尊重當地居民，否則將承擔後果，因為犯罪將使游擊隊疏遠當地民眾，使游擊隊得不到當地民眾的幫助，然而許多游擊隊員還是無法達到要求。希臘民族解放運動在他們控制的村子裡設立地方「人民」法院，而游擊隊員會因為偷竊、宰殺牲畜或強姦而遭處決。[77]游擊隊對於顛覆或刺探有著近乎偏執的恐懼。希臘一份抵抗運動報紙表示：「我們最大的責任就是保持警戒。」[78]

游擊隊對於自己招募的成員施以嚴刑峻法，充分反映出抵抗者總是身處於危險狀態之中。游擊隊不同於正規軍，游擊隊員知道自己只要被捉，就會遭到拷問，被特別法庭審問而且沒有上訴機會，而最後結果通常是被處決。許多時候，游擊隊都是當場被槍斃或吊死，在這種狀況下，游擊隊也會還以顏色：如果敵軍士兵或民兵不幸落入他們手中，游擊隊也會用相同的方式對待。白俄羅斯一名兒童游擊隊員曾親眼目睹七名德國戰俘遭到處決，過程完全仿照德軍處決游擊隊員的方式：被迫脫光衣服，然後排成一列槍斃。[79]無論哪個陣營，也無論在何處，游擊戰都是冷酷無情的。占領軍與通敵者對游擊隊的恐懼，源自於游擊隊發動不可預測的恐怖攻擊或突襲。毛澤東在一九三八年發表了《論持久戰》，此後便成為抗日游擊戰的主要倡議者。他堅持只有在出現小股孤立的日軍時才能發動進攻，而且要利用埋伏、夜襲、突襲等戰術，戰鬥結束後要迅速退回鄉間地帶。[80]在城市裡，破壞與殺戮仰賴完全保密、攻擊速度與少量的參與者。游擊隊必須避免與城市地區的敵軍交戰，因為城市地區的正規軍訓練較佳，武器較精良，城市地區也比較難以脫逃。打帶跑戰術可以彌補游擊隊在軍事上的大量劣勢。

游擊隊與裝備精良組織嚴密的正規軍進行的是一場不對稱戰爭，更糟糕的是，游擊隊不僅難以取得武器裝備，就連軍服也十分缺乏。一般熟知的游擊隊形象，無論男女身上都穿著各種衣物，有些是軍服，有些不是，絕大多數都沒有頭盔——與正規軍的整齊劃一形成強烈對比。當戴高樂將軍在解放土魯斯（Toulouse）後檢閱法國游擊隊時，他看到眼前非正規軍的模樣，感到十分吃驚，因為他們身上穿的都是在游擊戰中臨時湊起來的衣服。英國駐希臘游擊隊的代表回憶游擊隊簡陋的外觀時也表示：「他們穿的衣服難以形容，幾乎可以說是破布，許多人在雪地裡光著腳。他們的槍枝老舊，大約有六十年了……。」[81]武器缺乏，但維持戰鬥所需的彈藥更為缺乏。重武器是稀有物，只有東線戰場或南斯拉夫的游擊隊才可能持有重武器，這兩個地區的游擊隊普遍裝備較佳。然而，就連南斯拉夫民族解放軍無產階級第一師的八千五百名士兵，也只能為其半數兵力提供步槍。[82]波蘭救國軍花了好幾年儲備武器，等待出擊的時機到來，他們的資源遠比絕大多數抵抗運動來的充裕，然而當一九四四年一月第二十七師終於要採取行動時，七千五百名士兵仍只有四千五百枝步槍與一百四十挺衝鋒槍。經過兩個月的戰鬥後，第二十七師基本上全軍覆沒。[83]華北的中共軍隊雖然到了一九四〇年時宣稱擁有龐大軍力，但實際上招募來的士兵有半數以上沒有武器可用，或是即使擁有槍砲，也缺乏彈藥。[84]當英軍開始向歐洲抵抗運動空投補給物資時，他們運送了大量的塑膠炸藥與引信，因為敵後破壞是英軍的戰略優先目標，但游擊隊其他急需的戰場武器卻是少之又少。與正規軍不同，游擊隊的後勤補給往往不定期、缺乏體制且通常不是他們想要的。

抵抗者戰鬥的對象不限於占領者。抵抗者對敵人冷酷無情，但對通敵者也毫不寬貸，必要時也不會對其他抵抗運動客氣。敵人可以有各種不同的定義。通敵者是特殊目標，更容易打擊，不一定有武裝，殺死通敵者可以對占領區民眾起到殺雞儆猴的效果，使他們不敢與敵人合作。在中國，通敵的行為十分普遍，因為地方菁英或各地軍閥都希望在日本占領區裡維持自己的利益。華北某個中共機關保存的統計數據顯示，一九四二年有五千七百六十四名通敵者被殺，卻只有一千六百四十七名日本士兵被殺；一九四三年差距變得更加明顯，有三萬三千三百零九名通敵者被殺，日本士兵卻只死亡一千零六十人。[85]毛澤東日後宣稱，中國共產黨採取的策略是七分發展、二分應付、一分抗日。在菲律賓，相較於日本占領軍，民眾更害怕菲共領導的虎克軍，在虎克軍殺害的兩萬五千人當中，有很高比例是被懷疑為間諜與通敵者的民眾。[86]希臘民族解放運動的游擊隊在控制地區對於可能與傀儡政權合作的人士進行報復，這場充滿威嚇與殺戮的野蠻行動甚至也針對可能的親英派人士，凡是被懷疑鼓吹英國干涉希臘的人都遭到殺害。[87]

東線戰場上的游擊戰，只要被懷疑通敵，全家大小都會被殺光。在與德國人及烏克蘭民族軍的混戰中，蘇聯游擊隊的無情表現到了極致。費多羅夫（Oleksii Fedorov）指揮的一支游擊隊將里亞霍維奇（Liakhovychi）滅村，因為他們認為這裡的村民與叛軍串通。一名目擊者回憶這場無差別的攻擊：

> 他們見人就殺。第一個被殺的是馬丘克（Stepan Marchyk）與他的鄰居瑪崔娜以及她的八歲女兒，還有赫維塞克（Mykola Khvesyk）夫婦與他們的十歲女兒……他們殺了赫維斯克（Ivan Khvesk）一家（妻子、兒子、兒媳與男嬰），將他們棄置在著火的房子裡……五十名無辜居民喪生。[88]

雖然游擊隊向莫斯科當局回報時，宣稱他們殺死的德國人與通敵者比例是十比一，但根據一些德國紀錄顯示，實際比例應該更接近一比一點五，部分游擊隊員的回憶錄甚至透露出更高的通敵者死亡比例。通敵者通常都會遭到拷問，甚至還會遭到剝皮或活埋。[89]在西歐與南歐，游擊隊的重點同樣是暗殺或恐嚇通敵者，或是破壞設備與為德軍生產戰爭物資的工廠。

即使彼此有著共同的軸心國敵人，游擊隊派系之間依然毫不留情地自相殘殺。在希臘，勢力最大的民族解放陣線實際上由希臘共產黨掌控，該民族解放陣線試圖以武力合併其他較小的非共產黨抵抗團體。一九四四年四月，民族解放陣線的游擊隊攻擊並消滅了對手希臘民族與社會解放運動，處決了該運動領袖普薩羅斯上校（Demetrios Psarros）。另一個抵抗組織希臘民主民族聯盟雖然不斷出現武裝衝突，卻因為聯盟領袖澤爾瓦斯將軍（Napoleon Zervas）獲得英國人的鼎力支持，因而得以倖存至戰後。希臘共產黨追捕與暗殺托洛斯基派人士，法國共產黨也是如此。[90]意識形態與政治主張的差異，強化了游擊隊派系互鬥的局面。在南斯拉夫，共產黨領導的民族解放軍與米哈伊洛維奇上校（Draža Mihailović）率領的切特尼克（Chetnik）叛軍，兩者的武裝衝突主要源於兩派對於戰後南斯拉夫國家有著不同的願景：一個希望建立共產主義國家，另一個則是君主制國家。一九四二年春，共產黨領袖決定對抵抗運動對手採取階級恐怖的策略，並於同年四月殺害了五百名切特尼克領導人士，由此開啟了漫長內戰。[91]在中國，雖然蔣介石的國民政府與中共已經同意組成抗日民族統一戰線，但雙方在敵後組織的游擊隊卻持續發生衝突。國民政府高層私下把日本人與毛澤東領導的中共都視為敵人。一九四一年一月，中共的新四軍違抗命令經由江蘇省往北移往日軍後方，結果被國民黨軍隊圍殲，一萬人陣亡。此後，抗日民族統一戰線名存實亡。[92]政治野心與個人恩怨分化了各地的抵抗運動，使得游擊隊肆無忌憚地自相殘殺，就像他們無情殺害通敵者與占領者一樣。

每個抵抗運動內部多少都存在著某種形式的內戰，無論其對抗的是通敵者還是抵抗運動的其他對手，但在中國、南斯拉夫與希臘，抵抗運動卻與內戰密不可分。這些共產黨領導的游擊隊在與外敵對抗的同時，仍不忘利用戰時危機在自己控制的地區改變當地的社會與政治地貌。這些戰爭關乎民族的政治未來，而這些戰爭的參與者深信軸心國的新秩序必將傾倒。到了一九四五年，中國共產黨已經控制廣大地區的一億人口，逼迫區內地主全面減少廣大農民的地租與利息。一九三七年，中共政治局發表《抗日救國十大綱領》，要求社會平等與擴大地方民主。中共不顧地方菁英或地主的反對推動改革，賦予農民從未有過的權利，使他們能夠參與地方政治。[93]到了一九四五年，中國共產黨已經做好發動更激進階級鬥爭的準備，他們以武力對抗舊菁英與國民黨政權，並且隨即演變成公開內戰。

在希臘，共產黨領導的民族解放運動及其武裝側翼也以類似的方式改變地方農村生活。據說在一九四二年六月，年輕的希臘共產黨員維魯希奧蒂斯（Aris Velouchiotis）帶著十五名武裝人員、一面旗幟與一個軍號，來到距雅典三百公里的山村多姆尼斯塔（Domnista），他高舉「反叛旗幟」，不僅要對抗敵人，還要對抗舊階級體系。[94]無論是否真有此事，在游擊隊支配的農村地區，各地村民都根據首次在克萊斯托斯（Kleistos）村頒布的「自治與人民正義」規約來建立民主制度。每座村子都要設立游擊隊轄區與地方的「專責轄區」來組織村落生活，但農民跟中國一樣可以投票選出地方委員會為他們服務。[95]每座村子設有「人民法庭」，每週日開庭審理當地案件。民族解放運動強調「人民統治」，這個說詞無須清楚定義就能讓絕大多數不識字的鄉村民眾瞭解。[96]反抗新秩序或質疑其正當性的人，可能一聲令下就遭到處決。然而順從的人也不一定能平靜度日，除了要上繳收成，繳稅支持游擊隊，還要定期為捲入游擊隊衝突的敵對家族解決紛爭。[97]幾年後，約安尼迪斯（Yiannis Ioannidis）為游擊隊普遍的暴力手段辯護：「打內戰不能沉溺在多愁善感的情緒中……要消滅敵人就要不擇手段。」[98]游擊隊在農村推動的轉變，旨在為基礎的社會革命與階級戰爭創造條件。一九四四年秋天，當德軍終於放棄希臘時，游擊隊解放的地區，抵抗運動將其稱為「自由希臘」，成為希臘共產黨奪取國家權力的基地，德軍占領時期在檯面下進行的內戰此時終於演變成公開的戰後衝突。共產黨叛軍與一九四四年到一九四五年重建的希臘民族軍，雙方為了掌握希臘而交戰，導致十五萬八千人死亡，其中有四萬九千人是平民。幸運活下來的人，還需要忍受數年的騷亂與流離失所。[99]

在南斯拉夫，公開的內戰與戰時的游擊戰同時進行。這場內戰混雜了種族、宗教與政治衝突，平民深陷在這個極端暴力的網絡中，不是成為受害者，就是成為加害者。最接近真實的估計顯示，戰時死亡的南斯拉夫人約略超過一百萬人，但絕大多數不是死於敵軍之手，而是同胞的自相殘殺。抵抗運動在南斯拉夫具有雙重含義：抵抗占領者與抵抗內部敵人。一九四一年四月，德國的入侵摧毀了脆弱的南斯拉夫政府，另外建立了占領政權，導致此後南斯拉夫內爭不斷。名義上擁有獨立地位的天主教國家克羅埃西亞，領導人是法西斯主義者帕維里奇，國內有大量的少數民族，如波士尼亞穆斯林與信仰東正教的塞爾維亞人。義大利控制斯洛維尼亞與蒙特內哥羅，德國則控制殘餘的塞爾維亞，扶植內迪奇（Milan Nedić）的親德傀儡政府，地位猶如塞爾維亞的貝當。新成立的克羅埃西亞政權想維持自身的獨立地位與建立一個種族純淨的國家；塞爾維亞的切特尼克想建立大塞爾維亞與恢復君主制，排除所有的穆斯林；弱小的南斯拉夫共產黨想建立對抗法西斯敵人的統一戰線，不計一切代價對抗不願意與共產主義合作的其他抵抗運動。[100]

內戰一觸即發。克羅埃西亞人殺害或驅逐塞爾維亞人；塞爾維亞切特尼克殺害波士尼亞穆斯林與摧毀他們的村子，並且將受害者割喉；共產黨游擊隊無情地對抗塞爾維亞君主派與克羅埃西亞法西斯主義者。[101]數千名志願者組成非正規軍來保護自己的家園與持續抵抗運動。切特尼克南斯拉夫祖國軍恣意殺害波士尼亞人、克羅埃西亞人與共產黨員。狄托（Josip Broz Tito）率領共產黨人民解放軍對抗德軍，但也積極反對切特尼克、克羅埃西亞烏斯塔沙民兵與準法西斯主義的塞爾維亞志願軍。各地都有民眾自發地組織自衛團體來抵抗各種威脅，例如穆斯林綠色幹部、潘札（Muhamed Pandža）領導的穆斯林解放運動、反共的斯洛維尼亞聯盟。[102]暴力持續且愈來愈野蠻。共產黨員吉拉斯（Milovan Djilas）在戰爭回憶錄中寫道：「死亡成為稀鬆平常之事。生命已經失去意義，只剩下活著。」[103]德國與義大利占領軍對各個勢力進行分化，或者是與各方達成暫時和解以對抗共產黨這個共同敵人。到了一九四四年，狄托的解放運動開始取得廣泛支持，甚至連前君主派人士也願意妥協，因為狄托承諾未來將建立一個聯邦制民族國家，願意尊重宗教與種族歧異，讓各方和平共存。與希臘和中國一樣，南斯拉夫共產黨游擊隊在控制的鄉村與小鎮地區推動社會與政治改革。[104]一九四四年秋天，最後一場解放塞爾維亞的戰役（塞爾維亞是狄托的解放運動進展最少的地方）成了純粹的南斯拉夫人內戰。德國僅能動員少數警察與親衛隊，必須仰賴數千名切特尼克、塞爾維亞志願軍及俄羅斯反共志願軍的協助。一九四四年秋天，塞爾維亞戰爭結束，意謂著南斯拉夫內戰至此告終。[105]

意識形態與政治分裂導致了內戰，然而抵抗運動在戰時除了面臨這兩項因素，還遭遇其他許多障礙。由於占領區內絕大多數民眾並未積極抵抗，因此民眾對於抵抗者往往態度曖昧，有時甚至表現出敵視。在出現游擊隊的地方，村民往往被剝奪資源與糧食。農民有時會與游擊隊合作，但中國或烏克蘭的農民時常認為游擊隊並沒有比占領者好到哪裡去，因為游擊隊不僅會搶奪有限的糧食，甚至會殺死反抗者。在蘇聯的敵後地區，一些掉隊或逃跑士兵為了生存會公然進行搶掠，甚至不再以抵抗者自居。在德軍後方，地方民眾有時會臨時起意，為了生存而搶掠附近村落。基輔附近一名蘇聯游擊隊指揮官指責一些「家庭游擊隊」獨立行動：「他們喝得醉醺醺，搶奪民眾財產……無法無天。」[106]班德拉率領的烏克蘭民族軍又稱「班德拉軍」（banderivtsy），被各地村民稱為「土匪」（bandity）。他們偷竊牲口，凡是不支持班德拉運動的人，無論是不是烏克蘭人，都格殺勿論，還會掠奪他們理應解放的村落。[107]在華北地區，早在日本入侵之前就已經盜賊橫行，各地的小股土匪趁著國家缺乏有效治理能力時四處搶掠。抗日戰爭時，這類盜匪頭子會藉口保護村民對抗日本人，實際上卻是搶奪與勒索村民。例如一名盜匪頭子胡金秀以抗日為名糾集五千人，非但不保護民眾，反而打家劫舍，直到日軍將其殲滅為止。[108]對中國農民來說，最重要的是穩定度日，即使這意謂著要支持日本人對抗當地的游擊隊與盜賊。中共新四軍驚訝地發現，當他們進入某座小鎮時，居民竟熱情地對他們揮舞日本國旗。[109]面對這種混亂而暴力的局面，一切彷彿回復到弱肉強食的自然狀態。

在占領者眼中，抵抗行動是一種恐怖主義罪行，而地方民眾則成為占領者報復抵抗行動的受害者。民眾擔心自己無辜受害，於是起而反對抵抗運動。在東歐的東南部地區，德國當局下令，只要有一名德國士兵被殺，就要處決一百名無辜的平民來抵命；在法國，占領軍的暴行較為克制，宣稱每有一名德軍士兵被殺，只要五名平民的性命做為抵償。[110]民眾感到不安，他們不知道該怎麼做才能讓抵抗運動不會付出那麼大的代價。一九四〇年與一九四一年，法國開始出現暗殺潮，此舉受到民眾與倫敦自由法國當局的譴責，因為德國因此殺害了大量民眾做為報復。當荷蘭抵抗委員會於一九四三年春天成立時，荷蘭流亡政府基於相同理由拒絕批准該委員會對德國人採取暴力行動。[111]

抵抗分子必須面對道德兩難，因為他們的行動只能對占領者造成可忽略的輕微傷害，卻會讓大批無辜同胞喪失生命。占領者的鎮壓從一開始就是無差別的，因為占領者的目標是威嚇其他民眾，使其乖乖順從。到了一九四一年，各地日軍指揮官對於共產黨游擊隊的襲擊無計可施，於是下令在游擊隊出沒的地區採取惡名昭彰的「三光政策」——儘管早在此之前，日軍的反游擊部隊就已經零星採取過這種沿路「殺光、燒光、搶光」的策略。[112]在歐洲，占領者的反應也大致相同。在城市裡，抵抗分子遭到審判、流放或處決，而為了報復，充當人質的民眾則被公開槍斃。在鄉村地區，只要村民被懷疑窩藏游擊隊或「自由射手」，整座村子就會被燒毀，村民也會被殺害。一九四二年，親衛隊帝國保安總部部長海德里希遇刺，導致捷克的利迪策村（Lidice）被摧毀。一九四四年六月，德國武裝親衛隊「帝國」師的一個團毀滅了法國村落格拉訥河畔奧拉杜爾（Oradour-sur-Glane），殺害包括婦女小孩在內的所有村民，而這些只是針對個人抵抗行動進行殘酷集體懲罰的冰山一角。在烏克蘭，在親衛隊將領熱勒維斯基（Erich von dem Bach-Zalewski）領導下，德國安全部隊與軍隊共計焚燒了三百三十五座村子。而根據德軍內部精確但令人毛骨悚然的統計數據，德軍還另外殺害了四萬九千兩百九十四名男女幼童，其中三分之二集中在一九四三年游擊隊活動的高峰期。在希臘，有七萬零六百人在報復行動中被處決或殺害。[113]

占領者也組織更大規模的軍事行動來剷除游擊隊，重創抵抗運動。在南斯拉夫，一九四三年一月到三月的「白色作戰」與同年五月到六月的藍色作戰未能消滅民族解放軍，但確實造成民族解放軍的重大損失。在烏克蘭，一九四三年六月到七月的「塞德利茨作戰」（Operation Seidlitz）導致五千名游擊隊死亡。一九四四年冬天於義大利北部進行的反游擊戰役，重創了抵抗運動，估計有七萬五千名男女死亡。在法國與低地國，蓋世太保持續進行刺探工作，在當地警察協助下，於一九四四年春破壞了當地游擊隊在早期建立的網路與活動。有些被徵召來從事反游擊行動的人原本就以劫掠為生，如烏克蘭民兵、武裝親衛隊彎刀師（SS Handžar Division）的波士尼亞穆斯林、義大利的哥薩克師，許多人提到這些人生性殘忍，樂於從事這些野蠻任務。在占領者強力壓迫下，抵抗運動能做的十分有限。盟軍擊退軸心國需要的時間愈長，抵抗運動的前景就愈渺茫。解放之日持續延後，造成游擊隊士氣低落，甚至使游擊隊轉而反對同盟國陣營。即使游擊隊依然存在，但在缺乏重武器與有效軍事組織的狀況下，抵抗運動幾乎不可能仰賴自己的力量獲得解放。這帶來一個難解的矛盾：一方面想更有效地從同盟國手中取得實際援助與裝備，但另一方面，取得援助就意謂著難以完全仰賴自己的力量解放民族，也無法完全仰賴自己的力量形塑民族的未來。「戰鬥」組織的領導人弗雷奈寫道：「事實上，我們成立的游擊隊，與其說是為了對抗入侵者而戰，不如說是為了尋求自身的解放而戰……。」[114]

## 抵抗運動與同盟國

支持解放運動並非同盟國的首要目標。抵抗運動對同盟國之所以重要，主要因為抵抗運動有助於擊敗敵人。同盟國願意援助抵抗運動，前提在於武器裝備必須用在符合同盟國戰略目標的地方。

英國的歐洲特別行動參謀長回憶說：「我們必須從非常實際的觀點來考量每則提案與每個團體是否有助於我們打贏這場戰爭。」[115]同盟國在思考戰後政治局勢時，也會考慮眼前各抵抗團體的政治重要性，但戰時政策的擬定，軍事考量還是居於首位，最明顯的例子是一九四三年英國政府改變了援助政策，從原本援助君主派人士米哈伊洛維奇，改成援助共產黨員狄托，只因為狄托的民族解放軍更有能力對抗德國人。（有趣的是，史達林並不反對支持米哈伊洛維奇的切特尼克，因為他擔心狄托的共產主義野心最終會影響到自己與西方盟國的關係。）但在另一方面，對抵抗運動來說，擊敗敵人只是手段，而非最終目的。在中國、義大利、法國與巴爾幹半島，解放指的是在勝利後建立一個完全不同的社會，這個社會要比先前因為外國入侵而被推翻或挑戰的社會更為民主、更為平等與更為兼容並蓄。「灌木叢」領導人布魯特（Michel Brut）比較了抵抗運動與同盟國之間的差異：「不起來反抗，就不可能獲得解放……沒有人質疑同盟國帶來的立即戰略價值，但重點是，我們必須訓練自己的戰士才能進行反抗。」[116]

同盟國彼此之間對於如何利用抵抗運動也有不同的看法。好比在蘇聯境內進行的游擊戰，就必須與蘇聯在前線的戰爭投入密切整合。蘇聯在一九四三年與一九四四年逐步取得勝利，解放的期望也跟著水漲船高。與英美不同的是，紅軍與支持紅軍推進的游擊隊，兩者解放的是自己的領土與自己的人民。早在一九四四年，蘇聯還沒收復原有領土之前，蘇聯游擊隊的抵抗已經減緩，游擊隊甚至開始逐步併入正規部隊。直到這個時期，蘇聯才開始介入廣大東歐的抵抗戰爭，而其結果顯然不如在蘇聯境內順利。儘管如此，蘇聯游擊隊在需要外援時，也遭遇了與歐洲其他地區游擊隊相同的困境。當紅軍於一九四一年撤退時，蘇聯當局組織了留守部隊進行游擊戰，但這些部隊缺乏資源而難以為繼，而此時的史達林也不像日後那樣重視游擊隊的潛力。留在烏克蘭的兩百一十六支游擊隊，到了一九四三年只剩下十二支，計兩百四十一人。當局原想用空降的方式增援，卻因為容易被德軍掌握行蹤而作罷。早期從民眾徵召的游擊隊員訓練不足，無法滿足游擊戰的要求，往往容易叛變或逃跑。[117]此外，地方民眾表面上願意協助游擊隊加速解放與恢復蘇聯勢力，但實際上游擊隊奪取民眾的糧食與資源，讓村落暴露在被德軍報復的風險之中，加上游擊隊未能兌現保護民眾的諾言，未來還有可能恢復嚴苛的共產黨統治，這些都讓地方民眾對於游擊隊的態度充滿曖昧。

這個狀況在一九四二年五月出現變化：波諾馬連科（Panteleimon Ponomarenko）出任白俄羅斯共產黨第一書記，於莫斯科主持中央游擊隊參謀部。儘管如此，蘇聯當局還是無法與所有游擊隊建立無線電聯繫，也無法提供適當的彈藥與炸藥。直到史達林格勒會戰勝利後，民眾對游擊隊的態度才變得沒那麼負面，而紅軍裝備與紅軍專業人士也成功運送與滲透到德國戰線後方，使得游擊隊的武力逐漸正規軍事化。一九四三年，游擊隊逐漸能進行有效攻擊，兵力也逐漸增加；到了七月，官方統計游擊隊人數已達到十三萬九千五百八十三人，不過兵力損耗仍相當高。一九四三年，滲透到德國戰線後方的游擊隊員鮮少能夠存活，而徵召未經訓練的農民擔任游擊隊更讓傷亡率居高不下。[118]然而，游擊隊活動最終還是為蘇聯大本營帶來戰略利益。到了一九四三年春天，游擊隊控制了白俄羅斯大約九成的森林地區與三分之二的穀物與肉類產區，使德軍無法再利用這些資源。[119]對德軍交通網絡的攻擊也達到高峰，一九四三年下半年，游擊隊一共進行了超過九千次攻擊——光是一九四三年八月，當德軍因庫斯克會戰慘敗而倉皇撤退時，德國紀錄顯示有超過三千公里的鐵軌遭到炸毀，將近六百輛火車頭遭到破壞無法使用。蘇聯的統計數據（也許有點失真）則顯示，游擊隊在活動高峰期一共摧毀了一萬兩千座橋樑與六萬五千輛載具。[120]至於每一名游擊隊員是否能夠達到每個月「至少殺死五名法西斯主義者與叛國者」的標準，這點從統治數據無法得到證實。一九四四年一月，中央游擊隊參謀部解散，解放地區的游擊隊也隨之併入紅軍。

到了一九四四年，蘇聯軍隊已經橫越烏克蘭，來到昔日的蘇聯邊界。史達林此時在東歐與東南歐面臨一個全新的抵抗環境：在這兩個地區，共產黨抵抗運動與非共產黨抵抗運動相互競爭，後者不希望蘇聯的勝利帶來共產主義式的解放，就連當地的共產黨武裝抵抗運動（主要是在南斯拉夫與希臘）也不必然遵循或瞭解莫斯科的方針。蘇聯對抵抗運動的看法，有可能提供支持，卻也可能抹煞當地抵抗運動的貢獻。一名蘇聯軍官認為希臘民族解放軍「只是一群烏合之眾，不值得支持」，另一名紅軍將領則認為狄托的游擊隊是「很厲害的業餘人士」，再怎麼厲害也只是業餘。[121]最悲劇的例子是波蘭。波蘭的主要抵抗組織波蘭救國軍堅決反共與反蘇聯，但他們卻得面對同盟國陣營中只有蘇聯直接介入波蘭解放的困境。此外，波蘭救國軍雖然是最大的抵抗組織，卻不是唯一的抵抗組織。戰前提出激進反資本主義政綱的農民黨也成立了農民營，基於保護農民利益的立場而與救國軍代表的保守社會力量對抗。波蘭共產黨有自己的抵抗運動，也就是人民軍。人民軍拒絕與其他抵抗運動合作，到了一九四四年，人民軍開始取得即將到來的紅軍補給，就像先前蘇聯游擊隊在德國的蘇聯占領區取得補給一樣。波蘭共產黨的兵力不多，一九四三年全國只有大約一千五百名，一九四四年在華沙也只有四百名。然而波蘭共產黨有一個優勢，那就是將德軍逐出烏克蘭與白俄羅斯的是蘇聯共產黨的軍隊。[122]

到一九四四年為止，波蘭的抵抗運動一直十分有限，主要是因為救國軍認為叛亂時機還未成熟。到了一九四四年，徵召的四十萬名潛在戰士中，絕大多數都已經受過軍事訓練，他們只是名義上是平民，其中還包括數千名波蘭女性。波蘭救國軍依照一般正規部隊的番號加以區分，儲備的武器與糧食分散在全國各地，只等時機一到便要揭竿起義。判斷時機相當困難，因為一切都取決於盟軍與德軍之間的戰事變化。倫敦的波蘭流亡政府深知抵抗運動面臨的矛盾。一九四三年，波蘭救國軍與蘇聯的政治關係急速惡化，到了一九四四年六月，史達林轉而支持由波蘭共產黨組成的民族解放委員會，也就是所謂的「盧布林委員會」（Lublin Committee）。救國軍司令部一直努力要與逐漸逼近的蘇聯大本營聯繫，蘇聯方面卻置之不理，救國軍因此無法得知蘇聯的真正意圖。救國軍總司令科莫羅夫斯基將軍（Tadeusz Bór-Komorowski）得到倫敦方面的指示，要他採取行動，「無須考慮俄羅斯人的軍事或政治態度。」[123]然而，同盟國並無援助波蘭起義的計畫。從一九四一年初到一九四四年六月，西方國家補給的裝備與武器不過三百零五噸。一九四三年與一九四四年，數百名來自西方的波蘭志願軍空降到波蘭，但首要任務是進行破壞以協助同盟國的軍事投入。一九四四年夏天，史達林告訴邱吉爾，波蘭的非共產黨抵抗運動「持續不了多久且缺乏影響力」。昔日負責防守史達林格勒的崔可夫將軍，他的軍隊於一九四四年六七月展開夏季攻勢巴格拉奇翁作戰，推進到了波蘭領土。崔可夫當時認為，波蘭救國軍「絕不會向德國人開戰」。[124]

事實證明崔可夫的判斷錯誤。一九四四年，科莫羅夫斯基自行下令救國軍與農民營就戰鬥位置，準備對抗從蘇聯撤退的德軍。他們將武器從藏匿處搬出，儲備好糧食，並且開始製作汽油彈。軍隊裝備不足，士兵穿著簡陋軍服，上面別著以波蘭國旗紅白兩色製成的臂章。一九四四年一月，抵抗運動針對波蘭東部的德軍發動「暴風雨作戰」(Operation Burza)，希望波蘭戰士能趕在紅軍抵達之前解放波蘭城鎮。波蘭不願仰賴蘇聯軍隊，想靠自己的力量取得民族解放，然而這場戰役充分顯示波蘭的想法只是一廂情願。此外，抵抗運動不知道的是，史達林早在一九四三年十一月就已下令紅軍指揮官要解除波蘭救國軍的武裝，如有不從格殺勿論。從一九四四年一月到十月，有兩萬一千名波蘭反抗軍遭到蘇聯逮捕，其軍官被流放到蘇聯，士兵則被關進剛淨空的德國集中營，包括紅軍在同年七月解放的馬伊達內克勞動營與滅絕營。[125]科莫羅夫斯基與華沙地區指揮官赫魯希切爾將軍(Antoni Chruściel)對於蘇聯鎮壓民族抵抗運動之事其實早有耳聞。紅軍與內務人民委員部往西前進的同時，也對烏克蘭民族主義者祭出同樣嚴厲的懲罰：他們每到一個地方，就流放與殺害當地的民族主義者。與一九三九年九月的波蘭一樣，一九四四年夏天的波蘭救國軍發現自己再次被蘇聯紅軍與納粹德軍包夾，而且兩方都想置他們於死地。

理解這項嚴峻的現實，我們才能瞭解科莫羅夫斯基與他麾下的將領為什麼最終決定在八月一日發動華沙大起義。在軍事局勢不完全明朗的情況下，只知道紅軍距離分隔華沙市區的維斯杜拉河東岸只有幾公里遠，而位於華沙與華沙周邊的德國軍政當局似乎正準備撤離這座城市。七月底，莫斯科播送的廣播呼籲華沙人民起義反抗壓迫者，不過這項訴求主要是說給人數較少的共產黨人民軍聽，而這很可能讓其他抵抗運動警覺到蘇聯占領的危險。倫敦的波蘭流亡政府抱持審慎態度，因為他們不確定西方盟國是否會提供支援。赫魯希切爾本人也認為武器太少，反抗軍數量無法掌握，不應該冒險發難。但考慮到抵抗運動想在蘇聯軍隊抵達前解放華沙，藉此顯示波蘭人可以靠自己的力量恢復波蘭國家主權，不需要仰賴盟軍協助，這一大原則使赫魯希切爾改變了決定。波蘭救國軍司令部估計他們只需四到五天驅逐德國人，然後就可以歡迎俄國人以盟友而非解放者的身分進城。科莫羅夫斯基日後寫道，在這些條件下，全國性的大起義「似乎真實可行」。[126] 七月三十一日，抵抗運動領袖聚集開會，討論該如何進行。然而各方仍缺乏共識，此時有消息傳來（實際上是假消息），說蘇軍戰車正進入華沙東部郊區。這項消息促使各方達成協議，認為眼下就是起義的最後機會。隔日發布起義命令之後，情報才顯示紅軍並無任何動靜，但科莫羅夫斯基拒絕撤回命令。[127]

事實上，這場起義注定失敗，恢復波蘭國家主權在當時也是一個無法實現的願望。但對抵抗運動來說，這卻是個復仇的崇高時刻。卡茲克（Kazik）是一名猶太倖存者，但他以波蘭人自居，他回憶說：「我們似乎勝券在握……到處瀰漫著民眾反抗的氣氛……大家都興高采烈。」[128] 八月一日下午五點，救國軍在華沙各處起事，令德軍大吃一驚。根據估計，救國軍徵召超過五萬人，大約有四萬人參與這次起義。武器缺乏，僅足夠裝備八千五百名戰士，部分是女性。另有數千名兒童被編入「灰色隊伍」，這是波蘭童子軍協會的一個準軍事側翼組織——只有超過十六歲的孩子才能參與戰鬥，其中有五分之四被殺。[129] 抵擋波蘭反抗軍的是已經部署好的德國國防軍與武裝親衛隊，他們在此之前被匆促派來增援維斯杜拉河防線以抵禦來襲的紅軍。當希特勒得知起義之事時，他下令將華沙從地圖上抹除，將城市居民全部殺光，這是他針對抵抗運動所下達的最病態命令。兩支素來惡名昭彰的旅被派往華沙貫徹希特勒的指示，一支是迪勒萬格（Oskar Dirlewanger）指揮的親衛隊，另一支是俄國變節者卡明斯基（Bronislav Kaminsky）的部隊。在救國軍無法控制的地區，德軍恣意殺戮破壞，迫使反抗軍退守城市的幾塊零星區域。數量不詳的民眾冒險加入起義，但也有數千人袖手旁觀。估計有十五萬人死於轟炸、砲擊與大屠殺，這是二戰中數一數二大的一場軍事暴行。親衛隊的熱勒維斯基將軍曾是進行殘酷反游擊戰的資深將領，現在則負責鎮壓這場起義。他在抵達華沙之後，停止了對居民的屠殺，改採將倖存民眾大量流放的政策。

同盟國對華沙起義的支持微乎其微。最理想的預期是，一旦起義軍驅逐了德國人，紅軍將緊接著抵達華沙。但幾乎就在起事的同時，這樣的預期已注定不可能實現。八月一日，蘇聯在歷經四十天持續辛苦追擊德軍之後，攻勢終於停頓下來。抵達維斯杜拉河時，蘇軍已經精疲力盡，沒有繼續推進奪取華沙的計畫；即使蘇聯大本營下達命令，羅柯索夫斯基元帥的部隊也無法渡河發動進一步攻擊，因為此時德軍已在河對岸迅速增援，準備發動大規模反攻。事實上，要擊退德軍還需要六個星期的戰鬥，因此在九月中旬前支援起義是不可能的。此外，紅軍在白俄羅斯擊潰德國中央集團軍後，史達林希望兵分兩路，一路沿北部軸線朝波羅的海國家推進，另一路沿敵軍較少的南部軸線朝巴爾幹半島與中歐推進，以確保蘇聯對該地區的支配。[130]史達林對於援助波蘭民族主義者毫無興趣，他根本不把這場起義放在心上：「他們能算得上是軍隊嗎？沒有大砲，沒有戰車，沒有戰機？他們甚至沒有足夠的手持武器。在現代戰爭中，他們什麼都不是……。」八月中，史達林發給邱吉爾的訊息提到，這場起義不過是一場「魯莽而可怕的賭博」。[131]直到波蘭反抗軍跌破眾人眼鏡，不僅支持了四五天，還支持了幾個星期，史達林才在與紅軍並肩作戰的波蘭部隊及西方盟邦共同施壓下做出政治表態。從九月十三日到十四日的晚間開始，蘇聯在往後兩個星期持續對華沙空投物資，但蘇聯飛機必須低空飛行才能辨識反抗軍身處的口袋地區，結果降落傘還來不及打開，許多裝備與糧食就直接摔落到地面。英國也派遣軍機從義大利起飛進行空投，美軍軍機也從英國起飛如法炮製，但絕大多數物資都落入德國人手裡。美國第三航空師空投了一千三百噸物資，只有三百八十八噸成功交給了反抗軍。英國與波蘭機組人員發現要飛抵華沙十分困難，而且傷亡率很高。一百九十九架飛機只有三十架成功飛抵華沙進行空投，而波蘭反抗軍真正能拿到的物資也只有其中一小部分。[132]

失敗勢不可免，同盟國援助只是延緩結果的發生。到了十月二日，殘餘的反抗軍已潰不成軍，在絕望下不得不接受戰爭結束的現實。科莫羅夫斯基與一萬六千三百名反抗軍（包括三千名女性）淪為俘虜——他們被當成戰俘，這對非正規軍來說是少見的優厚待遇。反抗軍的損失有各種估計數字，但保守認為可能達到一萬七千人。熱勒維斯基在戰後提出難以置信的數字，他表示自己的部隊陣亡多達一萬人，失蹤七千人，但他在戰爭期間一開始提出的報告卻只有一千四百五十三人死亡，八千一百八十三人受傷。無論如何，這些數字見證了這場戰爭的艱困，就像史達林格勒會戰一樣，這是一場逐門逐戶推進的巷弄戰。灰色隊伍的年輕倖存者被送進勞改營。歷史最大的諷刺是，後來盟軍轟炸機居然誤炸布洛克維茨（Brockwitz）集中營，導致許多在華沙起義中生還的波蘭年輕人被炸死。

起義失敗終止了波蘭人有組織的反抗。一九四五年一月，紅軍發動大規模攻勢橫渡維斯杜拉河，然而整個波蘭社會早在此前四個月就因為起義的重大傷亡而噤若寒蟬。大約有三十五萬名華沙居民遭到驅逐，成為居無定所的難民，還有無數民眾被帶往德國強制勞動。十月九日，希特勒重申華沙必須徹底抹除。於是德軍先是掠奪這座城市，再有系統地破壞這座城市，超過五成建築物被毀。大約有兩萬三千五百節貨車車廂裝滿了戰利品運往德國。[133]起義的失敗也對其他抵抗運動造成完全負面的影響。據傳科莫羅夫斯基曾經表示：「協助俄羅斯就是背叛祖國……現在已到了反抗蘇聯人的時候。」當蘇聯當局得知此事之後，便在紅軍占領地區加強鎮壓救國軍。[134]在德國占領的地區，農民營與救國軍紛紛解散。面對華沙的恐怖下場，民眾的反應與其說是憎恨加害者，不如說更憎恨抵抗運動。波蘭地下政府十一月提出的報告表示，民眾「感到無力」，而且普遍反對繼續抵抗：「經過漫長時間的抵抗，犧牲者這麼多，成果卻這麼少……。」[135]

在整場二戰期間，蘇聯對抵抗運動的態度始終不明確，即使對共產黨自身的抵抗運動也一樣。史達林甚至對參與過一九四四年抵抗運動的波蘭共產黨感到不信任，因為波蘭共產黨不聽命於他支持的「莫斯科波蘭人」。莫斯科當局發給各地共產黨員的訊息相當審慎，一方面避免對立，一方面也留下與非共產黨合作的空間。史達林從一九三〇年代開始提防中國共產黨，因為後者經常不理會莫斯科的訓令獨立行事。毛澤東日後曾向蘇聯大使抱怨史達林「不太信任我們，他認為我們會成為第二個狄托，認為我們是落後國家。」史達林希望毛澤東能避免內戰，同時與蔣介石合作建立統一戰線共同抗日。等到二戰結束後，史達林依然不太願意提供軍事裝備給毛澤東，而且對於中國共產黨統治全中國的野心感到不滿。[136]當蘇聯遭到德國入侵時，與非共產黨合作建立統一戰線是蘇聯共產黨的官方政策。在希臘與南斯拉夫，即使主要的抵抗運動是由共產黨領導，史達林卻不希望這兩個地區爆發革命，因為對英國人來說，希臘與南斯拉夫具有明顯的戰略優先性，如果史達林鼓勵當地共產黨奪取政權，將會影響他與西方盟國的關係。蘇聯政權不重視希臘革命。[137]史達林希望希臘共產黨避免使用革命語言或制定叛亂計畫，並且盡可能專注於自衛。蘇聯幾乎從未支援過希臘民族解放軍。一九四四年下半年，史達林勸告希臘共產黨加入英國支持的聯合政府，同時拒絕支持他們發動內戰。[138]

在南斯拉夫，第三國際試圖說服狄托不要大張旗鼓地發起共產主義戰爭，並且希望他與其他反法西斯主義的抵抗運動合作，但南斯拉夫內戰已箭在弦上，不是史達林所能阻止。結果就是直到一九四四年為止，史達林仍持續支持流亡的南斯拉夫國王與他的政府，而且鼓勵狄托支持所有反希特勒人士，包括君主派的切特尼克。等到大勢底定，史達林確定西方盟國不會反對之後，他才於一九四四年六月承認狄托臨時政府。[139]正當蘇聯軍隊可能支援南斯拉夫游擊隊時，史達林的最高軍事委員會卻在同年九月對紅軍下達訓令，明白表示：「不要進入南斯拉夫，以免分散兵力。」[140]同月稍晚，狄托與史達林會面，史達林終於同意讓正在進攻匈牙利的紅軍撥出部分兵力協助狄托攻下貝爾格勒，但條件是軍事行動結束後紅軍就會立即離開。史達林無法確定南斯拉夫的政治局勢，因此他除了允許紅軍協助狄托的游擊隊，也讓紅軍與切特尼克合作。[141]一九四四年十月，狄托攻下貝爾格勒之後，紅軍果然立即離去，讓狄托的游擊隊獨力完成解放南斯拉夫的任務。英國對於共產黨即將掌控南斯拉夫感到不安，最終促使狄托與此前一直提供補給物資與空中打擊的西方盟國決裂。狄托對英國代表團表示：「我身為總統與最高統帥，我的行動無須向我國以外的人負責。」[142]一九四五年三月，狄托組織政府，二十九名閣員中有二十三名共產黨員，同盟國別無選擇，只能承認狄托政府為南斯拉夫的合法政權。南斯拉夫沿著薩瓦河對德軍防線進行最後一輪血腥猛攻，這場戰鬥一直持續到五月十五日，也就是德國宣布無條件投降後過了一個星期才結束。南斯拉夫在沒有盟軍直接介入下獨自贏得民族解放，在戰時抵抗運動盛衰起伏的歷史中，無疑是個獨特的例證。

相較於蘇聯在一九四五年二戰勝利後仍持續壓迫波蘭人與東歐各民族的抵抗運動，在西歐的同盟國並未孤立或壓迫抵抗運動。儘管如此，西方盟國的首要目標仍是擊敗德國，他們對待抵抗運動的態度往往受到這項目標的影響。西方盟國對抵抗運動也存有戒心。西方盟國想在解放西歐後解除所有游擊隊的武裝，而且希望限制抵抗運動的權力，減少他們對解放區政治重建的影響。就這點來說，西方盟國與蘇聯的想法有志一同，差別只在於前者想限制共產主義的傳布，後者則是鼓勵共產主義的傳布。西方首次支持抵抗運動是英國在一九四〇年七月做成的決定，當時同盟國想不出其他戰略，只能尋求間接消耗德國的戰爭投入。一項做法是海上封鎖，另一項做法是轟炸德國工業區，最後第三項做法就是支持抵抗運動，讓抵抗運動為占領者帶來破壞與恐怖，或者用邱吉爾的名言來說，就是「在歐洲放火」。這項策略是現代戰爭的嶄新發明。過去不是沒有人主張平民在等待解放時也應從事暴動，但這種想法最初在一九四〇年幾乎不可行，而且實際上英國原本也不熱衷於支持抵抗運動。這種狀況直到英國有機會重返歐陸時才有所改變。

英國做出決定後，在敵後推動抵抗運動的策略很快便開始付諸實行。擔任經濟戰大臣的工黨政治人物道爾頓負責發展祕密組織，把人員、金錢與補給送進歐洲占領區。前首相張伯倫受邀為新部會草擬成立文件，並且將其命名為「特別行動執行處」。[143]道爾頓推測歐洲受壓迫的工人階級可能會發起革命，他因此認為「從歐洲內部發起抵抗占領者的行動」機會相當大。[144]除了成立特別行動執行處外，英國政府也批准對歐洲占領區進行宣傳，鼓勵歐洲民眾進行各種形式的抵抗，包括由英國廣播公司進行廣播及空投傳單。在戰爭的巔峰期，英國廣播公司每天以二十三種語言播送十六萬字，讓歐洲各地不願聆聽軸心國廣播的民眾能夠得到更可靠的新聞來源。盟軍軍機與氣球在二戰期間空投了將近十五億份傳單、單張新聞與雜誌。即使擁有一張盟軍的宣傳品就有可能被判死刑，占領區民眾還是渴望得到這些物品。[145]

英國成立的第二個組織是政治作戰處。該組織在前外交官洛克哈特（Robert Bruce Lockhart）指示下成立，負責進行宣傳戰，總部設在倫敦市中心的英國廣播公司布希大樓。政治作戰處的目的是維持占領區的民心士氣與鼓勵抵抗運動採取祕密行動「傷害或削弱」敵人。[146]政治作戰處最終的目標是在正確時機動員各方抵抗運動來協助盟軍作戰。洛克哈特與同事擬定了各種計畫來鼓動占領區的反抗勢力。例如針對歐洲農民發起的「農民起義」行動，利用清晨廣播（「拂曉農民」）號召農民拒絕提供德國人糧食。這場戰役就像其他許多宣傳一樣，完全是基於臆測與幻想。一份報告樂觀地表示：「就算農民不合作，納粹獨裁者的戰爭機器總有一天會停止運作。」[147]第二場行動代號「特洛伊木馬」，目標是被強徵到德國勞動的歐洲工人。一九四四年擬定的戰略文件表示，這些被強徵的勞動力構成「獨一無二的革命力量」，一旦盟軍開始反攻，他們就會揭竿響應。儘管缺乏可信的證據，對強制勞動的實際狀況也不瞭解，政治作戰處仍成功說服艾森豪最高統帥部將「特洛伊木馬」行動列為政策。[148]捷克流亡政府的外交部做了比較務實的評估，並且提醒洛克哈特，英國政治作戰處與歐洲現實差了「十萬八千里」。二戰結束時，英國聯合情報委員會主席班廷克（Victor Cavendish Bentinck）表示，政治作戰處是否成功「讓戰爭早一個小時結束」，我想大家都感到懷疑。[149]

美國參戰之後，於一九四二年七月成立了戰略情報局，由唐納文將軍（William Donovan）擔任局長。戰略情報局下設特別行動處及士氣處，分別相當於英國的特別行動執行處及政治作戰處（後者日後真的更名為政治作戰處）。[150]英國的特別行動執行處與美國的特別行動處都組織與訓練了特殊人員滲透到敵對占領區，與當地抵抗運動建立聯繫，以進行破壞或蒐集情報。盟軍擔心如果不派人到敵後協助，這些業餘的平民反抗軍恐怕無法成功執行任務。這兩個組織將特務派往世界各地，但彼此各有專屬的地理範圍，避免造成指令重複，使祕密戰爭陷入混亂。亞洲主要由美國的特別行動處負責，但在緬甸則由英美兩國共同執行任務。歐洲主要由英國的特別行動執行處負責，一九四四年一月開始，英美兩國開始在歐洲共同執行任務，但通常是美國人加入英國特別行動執行處的部隊。特別行動執行處的男女人員最終達到一萬三千兩百人，大約有半數是前線作戰，傷亡率極高。就像各地反抗軍一樣，這些傷亡往往是有人背叛或行蹤暴露造成。美國戰略情報局到戰爭結束時總共有兩萬六千人，分屬於特別行動處與祕密情報處。[151]

有些特別行動人員會從英國的難民或美國的移民社群中招募，因為這些人能說占領區的語言，但特別行動人員的來源也不僅限於這些難民或移民。特別行動人員在空降到敵人占領區之後，便要過著危險的日子。在戰時擔任特別行動執行處處長的古賓斯少將（Colin Gubbins）提到，這些敵後人員「時時刻刻活在驚恐不安之中」。[152]他們的處境之所以危險，不僅是因為被敵人視為恐怖分子，也因為他們與地方反抗軍的關係並不穩定。反抗軍之所以願意跟盟軍合作，主要是因為盟軍願意提供金錢、武器與炸藥，少了這些東西，抵抗運動根本無法進行。事實上，盟軍與反抗軍之間存在緊張關係，一方面，盟軍希望反抗軍採取符合盟軍戰略與戰術利益的行動，另一方面，反抗軍之所以反抗往往是為了民族解放，但盟軍對此卻興趣缺缺。威爾金森（Peter Wilkinson）是首位與狄托面對面聯繫的特別行動人員，他向總部回報時表示，與反抗德國人相比，這些游擊隊似乎對打內戰更有興趣。他在報告中又說：「事實上，從事破壞行動的機會很多，但沒有人，我再重複一次，沒有人會去搞破壞。」[153]空降到希臘的情報人員將當地村落游擊隊的作戰能力批評得一無是處，偏偏這些人正是他們要協助的對象——邱吉爾曾隨口說這些人是一群「可悲的土匪」。[154]西方援助是有條件的：各種破壞行動與武器支援都是為了實現打敗軸心國這個核心目標，而不是用來打內戰。一九四四年秋天，希臘在解放後隨即爆發內戰，同年十二月，英軍介入，不讓裝備盟軍武器的共產黨民族解放軍接管雅典。也就是說，此時盟軍作戰的對象竟是自己曾經支援對抗軸心國的抵抗運動組織。[155]

盟軍堅持援助抵抗運動必須符合西方國家的首要戰略目標，這點可以從盟軍空投資源與人員的統計數字看出。從一九四三年到一九四五年，英國皇家空軍從英國基地起飛，向法國反抗軍空投了八千四百五十五噸補給物資，比利時四百八十四噸，荷蘭五百五十四噸，波蘭三十七噸，捷克斯洛伐克只有一噸——要到捷克斯洛伐克進行空投，機組人員與機隊都要冒著極大風險。南斯拉夫游擊隊抵擋了至少六個德國師的攻勢，盟軍於是向他們空投了一萬六千五百噸物資。義大利游擊隊的軍事價值深受盟軍懷疑，因此從一九四四年六月到十月，即使義大利防線此時正值勝敗的關鍵時期，盟軍依然只向他們空投了九百一十八噸物資。[156]援助時機也取決於盟軍的軍事計畫。盟軍直到一九四四年上半年才開始援助法國反抗軍，因為盟軍希望法國的抵抗運動能在敵後進行破壞以協助盟軍登陸諾曼第。從一九四一年到一九四三年底，盟軍只對法國空投了六百零二噸補給物資，但英美空軍卻在一九四四年一月到九月間對法國空投了九千八百七十五噸補給物資，其中三分之二集中在六月諾曼第登陸之後。人員的空降數量也與補給物資一致，都是為了協助盟軍入侵：一九四一年到一九四三年，有四百一十五人空降到法國，這個數字到了一九四四年一月至九月間卻增加到一千三百六十九人，其中九百九十五人是在Ｄ日之後才進入法國。[157]即使抵抗運動分布於各地，但盟軍的援助物資卻集中在接近前線的位置。舉例來說，位於義大利最東北部的游擊隊就完全遭到盟軍忽視。一名憤怒的特別行動人員從弗留利發訊息回總部，「英國皇家空軍還存在嗎……？如果司令部根本沒有興趣，那就不應該承諾物資與武器……讓游擊隊產生錯誤期待……。」[158]在法國，布列塔尼的反抗軍接近盟軍的登陸地點，在Ｄ日後得到了兩萬九千件武器，但在遙遠法國東部邊境的亞爾薩斯—阿登—摩塞爾地區，卻只得到兩千件武器。[159]對盟軍來說，補給的先後順序雖然完全符合軍事行動的合理性，卻讓遠離前線的游擊隊感到挫折，他們認為自己完全被排除於軍事作戰之外。

在戰爭後期，面對義大利與法國的敵後游擊隊，盟軍的回應顯得模稜兩可。盟軍希望在某種程度上能夠直接控制義大利與法國的游擊隊，甚至希望直接對他們下達命令。在義大利，要做到這點較為困難，因為義大利的民族解放運動傾向於訴諸群眾暴動，不願正式向盟軍戰區統帥部效忠，也不願接受正規的軍事計畫。義大利最重要的反法西斯抵抗運動分別是義大利共產黨、行動黨與社會黨，而他們於一九四三年三月響應民族起義的共同號召。往後兩年，這個抵抗運動始終堅持平民解放戰爭的路線。一九四三年九月，義大利投降，盟軍開始入侵義大利本土。之後義大利便出現第一起暴動，反抗軍在盟軍未提供援助之下趕走了德國人，解放拿坡里。這場暴動是對糧食缺乏的自發性反應，民眾反對德國占領軍的橫徵暴斂（在義大利投降後幾個小時，德軍就將義大利人當成敵國民眾），也拒絕德軍將所有能工作的男人送往德國。九月二十八日，一開始只是德軍與一群武裝民眾和逃兵零星交火，但局勢突然間愈演愈烈。第二天，德國一份報告指出，「游擊隊的活動已經擴大成全體市民的暴動」。[160] 短短四天內，這起臨時起意的戰鬥居然就將德國人趕出城外。與此同時，駐紮在拿坡里灣卡布里島（Capri）與伊斯基亞島（Ischia）的英軍卻只是冷眼旁觀，拒絕叛軍的支援請求，不願提供兵力與彈藥。這場暴動估計造成六百六十三名義大利人死亡，其中五分之一是女性，城市也遭到廣泛破壞，但民眾卻獲得了最終勝利。抵抗運動領袖隆戈（Luigi Longo）寫道，拿坡里起義是一個「指導典範」，使民眾相信我們號召義大利其他地區民眾反抗占領者是「合理而有價值的」。[161]

義大利的游擊隊是德國占領義大利之後才開始發展的，拿坡里的勝利激勵了游擊隊迅速成長。

到了一九四四年夏天，義大利游擊隊人數已成長到八萬至十二萬名男女。[162]上義大利民族解放委員會成立於一九四三年九月，與義大利南方盟軍占領區的民族解放委員會不相隸屬，義大利的游擊隊往往透過上義大利民族解放委員會的協調來採取行動。雖然英國的特別行動執行處與美國的特別行動處都曾派人與游擊隊接觸，但義大利游擊隊基本上仍不受盟軍控制，他們憑藉自己的力量，在義大利半島其餘地區驅逐德國人。戰略情報局駐義大利占領區長官柯爾沃（Max Corvo）日後提到，要說服上義大利民族解放委員會「控制游擊隊的活動，使其符合盟軍的軍事計畫」是十分困難的事。[163]盟軍最高司令部關注抵抗運動的政治野心，特別是在共產黨煽動下引發社會革命的可能。英國想在被解放的城市扶植當地貴族成立臨時政府，卻遭到地方解放委員會與憤恨民眾阻撓。一號特別行動小組是英國特別行動執行處在義大利設立的總部，該小組在報告中提出警告，「共產黨正準備奪權。」援助游擊隊時，要考量如何在軍事上獲得最大效益及在政治上產生最小的威脅。[164]在這種思維下，盟軍接觸抵抗運動完全只是為了利用對方。一旦抵抗運動失去用處或效果令人懷疑，盟軍最高司令部的態度就會變得冷淡，甚至敵視。一九四四年八月八日，當佛羅倫斯爆發武裝起義，數千名民眾與游擊隊加入，聞訊前來的盟軍部隊卻不願出手相助，等到德軍撤退後，盟軍派出戰車包圍游擊隊營地，逼迫他們繳械投降。一九四四年十月，當盟軍的攻勢終於被德軍的哥德防線阻擋時，北部的反抗軍實際上等於遭到盟軍遺棄。一九四四年十月，北部反抗軍取得的空投物資只有一百一十噸，而原先承諾的卻是六百噸。[165]更糟的是，盟軍前線在冬季封閉，這等於給了德軍與法西斯軍隊一個信號：他們可以不用擔心盟軍介入，能肆無忌憚地進行殘酷的反游擊戰爭。

一九四四年十一月十三日，盟軍駐義大利陸軍總司令亞歷山大將軍在抵抗運動電臺「義大利戰鬥」廣播，他明白表示，盟軍將在冬季停止攻勢，他建議游擊隊也停止攻擊，保存自己的武器，靜待春季時的指示。[166]結果對游擊隊就是一場災難，因為德軍發現他們可以暫時不用理會盟軍，能集中兵力攻擊游擊隊。德軍、法西斯主義「黑衫旅」與哥薩克志願師其實早在十月就已經利用前線入冬封凍的機會，開始對游擊隊發起大規模清剿。在亞歷山大廣播之後，德軍更是加強了反游擊戰的強度。德軍也設立特殊的「反游擊隊」法庭，不僅針對武裝反抗軍，也起訴涉嫌援助或支持游擊隊的民眾。山區的躲藏地遭到攻擊，數千名游擊隊被殺，另外還有數千人脫離游擊隊或下山來到波河平原，然而在平原地區也容易成為被舉報與追捕的目標。到了一九四四年底，游擊隊的數量減少到大約兩萬到三萬名武裝部隊。[167]少了盟軍支援，義北的游擊隊陷入重大危機，甚至連基本衣物、靴子與糧食都缺乏。夏天時還支持游擊隊的各地村落，由於遭受反游擊部隊的殘忍迫害，此時也不願意繼續幫助游擊隊。特別行動執行處的官方報告日後坦承，游擊隊陷入「混亂與絕望」。盟軍很快發現亞歷山大的說法不當，卻未對此做出任何補救。有人認為，亞歷山大是故意犧牲游擊隊，藉此消除共產黨掌權的可能，這種說法無從證實，但有一定的道理。不過，亞歷山大的廣播確實反映出盟軍最高司令部不瞭解非正規作戰的真正性質，游擊隊也不可能完全依照盟軍的意圖採取或停止行動。柯爾沃在回憶錄裡提到這場危機時說道：「游擊戰沒有暫停這種事，既不可能停止，也沒有稍作喘息的機會。」[168]

十二月，上義大利民族解放委員會主席前往羅馬，要求盟軍提供實際援助與承認上義大利民族解放委員會及其非正規軍，是義大利位於德國防線以北地區的政治權力機構。盟軍同意了第二項要求，但仍有所保留，因為盟軍不希望未來即將解放的地區走向政治激進主義；盟軍也同意增加援助，這是因為盟軍準備在一九四五年一月對波河流域的德軍發動最後攻擊，他們此時需要游擊隊繼續破壞德軍的通信運輸與補給物資。上義大利民族解放委員會與盟軍達成的協議稱為《羅馬議定書》（Rome Protocols），它緩和了亞歷山大失言帶來的災難。儘管冬季危機造成了嚴重損失，但人們相信義大利人很快就會在盟軍重新發動攻勢之前解放所有的北方城市，這使得許多人願意加入游擊隊繼續奮戰；盟軍的補給物資也大量湧入，使得數個月來缺乏資源的游擊隊能夠再度武裝。到了初春，盟軍每個月可以運送超過一千噸補給物資給游擊隊，到了三月，游擊隊人數已增加到八萬人，四月更高達十五萬人。[169]盟軍與羅馬政府當局希望游擊隊的攻擊對象僅限於德國人。三月，上義大利民族解放委員會同意，「只會將軍事力量用於戰爭」。然而，即便游擊隊增加了對德國通信交通的破壞，但他們（游擊隊與一般民眾）卻更希望發起最後一波攻勢來推翻德國占領者及其法西斯盟友。[170]當盟軍於四月十日發起攻勢時，美軍克勒克將軍命令游擊隊「未經盟軍最高司令部授權」不許出動。但游擊隊完全無視這道命令。[171]

當盟軍迅速突破德軍防線，開始穿過波河流域時，義大利解放運動（無論武裝還是非武裝）便開始計畫在盟軍抵達前早一步將德國人逐出各大城市。如果計畫成功，他們希望控制地方司法系統，來整肅（必要時使用暴力）曾經支持法西斯傀儡政權的義大利人。上義大利民族解放委員會宣布，凡是被認定為戰犯或叛國者的人將被迅速處決。這套粗糙司法體制的受害者，也包括了墨索里尼與他的情婦克拉拉（Clara Petacci），他們在試圖逃往瑞士邊界時被抓，於四月二十八日被槍斃。一九四五年四月的最後兩個星期，武裝反抗軍在各地民眾志願者與罷工運動支持下，解放了一座又一座城市。四月二十日解放波隆那，四月二十五日到二十六日解放米蘭與熱那亞（一萬八千名德軍向人數較少的游擊隊投降），四月二十八日解放杜林。義大利北部許多小城因為民眾起義或德軍撤離而獲得自由，總數達到驚人的一百二十五座。[172]幾天後，盟軍抵達並且急著建立行政與司法機構，避免被激進革命運動搶占先機。游擊隊不願交出武器，數千人躲藏起來，交出的多半是損壞或過時的武器。盟軍無法阻止民眾以暴力報復法西斯主義者與通敵者，整個義大利北部因此掀起一波殺戮潮。根據比較準確的估計，這場報復行動大概造成一萬兩千到一萬五千人死亡。[173]無論游擊戰對盟軍的軍事目標提供什麼樣的支持，義大利游擊隊主要關切的是除去法西斯主義。與波蘭人一樣，義大利游擊隊希望在盟軍抵達與戰爭結束之前實現民族解放。義大利慶祝勝利的日子不是五月二日德軍正式向盟軍投降那天，而是四月二十五日。義大利人認為，軍事戰役正式結束，與一個星期前起義成功獲得解放不是同一件事，因此必須加以區別。

盟軍在法國的經驗，因此與在義大利時有很大的不同。法國是被占領的盟邦，義大利則是先前的敵人。英國將法國解放運動交由戴高樂將軍領導，但在義大利並沒有來自境外的解放運動。法國抵抗運動的軍事指揮權最終掌握在位於倫敦的戴高樂自由法國手裡，而法國抵抗運動的行動也在一九四四年盡可能與盟軍的軍事行動進行整合。至於義大利的抵抗運動，就其運作的方式來看，主要還是聽命於民族解放運動。一九四四年，法國仍有完整的軍隊與西方盟國並肩作戰，使法國能夠主張自己有權再度成為一個強權，而義大利在解放後提供的主要是輔助性軍隊，戰鬥部隊並不多。最後，義大利游擊隊在一九四五年抓住時機憑藉自己的力量解放義大利北部城市，而法國絕大多數城市是由盟軍解放，其中也包括重新恢復編制的法國軍隊。

法國抵抗運動的領導權要收歸中央並沒有那麼容易。與義大利一樣，這種做法引發地方抵抗運動的不滿與反彈，這是因為每天冒險戰鬥的游擊隊，與安全待在倫敦對游擊隊指手畫腳的自由法國，兩者之間不可避免存在著緊張關係。戴高樂指揮了一場漫長的戰役，不僅讓法國民眾承認他的權威，也讓他的盟友英國與美國接受這個事實。一九四二年十月，法國主要的抵抗運動團體，如戰鬥、解放、自由射手與法國游擊隊，在自由法國指示下將彼此的資源整合起來，並且取了一個共同的名稱「祕密軍」，由已經退役的德勒斯特朗將軍（Charles Delestraint）指揮。一九四三年一月，抵抗團體正式合併為聯合抵抗運動。祕密軍宣稱的人數往往出於臆測。一九四三年三月，祕密軍應該有十二萬六千人，但擁有武器的或許只有一萬人；到了一九四四年一月，隨著盟軍的援助物資增加，武裝人數達到四萬人。一九四三年，戴高樂派駐法國的代表尚穆蘭（Jean Moulin）成立了全國抵抗會議，負責協調抵抗運動的所有政治與軍事勢力。然而一九四三年六月，穆蘭遭到逮捕與殺害，蓋世太保進而發現祕密軍與聯合抵抗運動的檔案，導致許多重要領導人物遇害，法國抵抗運動因此再次分崩離析。全國抵抗會議獲得盟軍庇護，最終建立起政府的雛形，並且在收復阿爾及爾之後在當地重整旗鼓。當法國抵抗運動重新恢復之後，盟軍也試圖更直接地讓抵抗運動與計畫中的反攻法國行動整合起來。

為了協調盟軍在諾曼第登陸前後的計畫，許多工作早在一九四三年春天就已經開始進行，其中特別行動執行處與抵抗運動的情報與行動局共同組成了聯合計畫委員會。委員會擬定了「綠色」、「紫色」、「海龜」與「藍色」計畫，內容包括破壞德軍的鐵路、電信、部隊增援與電力供應。雖然同盟國不信任戴高樂的政治野心，也對法國抵抗運動的軍事實力抱持懷疑，但同盟國還是同意在一九四四年三月成立法國國內軍，由自由法國的柯尼希將軍（Marie-Pierre Koenig）指揮——儘管實際上法國國內軍完全聽命於戴高樂一人。艾森豪堅持法國國內軍必須整合到他的最高統帥部之下，他要求柯尼希除了指揮法國反抗軍，也負責盟軍的特種部隊。法國國防委員會隨後成立，代表西方盟國控制法國反抗軍在戰線上與戰線後方的行動。

法國抵抗運動不滿意這項安排，但這麼做卻符合同盟國與戴高樂自由法國的利益。除了敵後破壞對反攻法國的行動至關重要，要求抵抗運動聽命於中央指揮體系，也能讓軍事行動不受解放運動內部黨派傾軋的干擾。抵抗運動通常是由未受過訓練的平民來執行，但為了確保軍事行動順利，英國特別行動執行處與美國特別行動處都特地派人，在特別行動執行處F小組的協助下滲透到法國境內，組織當地的抵抗運動以從事破壞行動，包括訓練他們使用炸藥。到了D日當天，估計有五十個抵抗運動網路加入軍事行動。D日後，特別行動人員每三人一組被派往占領區，代號「傑德堡」（Jedburgh，以蘇格蘭一座村落命名）。有九十二組從英國，有二十五組從地中海滲透到法國境內。[174] 法國境內的敵後破壞事件因此大幅增加。從一九四四年四月到六月，總共發生了一千七百一十三起法國鐵路破壞事件。同年的上半年，反抗軍也摧毀或破壞了一千六百零五輛火車頭與七萬節貨車車廂。盟軍的空襲也破壞了兩千五百三十六輛火車頭與五萬節貨車車廂。[175]「海龜」計畫試圖阻止德軍增援諾曼第前線，這項計畫的實行主要仰賴特別行動執行處與反抗軍從地面破壞橋樑與阻塞道路。這些破壞行動造成嚴重影響：德軍武裝親衛隊第九與第十裝甲師在六月十六日已經抵達洛林，卻花了九天才抵達法國西部。德軍第二十七步兵師更是花上十七天才往前推進一百八十公里。[176]

同盟國試圖動員與直接命令法國反抗軍，這種狀況就像蘇聯武裝部隊與安全體系試圖控制蘇聯游擊隊一樣。盟軍在法國北部推進時解放的地區，以及在八月之後在南部推進時解放的地區，所到之處都有許多適齡的民眾自願加入法國國內軍。這些人都被整合到法國陸軍之中，成為正規軍士兵，這種狀況也如同蘇聯游擊隊被整合成為紅軍。絕大多數法國城鎮都等待盟軍前來解放他們。針對兩百一十二座城鎮所做的研究顯示，有一百七十九座城市因為盟軍抵達或德軍撤退而解放，只有二十八座城鎮進行了有限暴動以協助即將到來的解放者。[177]在這個階段，一旦發起武裝抗爭，反而會招致德國占領者（親衛隊蓋世太保與德國國防軍）的野蠻鎮壓，因此等待觀望反而是實際而合理的做法。[178]儘管如此，在諾曼第登陸之前，動員民眾抵抗的革命熱情並未完全消退，還有一些共產黨員仍持續號召群眾發動「武裝起義」。一九四四年六月八日，由共產黨抵抗勢力支配的巴黎解放委員會號召民眾起事，要求民眾殺死占領者與他們的維琪盟友：「巴黎的民眾，無分男女，大家站出來，殺掉德國佬，殺掉維琪民兵，殺掉叛國賊！」六天後，總部設在巴黎且拒絕聽命於盟軍的抵抗軍事委員會呼籲法國國內軍與「人民群眾」合作，做為邁向「全國起義」的一步。[179]

在里耳（Lille）、馬賽、利摩日（Limoges）、蒂耶爾（Thiers）、土魯斯、卡斯特爾（Castres）與布里夫（Brive），以及其他一些小城鎮，抵抗運動確實成功在盟軍抵達之前解放城鎮，但並未發生全面性暴動。在土魯斯，一支由共產黨領導的法國國內軍在解放城市後控制了當地，但在得知法國陸軍即將徵調一個師前來恢復臨時政府的權威時，共產黨領導人便屈服了。[180]最重要的起義發生在巴黎，民眾與法國國內軍臨時發難，柯尼希與阿爾及爾民族解放委員會命令他們不要在毫無指揮的狀況下與大量德國駐軍發生衝突，但他們不願等待盟軍到來，照樣違抗命令起事。八月，盟軍突破諾曼第橋頭堡，攻勢開始拓展到整個法國北部，起義的風潮也在此時達到巔峰。艾森豪並不打算解放巴黎，他計畫兵分兩路從巴黎的北部與南部渡過塞納河，將巴黎的德國守軍團團圍住。但德軍在法國西北部戰敗的消息使反抗軍決定將首都起義的時間提早。八月十七日，反抗軍領袖開會討論起事的可能性。眾人意見分歧，比較審慎的看法除了提到戴高樂不希望民眾發起武裝抗爭，也提到華沙抵抗運動遭遇的危機。最後主戰派勝出，會議紀錄上寫著：「不能坐等盟軍進城，我們必須發起抗爭。」[181]

八月十八日，巴黎反抗軍的共產黨領袖坦吉（Henri Rol-Tanguy）在巴黎各處張貼告示，號召民眾參加第二天的起義行動——儘管坦吉知道自己能動員的兩萬名男女中只有六百件武器。接下來爆發的只是零星戰鬥，並未出現像華沙那樣可怕的戰況，也未出現具決定性的結果。之後雙方曾短暫停火，但國內軍戰士急欲有所表現，又違反了停火協議。街壘，巴黎悠久的革命傳統象徵，很快在工人階級為主的市區堆砌起來。作家尚格諾（Jean Guénenno）在日記裡寫道：「自由回來了。

我們不知道它在哪裡，只知道夜裡它就在我們周圍。」[182]在前途未卜的狀況下，坦吉在二十日派人向盟軍最高司令部求援。第二天，戴高樂說服艾森豪另外派出一個法國裝甲師交由勒克萊爾將軍指揮，前去確保解放成果並避免巴黎被共產黨接管。二十四日，法國裝甲師抵達巴黎，但在此之前反抗軍其實已經達成目標，擊敗了喪失作戰意志的德國守軍。德軍駐巴黎司令柯提茨將軍（Dietrich von Choltitz）無視希特勒要求巴黎要戰至最後一人且要讓巴黎化為灰燼的命令，於二十五日向勒克萊爾與坦吉投降。[183]就在此時，戴高樂也抵達巴黎，而他的到來也奪走了人民起義的成果。巴黎反抗軍必須接受柯尼希的指揮，讓國內軍編入盟軍部隊，並且承認戴高樂組織的法國政府——英美原本是想在解放的法國領土上成立軍政府，但此時也只能勉為其難地支持戴高樂。最後，法國國內軍三十五個團級與營級單位被併入法國第一軍團，總數至少有五萬七千人。有數千人寧願返鄉也不願加入正規軍，有些人重拾本業，有些人疲憊不堪而不願再拿起武器作戰，有些人珍惜身為祕密反抗軍曾經經歷的光榮與危險，對於正規軍嚴謹的軍旅生活不屑一顧。[184]

與蘇聯一樣，對西方盟國來說，抵抗運動的價值在於能削弱或阻礙敵軍的軍事行動與減少敵軍的資源。盟軍只有在自己的重要軍事行動需要反抗軍支援時，才會運送與滲透大量裝備與人力給反抗軍。一九五八年，在抵抗運動史第一次會議上，曾任特別行動執行處參謀長的巴里准將（Richard Barry）向聽眾表示，沒有盟軍的援助，「就算反抗軍起事，也無法得到任何成果」，抵抗運動人士顯然無法接受這種說法。[185]歐亞各地持續出現抵抗運動，而這些抵抗運動完全未得到同盟國支援。抵抗運動的時間與目的，完全取決於每個地方的狀況與可能性，而不會以同盟國的需求為優先考量。一些具有非凡膽識且勇於抵抗的民眾，以退伍軍人或從敵軍戰俘營脫逃的軍人為核心，開始擔負起敵後任務。這些人想向占領者證明，他們不會任由權威為所欲為，他們也相信，鄉里與民族的解放是由內而外，而非仰賴外援。民眾抗暴是一種政治與道德表述，而不只是為了軍事勝利。這正是為什麼華沙、米蘭或巴黎的民眾寧可選擇抗爭，也不願坐等盟軍來解放他們。民眾挺身反抗，多年來持續鬥爭，起義顯然是他們的宿願。義大利北部布雷西亞一名年輕女游擊隊在日記裡，回憶起游擊隊趕在美軍前面解放城市的往事：「我們的隊員昂首闊步地走過城市，手裡高舉機關槍，眼裡閃耀著勝利的喜悅。他們已經贏得這座城市，並且牢牢地將其握在手中……這座城市自由了。」[186]

## 我們輸了，但我們必須戰鬥：猶太人的抵抗

歐洲猶太人的抵抗，與其他形式的抵抗有著根本上的不同。其他抵抗是為了解放自己的國家，因此當反抗軍對國家戰後發展抱持不同願景時，抵抗運動往往陷入自相殘殺。歐洲猶太人則不同，他們面對的是對猶太人發動民族滅絕戰爭的政權。在這種狀況下，猶太人的抵抗，一方面是透過反擊來限制或挑戰敵人的種族滅絕計畫，另一方面則是盡可能藏匿或逃亡，想辦法擺脫不可避免的命運。猶太人的抵抗不是為了解放猶太人的國家或實現猶太人的政治未來。猶太人是以猶太人的身分進行抵抗，雖然他們知道自己終將失敗，但寧可自己選擇死亡，也不願接受德國加害者及其幫凶為他們準備的命運。一九四二年，猶太游擊隊領袖阿特拉斯醫生（Icheskel Atlas）說道：「我們輸了，

但我們必須戰鬥。」同年，他在波蘭東部進行游擊戰時陣亡。[187]

儘管如此，猶太人抵抗運動也不是簡單幾句話就能說清。首先，一些猶太反抗軍認為自己是民族解放運動的一分子，認為自己不是專為猶太人發聲。在猶太人與當地民族同化相對徹底的地方，例如法國，該地猶太人的立場通常都是如此，他們認同的是更廣義的愛國戰爭，不想被指控自己只為猶太人的利益服務。猶太反抗軍戰士尼桑（Léon Nisand）在回憶錄裡寫道：「我是法國人，我的家族是法國人，因為……法蘭西共和國的幸與不幸我們都參與過了。」[188]法國猶太人在法國早期非猶太人的抵抗運動中扮演了重要角色，例如一九四〇年人類博物館圈子的創始成員裡就有猶太人，一九四一年七月的「解放」組織裡有半數是猶太人。而在巴黎的抵抗運動中，從一九四二年七月到一九四三年七月，估計有三分之二的攻擊事件有猶太團體參與。[189]歐洲的猶太共產黨員也大致區分成兩派，一派想援助受害的猶太社群，另一派則需要維持對政治階級鬥爭的忠誠以對抗法西斯主義。一九四一年後，蘇聯被德國占領的地區，有些猶太人逃進森林參加或組織游擊隊。他們發現，要自保的最好方式就是融入非猶太部隊，與對方一同奮戰重建蘇聯勢力，並且對俄羅斯猶太人的命運漠不關心。年輕猶太人如果沒有因為被懷疑是德國走狗而逃過被槍斃的命運，那麼他應該趕快取個俄國假名以避免遭受反猶太暴行。這個結論相當矛盾，你必須看起來不像是猶太人，才能加入戰鬥對抗猶太人的敵人。[190]

第二個問題是，在猶太人種族滅絕的脈絡下，要如何更精確地定義「抵抗」。政治抵抗十分有限，畢竟猶太人面對的迫害早已不僅是政治壓迫。有人主張，猶太人的抵抗只有一種定義，那就是武裝鬥爭。不過，考慮到德國的種族滅絕目標是要殺死每一個猶太人，留下少數人不殺也只是為了榨取僅存勞動力，因此我認為抵抗應該也包括藏匿猶太人、幫助猶太人逃亡或提供猶太人假身分——這些行動同樣需要許多非猶太人協助。上述的策略都是為了挑戰納粹政權的核心目標，不讓加害者有機會殺害他們想殺害的受害者。光是活下去本身，就是猶太人在軸心國占領區面對種族滅絕命令時的一種抵抗方式。猶太人除了逃入東歐與俄羅斯的森林與沼澤，躲避種族滅絕也需要仰賴有勇氣違抗加害者命令的非猶太人協助。在西歐，解救猶太人十分常見，因為西歐猶太人與當地人同化程度較高，而西歐人也更傾向於拒絕德國人的要求——法國當地猶太人有百分之七十五逃過種族滅絕，義大利則是百分之八十。[191] 對比之下，在東歐的軸心國占領區，當地許多民眾是發自內心地討厭猶太人，因此不容易找到非猶太人願意冒險解救猶太人。儘管如此，在華沙仍有兩萬八千名猶太人被藏匿在猶太區以外的地方，而且大約有五分之二的人撐過整場戰爭。有些白俄羅斯與烏克蘭民眾會藏匿猶太人，但通常不會太久，因為東歐猶太人逃亡時通常會盡可能逃入森林，畢竟森林相對安全，一些小型猶太社群會藏匿在裡面。[192]

藏匿做為一種抵抗形式，同樣必須承受政治與軍事對立下的種種危險：住家搜索，警察訊問，鄰居（至少在東歐是如此）急於檢舉告發，因為每抓到一個猶太人就可以拿到一袋糖或鹽做為報酬。任何家庭或機構如果被發現藏匿猶太人，罪名將等同於反抗軍，可能會被處死或送進集中營。根據估計，大約有兩千三百名到兩千五百名波蘭人因為幫助猶太人而被處決，然而實際數字應該更高，因為許多人都是在未經法律程序下被迅速處決。在救援網路存在的地方，這些救援者會被當局視為政治反抗者，會遭到拷問，被迫說出其他人姓名與安全屋的位置。蓋世太保往往把搜索重點放在小孩身上，因為小孩比較容易藏匿，也比較容易找到收養人家。波蘭大約有兩千五百名猶太兒童在猶太人救助委員會「熱戈塔」（Żegota）的冒險協助下獲救或被藏匿，這些孩子要不是被送進家庭或孤兒院，就是交由天主教會照顧。一旦被發現，這些猶太兒童（絕大多數是孤兒或被遺棄的孩子）將會跟藏匿他們的非猶太人一樣被送進滅絕營，或是當場遭到處決。當蓋世太保發現華沙西利西亞兄弟會的僧侶藏匿猶太兒童時，這些僧侶與他們照顧的孩子全被吊死在高處的陽臺上，供底下熙來攘往的人群觀看，而他們的屍體就吊在原處任其腐爛，以儆效尤。熱戈塔的解救者努力讓這些只會說意第緒語的孩子學習用波蘭語進行天主教禱告，讓他們能蒙混過關，但一名六歲女孩巴西亞（Basia Cukier）無法在蓋世太保官員面前背誦祈禱文，結果就被帶走處死。[193]在這種狀況下，各種方式的藏匿都會被視為犯罪，而且懲罰十分嚴酷，被藏匿者與藏匿者都會被視為抵抗者。

與藏匿或解救猶太人一樣，猶太人在對抗軸心國占領當局時也與其他抵抗運動有很大的不同。隨著德國與軸心國迫害猶太人的方式改變，猶太人武裝抵抗的方式也會跟著改變。猶太人抵抗的時機不是由二戰戰局來決定，而是與希特勒迫害猶太人的戰爭息息相關。在歐亞大陸的絕大多數地區，抵抗運動是到了二戰最後十八個月才達到高峰，因為此時大局底定，侵略國遲早要面臨戰敗的命運。相反地，猶太人的抵抗則集中在一九四二年與一九四三年，因為德國此時開始大規模流放居住在東歐猶太區與西歐各地的猶太人口。法國的猶太人武裝抵抗集中在二戰中期，而其他抵抗團體在這個時期多半採取較為謹慎的態度。猶太人在波蘭採取的行動與波蘭救國軍產生直接的利益衝突，因為波蘭救國軍認為德軍尚未露出敗象，不應該在此時與占領當局發生衝突。猶太人在抵抗時從未考慮自己的行動是否有助於盟軍的戰爭投入，雖然有時確實會產生些微的效益。反過來說，盟軍會支援其他游擊隊，卻從未援助武器或金錢給猶太團體。英國特別行動執行處不情願地訓練了兩百四十名巴勒斯坦猶太志願軍，卻只有三十二名於一九四四年空降歐洲，早已錯過援助猶太社群的時機。[194]猶太戰士主要由平民組成，絕大多數只有有限的軍事經驗，或根本毫無經驗，而且裝備匱乏，根本無法抵擋裝備精良的德國安全部隊，也無法對抗立陶宛、拉脫維亞、俄羅斯、烏克蘭或波蘭等其他非德國人組成的輔助部隊。猶太人只是在用一種有限的方式來反抗無情的種族滅絕，而且絕大多數猶太抵抗者也知道自己的對抗注定失敗。一名猶太戰士說道，對抗德國人的戰爭是「史上最絕望的宣戰」。[195]

猶太人的積極抵抗有兩種對比鮮明的方式：第一種方式是至少拯救一部分受威脅的猶太人，使他們不會遭到流放；如果地理環境允許，就協助他們成立自衛團體或游擊隊來保護遭到流放的猶太社群。第二種方式就是發動叛亂，雖然注定失敗，但可以向德國加害者顯示不是所有猶太人都會乖乖接受自己的命運。猶太復國主義的年輕領袖貝林斯基（Hirsch Belinski）就曾言，猶太人會「死得有尊嚴，而不是像頭待宰牲畜」。[196]但無論是哪種方式，猶太人的命運都不會有太大變化。華沙猶太區的編年史家林格布魯姆（Emanuel Ringelblum）表示：「每個猶太人身上都背著死刑。」[197]積極反抗的危險性，加上只有少許武器，說明了為什麼注定毀滅的猶太人只有極少數願意挺身而出參與戰鬥。一九四三年春，華沙猶太區剩餘的居民，估計只有百分之五實際參與起義。一九四三年三月，大維爾紐斯猶太區（Vilna Ghetto）的抵抗運動只有三百名戰士。[198]從猶太區與集中營逃離並且參與武裝團體的人，只占猶太區與集中營人口的一小部分。成功逃到相對安全的森林地區的人也很少，因為民兵與警察總是不遺餘力地追捕這些人。

成功的機會當然很渺茫，但還有許多限制因素說明了為什麼大部分猶太人不願意抵抗。各地猶太社群對於自己即將面臨的下場所知有限，他們確實不太可能相信會有種族滅絕這種事。華沙猶太區的一名日記作家就不相信那些「可怕的傳言……誇大想像的說法」。[199]實際上，猶太人確實擔心武裝抵抗會讓事情更加惡化，加速德國人的流放與殺戮，或者激起德國人的野蠻報復。想抵抗的人因此面臨艱難的道德選擇：該保護自己的家人與同伴，還是不管他們死活而拿起武器。保護家人，特別是保護孩子，是猶太區社群不採取暴力抵抗的重要動機。[200]在猶太社群內部，政治與宗教也分裂得很嚴重，特別是保守的猶太人與猶太共產主義團體之間的隔閡，使得合作變得十分困難，甚至不可能達成。許多正統派猶太人認為人沒有權利阻礙上帝安排的命運，他們只是召集信眾，讓大家堅定面對壓迫。[201]尤其是有些人還抱持著些許希望，相信與德國當局合作，就有機會讓部分猶太區居民（特別是在德國工廠工作的人）撐到德國戰敗與解放的那一天。維爾紐斯猶太區抵抗運動的失敗，原因出在猶太人普遍支持猶太領袖根斯（Jacob Gens）的看法，根斯認為順從比不可能成功的叛亂更能保住猶太人的性命。[202]一名猶太區警察認為，「只要人們存有一線希望，覺得自己可以活下去」，那麼就不會有人做出英雄式的抵抗。克魯克（Herman Kruk）在維爾紐斯猶太區的日記裡寫道：「猶太區裡最糟糕的一種疾病」，就是「希望」。[203]

根據估計，在歐洲的德國占領區，成功逃離圍捕或擺脫猶太區與集中營生活的人數，大約介於四萬人到八萬人之間，但這些人幾乎完全集中於東歐，因為東歐的地理條件有利於逃亡。一九四二年，波蘭總督府大約有三百萬猶太人，其中估計有五萬人逃到盧布林與拉當（Radom）附近的森林裡，不過這個數字未經證實。[204]一旦逃到森林，逃亡者就面臨嚴峻的選擇。有些人組成獨立的猶太游擊隊，人數從數人到數百人不等，很多人（或許應該說是絕大多數人）都是為了復仇而加入。[205]他們使用偷來或者偶爾買來的武器，目標是直接對抗敵人，而非讓自己活下去。他們會採取小規模騷擾攻擊，之後便退回到森林或沼澤地。除了游擊隊之外，有些人組成所謂的「家庭單位」，在森林裡建立猶太社群，主要目的是確保至少有人能夠撐過這場戰爭。在蘇聯境內的德國占領區裡，大約有六千到九千五百人生活在這些家庭單位裡。[206]這些單位缺乏武裝，總是盡可能避免直接戰鬥，只使用有限的軍事裝備來保衛社群。舉例來說，佐林（Shalom Zorin）領導的單位，就曾藉由擔任後勤部隊，為非猶太游擊隊尋找食物與提供醫療與工匠服務，來規避蘇聯游擊隊要求他們參戰的壓力。著名的別爾斯基旅「新耶路撒冷」，人數曾一度達到一千兩百名難民，別爾斯基旅定期改變藏匿的地點以規避戰鬥。據信別爾斯基（Tuvia Bielski）曾說：「別急著打仗或死掉，我們的人已經所剩不多，必須保住性命。」[207]

在森林與沼澤地生活，無論是藏匿還是作戰都十分艱苦。絕大多數逃亡者來自城鎮，不熟悉荒野生活的需求。糧食難以取得，要說服農民交出農產品也有很大的風險，因為農民要不是已經被德軍需索過，就是已經被蘇聯或波蘭游擊隊掠奪過。植物、堅果、水果等森林食物皆有季節性，不足的部分就只能靠偷竊或偶爾以物易物換取。猶太逃亡者因此有了掠奪者與罪犯的壞名聲，就連其他非猶太反抗軍也這麼看待他們。一名猶太倖存者日後回憶，逃亡者介於英雄與強盜之間：「我們必須活下去，必須搶奪農民所剩不多的東西。」[208]發現食物時，猶太逃亡者有什麼就吃什麼，管不得猶太教潔淨食物的規定或食用豬肉的禁忌。一名女性倖存者回憶有人給她豬嘴肉吃，使她陷入兩難。煮飯也導致額外風險，因為火會洩露藏身地點。地方農民教導猶太人如何使用打火石與苔蘚生火，以及哪種木頭比較不會產生濃煙洩露行蹤。衣物只能將就，包括用橡樹皮或樺樹皮製作鞋子。[209]醫療只有最初步的程度，疾病、飢餓與衰弱橫行。到了冬天，活不活得下去完全是機率問題。

然而，與暴露行蹤和暴露後必然面臨的死亡相比，這些困難根本沒什麼。逃亡者遭到德國警察及與德國人勾結的波蘭「藍色警察」追捕，而所謂的「東方軍團」（Ostlegion）這種蘇聯的輔助部隊也在一九四二年之後加入追捕行列，後者對猶太俘虜尤為殘酷。[210]猶太逃亡者也遭受其他游擊隊團體的迫害，波蘭、烏克蘭與蘇聯游擊隊的反猶太主義十分盛行，包括波蘭國家武裝部隊，波蘭救國軍一些部隊也是如此。波蘭游擊隊裡的一名猶太倖存者曾在獄中學習過基督教儀式，因此假裝自己是天主教徒。他回憶說：「我不能說自己是猶太人，他們會殺了我。」根據估計，猶太逃亡者的死亡人數有四分之一是非猶太游擊隊造成的。[211]蘇聯游擊隊被告知猶太人不可信，認為他們可能是德國人派來的間諜，這也讓猶太人蒙受更嚴重的暴行。曾經有一群猶太女性逃亡者被游擊隊抓住，她們被脫光衣服與強姦，最後被帶刺鐵絲網綁在一起放火燒死。[212]對於藏匿的猶太人來說，要區別敵友並不容易，而他們也幾乎沒有朋友。根據估計，逃離德國人迫害的猶太人，最終有八到九成會死於暴力、疾病、寒冷或飢餓。

積極的武裝抵抗也好不到哪裡去。參與者至少有五分之四在游擊戰中死亡，還有無數人在交火中喪生或成為無差別報復的受害者。德國高層把猶太人的武裝行動看成是猶太敵人極其危險的鐵證，而不是猶太人為了反抗種族滅絕而拼死一搏。一九四三年五月的華沙猶太區起義期間，戈培爾在日記裡寫道：「當猶太人拿到武器時，大家都知道猶太人想幹什麼。」[213]在法國，一些猶太抵抗組織試圖為猶太人發聲。一九四〇年，一個主要由猶太移民組成的團體在土魯斯成立了「強壯之手」(La main forte)，與維琪政權的反猶太政策對抗。一年後的一九四一年八月，「強壯之手」轉變成「猶太軍」，之後又轉變成「猶太戰鬥組織」。該組織回應的不是法國抵抗運動，而是總部設在巴勒斯坦的猶太復國主義「哈加拿運動」(Haganah movement)。[214]猶太軍不僅為救援法國境內的猶太人，也針對德國與維琪政權發動武裝攻擊，包括暗殺那些將猶太人交給蓋世太保的法國人。猶太軍面臨很大的風險，也為此付出遭到告發、逮捕與處決的代價。盟軍登陸諾曼第之前，猶太軍就曾在一九四三年因為三次大規模逮捕行動而瓦解。猶太軍曾在一九四四年重組，但又遭遇相同命運。[215]

在東歐，要在森林藏身處以外的地方進行武裝抵抗，通常會是以「暴動」的形式進行，而這些暴動往往是由幾種不同狀況所引發，包括強制遷徙時、勞動營與集中營的生活狀況太差時，或是有機會暫時破壞滅絕機器，例如在滅絕營裡負責焚燒被毒死者屍體的工作隊（Sonderkommando）。這類暴動其實相當廣泛。總計有七個大猶太區與四十五個小猶太區曾經發生過暴動，估計有四分之一的猶太區曾經發生過抵抗運動。集中營曾經發生過五起暴動，強制勞動營則有十八起。[216]一九四三年十月十四日，索比堡滅絕營發生了一場暴動，導致十一名親衛隊與滅絕營指揮官死亡，三百名犯人逃進森林。一九四三年八月二日，特雷布林卡滅絕營的叛軍殺害守衛，縱火焚燒營區，導致六百名犯人逃脫，但之後絕大多數犯人都被槍斃或捕獲。一九四四年十月七日，奧許維茲—比克瑙集中營的工作隊發起暴動，六百六十三名犯人有四百五十人死亡，日後又有兩百人被處決。[217]暴動固然能帶來逃走的機會，但對絕大多數參與暴動的人來說，他們奔赴自由的神態也成了絕響。希姆萊面對層出不窮的暴動，決定消滅所有猶太工人。一九四三年十一月三日，馬伊達內克勞動營總計有一萬八千四百名男女猶太人被殺。[218]

規模最大的武裝暴動是華沙猶太區起義，這場起義凸顯出猶太人面臨的各種問題。猶太人認為反擊是一種深刻的道德聲明，無論這項聲明有多麼短暫，他們都想藉此恢復自主性，證明自我價值，以反對那些將他們非人化的敵人。這場華沙猶太區起義於一九四三年四月十九日爆發，主要是為了回應一九四二年夏天以來納粹對猶太區進行的大規模流放。從這個角度來看，這場暴動並不完全出於自發。一九四二年秋天，左翼猶太復國主義者建立了一個由阿涅萊維奇（Mordechai Anielewicz）領導的「猶太戰鬥組織」。由於懷疑猶太戰鬥組織支持共產主義，支持猶太復國的修正主義者另外成立了「猶太軍事同盟」。主張社會主義的「猶太聯盟」拒絕加入，但同意合作。在這些主要的叛軍組織之外，還有許多「自主性」的小團體。到了起義之時，猶太戰鬥組織擁有大約二十二個戰鬥團體，猶太軍事同盟則有十個，分散在猶太區不同的區塊。一九四三年一月，當親衛隊的弗朗肯內格上校（Ferdinand von Sammern-Frankenegg）突然下令進行新一波流放時，猝不及防的起義者只發起了短短四天的戰鬥，然而這已足以提醒德國人，下一階段的流放很可能引發更大抗爭。希姆萊下令盡快對整個華沙猶太區進行大清洗。大批武裝親衛隊、警察與烏克蘭輔助部隊，連同支援的重武器，都準備要執行下一階段的大流放。在最後一刻，弗朗肯內格遭到撤換，改由親衛隊史特魯普少將（Jürgen Stroop）擔任指揮，一般認為他無情果斷，可以迅速平定任何抵抗勢力。[219]

猶太抵抗運動預先得到警告，得知德軍計畫進行下一階段的大流放，兩大戰鬥組織終於同意合作，建立抵抗據點與盡可能蒐集有限的武器。到了起義時刻，猶太戰鬥組織只蒐集到一挺機槍、少許步槍與若干手槍、手榴彈與汽油彈。波蘭救國軍為這群缺乏戰鬥經驗的平民提供有限的訓練與少許武器，但他們不肯多給，因為他們想留著武器在未來自己發動一場大起義。[220]當德軍率領各路人馬總計約兩千人進入猶太區時，卻遭遇七百五十名到一千名駐守關鍵據點的起義軍攻擊。隨後的戰鬥徹底打亂德國人的流放計畫。一名生還者記得自己看到德軍士兵突然遭遇地雷與狙擊手，嚇得「驚慌逃竄的樣子」，內心有多雀躍。[221]雖然起義軍只有很少的資源，但他們謹慎使用，加上一開始突襲的效果，使這場起義得以持續到五月第一個星期。德軍於是改變戰術，開始仰賴砲兵、空中轟炸與縱火焚燒，逐街逐巷地摧毀猶太區。猶太區有許多脆弱的掩體供戰士躲避，阿涅萊維奇為了不被俘虜，選擇在其中一個掩體結束自己的生命。零星的游擊戰持續整個夏天，最後，猶太區被燒毀成廢墟，再被夷為平地，最後一批猶太人則被送往特雷布林卡滅絕營。估計有七千人死於戰鬥，包括絕大多數猶太戰鬥組織與猶太軍事同盟的戰鬥人員，或許還有五六千人在大火中身亡。絕大多數死者是藏匿起來的猶太人，他們若不是被火焰噴射器與毒氣彈趕出來，就是在攻擊者縱火造成的大火中活活燒死。史特魯普宣稱己方只損失十六名士兵，但就衝突持續的時間來看，這個數字相當不合理，但我們也只能推測死亡數字應該更多。[222]

這場起義頂多只延緩流放幾個星期，不過確實有猶太人利用這場衝突逃出了猶太區。儘管這是一場注定失敗的行動，但這場起義卻清楚提醒世人，猶太人面對的是什麼處境。對德國人來說，這場起義只是稍微中斷了一九四三年持續進行的流放計畫，就在這一年，華沙猶太區的最後一批居民也被清除。與歐亞大陸其他地區的抵抗運動不同，猶太人的抵抗存在於獨特的種族屠殺脈絡裡，而非存在於二戰的廣大脈絡中。若我們將猶太人的命運擺在後者，只會把猶太人邊緣化——因為猶太人只有加入更大的非猶太人抵抗運動與游擊隊，人們才會認同他們為解放鬥爭帶來貢獻。從這一角度來看，猶太人面臨的其實是雙重危險，一個是身為抵抗者的危險，另一個是被德國人視為種族敵人的危險（德國人認為絕大多數的武裝抵抗都是猶太人所引發）。猶太人獨自對納粹的種族滅絕宣戰，不僅規模有限，也無異於以卵擊石。他們只是一群無武裝或武裝薄弱的平民，卻要對抗資源充沛的國家安全體制。從各種意義來看，這都是一場超出猶太民眾預期的戰爭，也是他們未能做好準備的戰爭。猶太人對大屠殺的抵抗，堪稱是一九三九年到一九四五年的眾多平民戰爭中，雙方實力最不平等、犧牲也最慘重的一個。

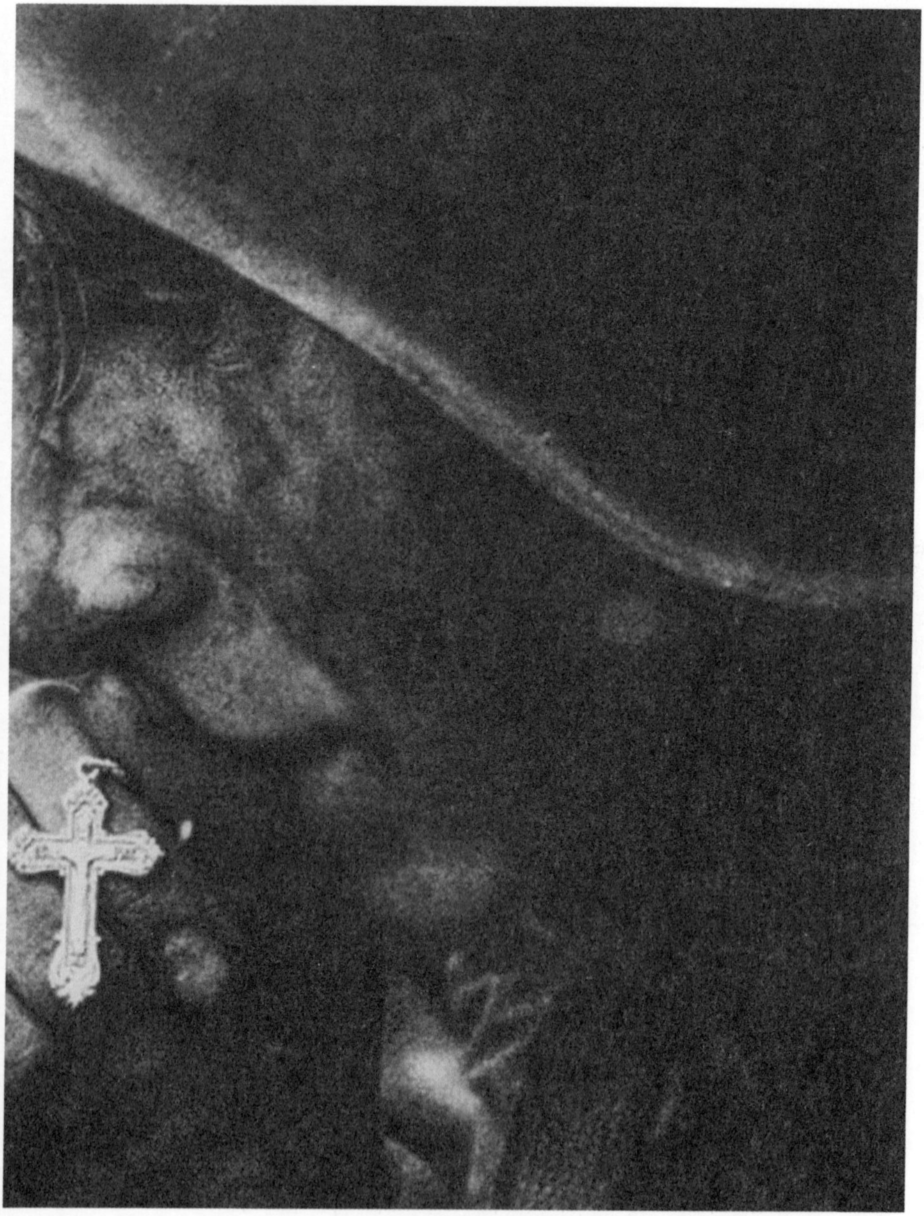

一九四三年七月庫斯克會戰的兩名蘇聯年輕士兵，其中一人手持十字架等待戰鬥。每個地方的士兵都仰賴小紀念物或護身符來驅散對戰鬥的恐懼。圖源：*Albatross/Alamy*

CHAPTER

第九章

# 9

# 戰時情緒與心理

「我一連哭了幾個晚上，連我自己都覺得不能再這樣下去。我看到另一名士兵也在哭泣，但他的理由跟我不一樣。他因為損失了戰車而哭泣，他一向以他的戰車為傲……過去三個晚上，我一直為我殺掉的那名俄羅斯戰車駕駛哭泣……我晚上哭得抽抽噎噎，像孩子一樣。」

——來自史達林格勒的最後一封信，一九四三年一月[1]

史達林格勒的德國士兵寄出的最後一批信件，他們的家人與朋友始終沒有收到。德國陸軍奉命沒收從史達林格勒空運出來的最後七袋信件，讓人評估這些士兵在難以扭轉戰局下的士氣狀態。結果與當局期待的有所出入。信件分析顯示，只有百分之二點一的士兵贊同戰爭，百分之三十七點四的士兵似乎感到懷疑或無所謂，高達百分之六十點五的士兵則是質疑、否定或明確反對這場戰爭。當有人計畫用這些信件來寫一本宣傳窩瓦河畔英勇戰鬥的專書時，戈培爾一口反對：「所有信件看來就像一首送葬進行曲！」在希特勒的命令下，所有信件都遭到銷毀。但有三十九封信被原本負責寫書的宣傳官員複製下來，並且在戰後出版。[2]與本章開頭的哭泣士兵一樣，這些信件呈現的德軍士兵的外表與行為，與英勇奮戰讓歐洲擺脫布爾什維克威脅的英雄種族形象並不相符。一名倖存的士兵寫道：「我們躺在死人堆裡，有些屍體沒有手臂、沒有腿或沒有眼睛，有些屍體肚破腸流。應該要有人拍一下這個畫面，足以徹底破除最高貴死亡形式的這種說法。死亡是骯髒惡臭的……。」[3]

德軍士兵在史達林格勒的情緒反應，在第二次世界大戰當中屢見不鮮。這種反應源自於他們心知自己身處恐怖戰場，難有生還機會。在最極端的狀況下，這些反應可能導致嚴重的精神疾病或身心失調，讓數十萬名士兵暫時或永久失能。曾經面臨各類戰鬥的人，包括經歷空襲或大砲轟擊的平民，都會產生一種共通的情緒，而我們通常將這種情緒定義為「恐懼」。恐懼其實是許多情緒狀態的一種通稱，是針對長期焦慮、驚駭、歇斯底里、恐慌、重度憂鬱、甚至是侵略情緒的一種描述與概括。恐懼也會引發各式各樣的神經精神症狀、精神疾病或身心失調。極度恐懼引發的反應，在今日更常見的說法是「創傷壓力」，雖然常見於二戰時的戰鬥，但不必然會讓曾經經歷戰鬥的人失能。經歷過戰陣的士兵經常會面臨各種情緒混亂。一名在緬甸作戰的士兵「被嚇得全身僵硬，但尚未到失神」的程度，他形容自己彷彿雜亂地混和各種情緒：「憤怒、恐怖、亢奮、解脫與驚異。」[4] 一名待在前線部隊的蘇聯女性回憶說，當攻擊開始，「你會不由自主地發抖及顫慄。但這都是聽見第一聲槍響前的事……一旦你聽到號令，你腦中就不會有其他事情，只會跟每個人一樣起身然後往前奔跑。你完全不會想到害怕。」這名女性又說，戰爭會揭露每個參與戰鬥者「獸性的一面」。[5] 對軍事將領或戰時政府來說，戰時暴力引發的情緒狀態只有在可能造成軍隊失能、減損戰力、引發民眾恐慌或導致後方民心士氣低落時，才會構成問題。管理士兵與民眾在面對戰爭真實狀態時產生的情緒反應，就成為每個交戰國的重要課題。另一方面，對於成千上萬捲入總體戰的一般民眾來說，戰爭創傷也是個嚴酷的現實。二戰後的戰爭敘事往往不去處理甚或忽視創傷造成的精神疾病。

## 戰爭造成的精神官能症

我們必須從二戰的特定脈絡來瞭解軍隊裡普遍存在的情緒危機。二戰的軍隊數量異常龐大，幾乎完全仰賴徵兵（其中少部分人曾短暫服過兵役），這些役男的期望與價值完全是在民間環境中所形塑。在戰時，軍隊成為社會各階層廣泛混雜的場所，這些人來自不同的社會階級、受過不同的教育，有著迥異的人格與個性。儘管軍事機構努力規範入伍的男男女女，但實際上並不存在所謂的「標準軍人性格」。年輕民眾要面對最極端的壓力形式：被殺的危險與殺人的要求。[6]因此在現代戰場上，服役的士兵必然會呈現出各式各樣的身體與精神反應。由於武器日益先進，大幅增加了參戰者精神創傷的可能。戰機對地面部隊進行攻擊，以及長程轟炸機對平民的空襲，往往都讓人特別恐懼。而轟炸目標的不可預測性與被轟炸者的無能為力，更是加強了這層恐怖感。地面作戰時，現代各型火砲的威力與戰車輾壓無防禦工事步兵據點的威脅，即便對最勇敢的戰士來說都是一大考驗。一名戰時精神科醫生寫道：「持續的爆炸，轟然巨響，機關槍噠噠直響，砲彈呼嘯而過，迫擊砲咻地發射，飛機引擎的嗡嗡聲，都在不斷消磨掉抵抗的力量。」[7]一般士兵（與被轟炸的平民）必須忍受隨處映入眼簾的死者與殘缺不全的屍體，戰場或街道上散落著屍塊，這些都是原本民間生活完全看不到的可怕景象。別的不說，光就軍事環境本身，無論是出於紀律嚴謹、反個人主義或對壓抑個性的緣故，往往就足以讓士兵在還未抵達戰場之前就出現澳洲精神科醫生所說的「精神受創」。[8]一九四一年，屯駐在後方的英國陸軍光是一個月就出現一千三百例精神創傷。駐守在遙遠北方阿留申群島的美軍士兵，明明沒實際投入戰場，卻被診斷出患有「戰鬥疲勞症」。精神科醫生在對從新幾內亞返國的澳洲士兵進行診斷後發現，多達三分之二的士兵分明沒有經歷戰鬥，卻出現了精神官能症。從這裡就可以明白看出，除了戰鬥本身，還有其他因素可能引發精神官能症。[9]

在這些狀況下，精神創傷的規模有可能十分巨大，實際上也證明確是如此。美國曾基於精神方面的理由拒絕讓兩百萬人左右入伍，但即便如此，戰爭期間仍舊有一百三十萬人被診斷為精神創傷，其中有五十萬零四千人因此退伍。在歐洲戰場，受傷的美軍士兵有百分之三十八點三被診斷患有精神官能症。根據估計，從諾曼第會戰中生還的步兵高達百分之九十八曾經有過精神創傷。[10]同樣是諾曼第會戰，英國陸軍的受傷士兵也有一到兩成被診斷精神創傷，加拿大陸軍則是百分之二十五。英國與美國陸軍因醫療因素而退伍的士兵，有三分之一是精神病患者。[11]美國海軍的精神創傷比例較低，部分是因為戰場環境不同：海軍士兵不用面對面殺戮，激烈戰鬥的時間也比較短促。海軍退伍士兵只有百分之三患有精神官能症。[12]德國與蘇聯陸軍的數字比較難以判斷，因為精神官能症在這兩個國家遭到忽視，或者是被診斷成器質性傷害而被當成內科來處理。根據估計，大約有一百萬名紅軍士兵患有精神創傷，比較不合理的說法則認為只有十萬名。[13]在巴巴羅薩作戰初期，德國陸軍精神官能症的病例急速增加，成為最大宗的傷患來源。一九四四年一月，統計顯示每個月都有兩萬到三萬名精神創傷患者；到了一九四四年到一九四五年之交時，每月可能多達十萬人。直到一九四三年為止，退伍軍人當中有百分之十九點二患有精神官能症，但這個數字在一九四四年到一九四五年顯然有所提升，因為戰況更加艱苦，死傷可能性大增，而受徵召士兵的年齡也開始向下與向上延伸。[14] 義大利缺乏完整的統計數據，但地方證據顯示，義大利士兵就跟其他國家的陸軍一樣，有著嚴重的精神疾病問題。[15]

避免作戰或逃避作戰威脅的方式很多，不一定非得罹患精神官能症不可。然而透過自殘、逃兵或投降來避免作戰，其實也有很高的比例會對恐懼、創傷經驗或令人窒息的軍旅生活產生精神疾病反應。自殘的風險不小，有時還可能致命。常見的自殘是用槍射穿手掌或腳掌。紀錄顯示，絕大多數的軍隊都有發生過這類自殘情事，但缺乏詳細統計數字。在西北歐戰場，大約有一千一百名美軍士兵選擇自殘以避免上戰場。一九四四年西北歐戰場的加拿大陸軍，也有兩百三十二個案例。紅軍士兵自殘的話，反而會被迅速處決，因為紅軍總是把自殘逃避上戰場的人視為恥辱。美國軍醫院收治的自殘患者會被隔離，病床上會掛一個「自殘者」的牌子，患者雖然不會被懲罰，卻會受到醫院人員的鄙視。[16]

逃兵是不同層次的問題。紅軍的逃兵（包括叛逃到敵方的士兵）數量十分驚人，竟多達四百三十八萬人。在蘇聯，被定義屬於逃兵或逃避兵役的人有兩百八十萬人，其中有二十一萬兩千四百人始終未能抓到（很可能已經死亡）。許多人嚴格來說不是逃兵，而是在一九四一年到一九四二年的大撤退中與原部隊失聯，或者是在德軍的包圍戰中成功逃出德軍防線，後者通常最後都能回到原部隊。[17] 叛逃到德軍的人也被歸類為逃兵，這些人可能是對蘇聯體制幻滅，也可能是因為生活條件惡劣與領導階層顢頇，或者只是希望（儘管十分渺茫）有比較高的生還機會。根據估計，一九四二年到一九四五年間至少有十一萬六千人叛逃，一九四一年或許多達二十萬人，不過這兩個數字誤差範圍都很大。[18]美國陸軍在世界各地的逃兵總計是四萬人，在歐洲則是一萬九千人。二戰期間，英國陸軍的逃兵總計是十一萬零三百五十人，高峰是在一九四一年到一九四二年這段軍事行動相對較少的時期，可能是因為無所事事而感到挫折，也可能是因為距離故鄉太近，反而與戰爭經驗沒什麼關係。德國陸軍的逃兵數字僅限於因為逃兵而被捕或被判死刑的人，但光是這樣數字就達到三萬五千人之多。亞洲戰場的相關描述則說明了，日本或中國軍隊的逃兵通常會被槍斃，但亞洲戰場太混亂，難以得出精確統計數字。日本陸軍在一九四三年與一九四四年的官方逃兵數字分別是一千零二十三人與一千零八十五人，此外還有六十名叛逃者，但在這個時期已經有許多士兵為了躲避敵軍而逃到叢林或山區，統計數字並沒有列入這些人。[19]士兵逃跑的原因很多，有些人是基於情緒因素，有些人是因為戰爭引發了精神官能症，有些人是因為犯罪，有些人則是為了政治與良知上的抗爭。但無論什麼理由，這些人都被認為是逃避戰鬥。逃兵的規模使軍事體系面臨極大壓力，軍方因此絞盡腦汁避免讓士兵產生恐慌。雖然絕大多數逃兵不會被槍斃，但還是要遭受懲罰與汙名化，以避免其他士兵仿效。[20]

決定放棄戰鬥或陷入精神崩潰的危機，顯然不是舉世皆然的現象。這些現象的出現，絕大多數源自於士兵面對的特殊環境，而非士兵自身的性格。在傷亡慘重的戰場上，士兵們陷入毫無希望的困境，親密戰友突然死亡，炸彈或砲彈差點擊中自己，都有可能引發壓力反應。一九四二年的北非戰役，大英帝國部隊士氣低落，因為他們面對武器更為精良與將領更為優秀的敵軍，導致有愈來愈多士兵選擇投降而不願繼續戰鬥，或者是無故擅離崗位。一九四二年三月到七月，第八軍團有一千七百人陣亡，卻有五萬七千人「失蹤」，這些失蹤者絕大多數應該是投降去了。[21]補充兵員時，如果把新兵打散分配到陌生部隊裡（如美軍就是採取這種做法），那麼這些士兵有很高的機率陣亡或精神崩潰。有些戰場地形對於人類耐受力有著更嚴苛的要求，例如中國的水鄉澤國與崎嶇山地，東南亞的叢林戰，俄國前線的冬季戰爭，或者是義大利防線的多山艱苦環境，其他諸如霜雪、泥濘與疾病，都會造成戰力大量折損。盟軍在義大利南部的第一場冬季戰役，使士兵的精神創傷率急遽攀升。緬甸戰役中，熱帶雨林的可怕環境，加上容易引發壓力反應的各種疾病，也讓士兵的精神創傷率居高不下，而且難以得到確切診斷。[22]

我們可以從前線經驗得到一個共通結論，那就是面對最極端的狀況，沒有人能免於崩潰。一九四三年，美國精神科醫生格林克（Roy Grinker）與史匹格（John Spiegel）寫道：「**戰爭精神官能症是戰爭造成的**。」[23]負責監控軍隊社會與心理狀態的美國研究局於一九四一年十月設立，而該局在戰時做出的結論是，沒有人能不受作戰造成的心理扭曲影響。軍陣精神科醫生阿佩爾（John Appel）曾在義大利進行過六個星期的實地考察並且撰寫報告，美軍醫務總監科克（Norman Kirk）則根據這份報告提出了官方觀點，並於一九四四年十二月通知陸軍各指揮部：「精神創傷與槍傷和彈片傷一樣不可避免。」[24]就連一向認為正常人不會在砲火下崩潰的德國陸軍司令部，也於一九四二年公布了治療精神官能症的指導原則，承認「有效率的傑出士兵」其實就跟一般人一樣，也會受到情緒壓力的影響。[25]直到一九四四年為止，軍陣精神科醫生仍在爭論一般士兵能夠忍受多少天的作戰。英國的估計是大約四百天，但中間必須要固定給予短期休息。美國醫生則認為八十到兩百天之間都有可能是極限。一九四五年五月，美國陸軍下令把極限定在一百二十天。對於轟炸德國的機組人員來說，出勤十五到二十次是極限，但實際上機組人員固定出勤三十次，而且有些人在出勤第一輪任務之後，還會接著繼續出勤第二輪。由於經歷兩輪轟炸任務的機組人員生還率只有百分之十六，因此絕大多數機組人員可能還沒診斷出精神創傷就已經殉職。根據現代最新的研究，在經歷六十天的戰鬥之後，士兵已無法有效作戰。[26]

對於二戰時期的軍事機構來說，建立能夠解決情緒創傷的制度有其必要，如此才能避免原本未受到影響的士兵也受到情緒「汙染」，並且盡可能讓更多士兵重回前線。第一次世界大戰時期首次出現了戰爭疲勞的經驗，一般稱為「彈震症」(shell-shock)，之後軍方也預期未來的衝突也有可能出現相同的經驗。然而，許多一戰時期的教訓要不是被遺忘，就是被精神醫學與心理學的新發展所取代。[27]其中最重要的發展當屬戰間期的佛洛伊德革命，佛洛伊德的學說讓愈來愈多人相信，某些人格比較容易受到童年經驗帶來的潛意識心理衝突影響。雖然精神科醫生不信任佛洛伊德與其追隨者提出的心理學主張，但從智力缺陷遺傳發展出來的遺傳觀點，卻加強了體質傾向的觀念，導致一些精神科醫生開始認為，體質傾向也許透過某種方式決定了精神疾病反應。[28]神經醫學則提出與精神醫學和心理學不同的說法，神經科醫生認為，所有的精神疾病都有器質性根源，可能是大腦運作出問題，也可能是神經系統有毛病。神經科醫生也反對心理學「疾病」的觀念。各個觀點背後都有支持的科學家，他們的主張對於戰時軍陣精神醫學的發展產生了一定影響。問題在於，科學家對於什麼才是妥當的治療方式，往往只留下大量待解的論點與疑問。更糟的是，儘管科學家認為精神官能症是一種需要被醫治的傷病，但此說並不為軍事高層所接受。曾有一名心理學家被徵召去愛達荷州的一處徵兵站評估役男，結果負責軍官很坦白地對他說不需要他的幫助：「我知道怎麼對付這些沒用的人。」[29]

為了探討情緒壓力而產生了各種不同的文化與科學觀點，間接說明了二戰期間軍陣精神醫學的運用為什麼會出現很大的歧異。在美國，軍陣精神醫學與戰爭投入充分整合，反映了美國民眾對心理學發展的濃厚興趣。在德國、蘇聯與日本，軍事體制則對軍陣精神醫學興趣缺缺。[30]美國陸軍與海軍將神經精神醫學部門設在最高層級。二戰前，全美有三千名執業的精神科醫生，但陸軍醫療兵團只有三十七名。[31]情勢在戰爭爆發後有了變化，美國軍方徵召兩千五百名精神科醫生到軍中服衛生醫療役。到了一九四三年，每個陸軍師都配置了一名精神科醫生。海軍則是在一九四〇年設立神經精神醫學處，並且在部隊裡設立精神醫學單位，每個單位配置一名精神科醫生、一名心理學家與一名神經科醫生，這麼做或許是為了緩解三個學科領域之間的緊張關係。[32]在英國，軍方與精神醫學的整合比較緩慢。英國軍方起初只徵召極少數的精神科醫生入伍，直到一九四〇年四月才決定在每個陸軍指揮部設置一名諮詢精神科醫生。一九四二年一月，英國終於成立治療與處理精神病例的正式體系，該年四月才成立陸軍精神醫學處。這或許反映了邱吉爾的偏見，因為他認為精神病「很容易假裝」。到了一九四三年，整個英國陸軍依然只有兩百二十七名精神科醫生，其中只有九十七名派駐海外。[33]英國皇家空軍最早面臨激烈作戰，因此在一九四〇年就設立了神經精神醫學處，由一名神經科醫生領導，負責處理作戰飛行的壓力問題。神經精神醫學處設立了特別中心，最終數量達到十二個，負責評估機組人員的情緒創傷，並且將這類創傷歸類為「待確診的精神官能症」。分派到英國皇家空軍的醫生，絕大多數是精神科醫生或神經科醫生。[34]

在德國與蘇聯，軍方總是對精神科醫生敬而遠之。蘇聯與德國獨裁體制不信任心理科學，可能是造成這種結果的原因之一——在他們眼中，民眾的集體健康比滿足個人需求更為重要。德蘇的獨裁體制也認為，服役的男性士兵（在蘇聯還包括女兵）只要仰賴意識形態激勵就可以克服情緒危機。蘇聯軍陣醫學院精神醫學部部長在一九三四年寫道：「紅軍士兵的政治士氣與堅忍的階級意識，可以讓他們輕易克服精神疾病。」[35]另一名德國精神科醫生寫道，德軍士兵在面對危險情況時得要「藉由服膺崇高價值與理想來克服與壓抑」自我保護的本能。[36]德軍確實徵召精神科醫生與心理學家協助選拔役男，戰時則擔任各集團軍諮詢顧問，最後也設立了武裝部隊衛生處並配置了六十名精神科醫生，負責對陸軍與空軍的士氣與醫療提出建議——但第一線的治療依舊由部隊裡的醫官負責。德國空軍的醫療勤務比較完整整合了心理學家與精神科醫生。一九三九年，德國空軍設立了心理治療部門，最終設立了十一家精神科醫院，專門治療出現神經衰落與壓力症狀的機組人員。但到了一九四二年，正當民主國家大力擴大精神治療設施的時候，希特勒卻下令停止軍中的心理治療。德國空軍於五月停止相關治療，陸軍也在兩個月後停止。在德軍前線，精神醫學的地位始終不穩固，軍方一直認為精神崩潰的人需要的是灌輸軍人價值，而非更多治療。[37]

在蘇聯，精神醫學更不受重視，除了缺乏受過精神醫學訓練的醫生，蘇聯醫界也深信精神疾病的來源是器質性的，因此可以交由一般醫療人員來治療。一九四一年九月，軍事衛生總署的精神科醫生最終還是被要求成立精神科醫院，但這些醫院只收治最棘手的病人。軍醫院只安排三十張病床給精神科病人。一九四二年，幾名精神科醫生被分配到主要的陸軍防線，部分精神科醫生則分配到個別的陸軍師。絕大多數的情緒崩潰病例都留在前線由缺乏經驗或同情心的醫生加以診治。[38]日本陸軍想當然耳地也認為徵召來的士兵必須忍耐一切直到戰死為止，因此幾乎從未考慮提供精神醫學診療。精神崩潰的士兵往往被視為罪犯或軟弱之人，必須送進陸軍「教化隊」——而他們在教化隊裡會被當成智能障礙患者。分派到陸軍的精神科醫生數量極少，而他們在軍中的主要任務並非維持其他無精神疾病者的心理衛生，而是負責解釋為什麼有些士兵會表現出變態的犯罪本能（包括殺害軍官）。[39]

在部隊裡，精神醫學與心理學有兩種非常不同的運用方式，反映出這兩種學科的緊張關係。精神醫學認為，決定一個人是否容易情緒崩潰的原因在於「體質」；心理學則認為精神創傷是戰鬥對個人心理與生理壓力過大所導致的結果。一戰經驗使人們普遍相信，想要讓役男選拔程序更有效，就必須預先剔除那些從背景與人格特質來看容易情緒崩潰的人。當時人們也普遍相信，一旦戰鬥開打，那些看起來情緒脆弱的人應該也是比較容易情緒崩潰的人，或者如一名澳洲軍官所言，「比較脆弱的船，比較容易沉沒。」[40]只有美軍堅持負責選拔役男的小組一定要有精神科醫生或心理學家參與。但透過訪談進行精神醫學側寫的過程往往只有三到十五分鐘，要在這麼短的時間看出對方是否焦慮或者心理異常根本是不可能的任務。訪談者被要求留意是否有人顯露出二十二種可能狀況的任何一種，例如「寂寞感」、「陰陽怪氣」或「同性戀傾向」。這種獨斷且任意的篩選過程，導致超過兩百萬名役男被拒絕入伍。美國的精神科醫生普遍同意家庭背景與人格特質是最重要的影響因素，也就是說，「戰爭精神官能症是『美國社會的產物』」，而他們也認為可以透過簡單的測試來辨識這些因素。[41]澳洲與美國軍隊的精神科醫生設計出公式化的問題來剔除潛在的情緒創傷者。「你很擔心嗎？」或「你很容易沮喪嗎？」這些都是典型問題，但這些問題也幾乎不可能得到誠實坦白或有用的回答。[42]為了協助通過選拔的役男，美國陸軍會發給他們一本名為《戰爭的恐懼》(*Fear in Battle*)的手冊，書中解釋人一定會感到恐懼，但可以透過情緒「調適」來加以克服。[43]

英軍很晚才設計出以精神醫學為基礎的役男選拔制度。在英國，明顯患有精神疾病而被淘汰的役男只有百分之一點四，相較之下美國則有百分七點三。英國的選拔人員更關切役男的天賦是否適合從軍，不過他們也確實試著剔除「個性明顯膽怯且容易焦慮」的人。[44]在德國，被派到役男選拔中心的心理學家則是必須基於種族與軍事考量，剔除所有被定義為「反社會」或人格明顯有缺陷的人，這種做法與納粹政權試圖將這些人從德意志民族排除如出一轍。納粹黨想藉由軍事篩選程序來打造一個「充滿男子氣概」的軍人世代，同時排除可能的歇斯底里患者，而這麼做也助長了對一戰中罹患「戰爭精神官能症」的退伍軍人的偏見。德國陸軍不希望重演壕溝戰，導致再次出現大量的彈震症恐慌，而且也不願處理可能的逃兵與「撫恤金申請」的問題。[45]伍特（Otto Wuth）是陸軍衛生檢查處的精神醫學顧問，他會把士兵分成「願意」與「不願意」兩種，而精神科醫生負責將第二種士兵，也就是內心軟弱與麻煩製造者汰除。二戰的最初兩年，德軍的精神創傷人數偏低，加上迅速取得勝利與未重蹈一九一四年到一九一八年的艱苦壕溝戰，這些似乎都證明篩選程序確實剔除了容易罹患戰爭精神官能症的人。留下紀錄的病例絕大多數將戰爭精神官能症歸因於體質。例如一名精神科醫生在一九四〇年寫道：「這些人沒有充分的精神價值。這裡指的不是醫學意義上實際的染病，而是這些人的精神價值比較低。」[46]

然而，認為軍人是因為體質才導致內心脆弱的觀點逐漸受到質疑，因為許多證據顯示，軍中各類型士兵都可能出現精神崩潰的狀況。儘管如此，體質觀點依然無法被完全否定，因為在這麼多士兵當中，確實有人會有比較嚴重的精神疾病。某些人生來比較膽怯或容易逃避的觀念，也與當時軍中既有的偏見相呼應。最著名的例子發生在西西里島小鎮尼科夏（Nicosia）的美軍野戰醫院。當時美軍進攻西西里島的指揮官巴頓將軍摑了一名明顯出現精神創傷的士兵，因為巴頓認定該名士兵裝病（當時這名士兵被誤診為罹患瘧疾）。巴頓隨後表示：「這種人簡直是懦夫。」[47]巴頓因為這起事件而被暫時調離指揮崗位，但軍隊對於精神創傷的不寬容始終出於本能。英國皇家空軍轟炸機司令部司令哈里斯就曾痛罵那些在戰鬥壓力下崩潰的人是「軟弱而意志不堅」，而這種偏見也在一九四〇年四月影響了英國皇家空軍對機組人員的治療方式。當時各指揮部都收到了一封「給動搖者的信」，建議他們只要發現一丁點情緒崩潰，也就是出現可能被定義為「缺乏道德品格」的跡象時，就要立即處理。「缺乏道德品格」成為所有因裝病或懦弱而被軍隊汰除者的標準描述，雖然絕大多數精神創傷患者都獲得戰地精神科醫生較多同情，但這些精神創傷者仍須背負向長官解釋自己並非懦夫的義務。[48]英國皇家空軍認為診斷的目標是要讓健康的機組人員被影響之前，辨識與移除情緒病例：「心理學家的重要任務不是修補劣質材料，而是將其移除以免產生問題。」[49]澳洲軍隊的精神科醫生在二戰期間始終主張體質的影響最大。針對派駐新幾內亞的澳洲士兵進行的研究顯示，精神創傷的病例有百分之五十一原本就帶有脆弱的心理傾向。精神科醫生於是在役男選拔時調查役男的背景，瞭解哪些人在孤兒院長大，或有精神官能症的家族病史，或父母都有酒癮，目的是為了不讓「廢物與變態」入伍。[50]

儘管如此，隨著戰事持續，逐漸可以明顯看出體質或性格缺陷或所謂的「不良種族特質」都無法解釋層出不窮的精神創傷現象，特別是美軍與德軍，因為這兩個國家在役男選拔時就已經根據所謂「心理調適的能力」來選取役男。戰地精神科醫生發現，士兵的反應顯然來自於極端狀況或持久戰鬥下所產生的壓力。有些士兵的反應單純是身心俱疲的結果，有些士兵則會出現創傷休克反應，進而引發嚴重的精神症狀。許多症狀十分類似一戰所經歷過的情形。一名美軍士兵回憶同袍時表示：「眼神陰鬱空洞，看起來十分茫然，整個人魂不守舍，穿著大一號的衣服，菸一根接著一根抽，手不斷地顫抖，時不時就緊張抽搐。」[51]這些人會不由自主地顫抖或哭泣，或喪失基本的行動技能，或大小便失禁，或像胎兒一樣蜷縮身體，或對外界毫無反應，對一切漠不關心。許多人已經出現身心失調的症狀，包括失去聽覺、失語、結巴、抽搐、消化性潰瘍（德國陸軍尤其常見）。在二戰前，一些神經科醫生已經知道如何從生理機制解釋極端恐懼對身體機能造成的影響，但並未將這層思考應用在精神創傷上。根據調查，有四分之一的美軍士兵曾有過大小便失禁的經驗，有人認為這是一種懦弱的表現，但這其實是交感神經系統引發的正常生理反應。軍事高層逐漸瞭解到，絕大多數戰鬥人員並非懦弱，也不是在逃避責任，而是長期危險引發的壓力受害者。解決之道應是找出適當的治療方式而非汙名化已經士氣低落的士兵。[52]

蘇聯與德國比民主國家更清楚戰鬥對士兵的影響，因為兩國軍方更傾向於把精神疾病反應視為一種器質性現象，而且傾向認為只有極少數精神病患真的罹患精神官能症。一九三〇年代，德軍列出了四種前線需要治療的精神症狀：前兩種分別是神經衰弱與暫時心因性（與經驗有關）反應，這些症狀要在前線或前線附近進行治療。另外兩種則是強烈的歇斯底里反應與精神病症狀，這些症狀要後送到醫院或後方治療。一九四一年秋天，德軍東線戰場開始出現大量傷亡，心理因素引發的功能性障礙首先會在前線醫療站或休養中心進行治療——這裡會提供傷兵食物、睡眠、麻醉治療、諮詢與陪伴，目的是為了讓傷兵盡快復原回到前線。德國空軍在遠離前線的地方設立休養中心，讓飽受「飛行壓力」的機組人員能好好休息。一九四〇年，德國空軍在巴黎、布魯塞爾與科隆設立休養中心，一九四三年又設立了另外八所休養中心。[53]紅軍也採用相同的前進醫療中心體系，充足的休息、像樣的食物與衛生，可以讓精疲力竭的士兵重新恢復健康重返前線。民主國家的軍方花了較長時間才瞭解這個問題，然後才提供了所謂的「前進精神醫療」。一九四二年，紐西蘭陸軍首次在北非設立野戰休養中心；不久，發動突尼西亞戰役的英美也開始仿效紐西蘭的做法。美國陸軍神經精神醫學處處長哈洛倫（Roy Halloran）批准設立前線單位提供精神醫學照顧，因為人們很快就發現，把需要治療的士兵後送到遠離前線的地方，反而會讓士兵發現自己被當成精神病患，導致狀況更加惡化。一九四三年三月，美國陸軍在突尼西亞實驗性地設立第一家前進診療所。前進診療所隨即獲得成效，此後美軍便開始普及前進治療的做法。[54]英國陸軍也建立類似的制度，一開始是前進救護隊，專門照顧精神病患，之後在一九四三年設立了前進移送部隊與部隊休養中心。到了戰爭結束時，許多戰鬥疲勞的受害者就在前線或離前線不遠處接受治療。[55]

即使實施了前進治療，但各方對於壓力反應的看法依舊不同，對於最有效的治療方式也存在不同見解，導致學說之間形成了緊張關係，屢屢出現摩擦，甚至是誤診（雖然很少有人會像緬甸前線的精神創傷者一樣受到羞辱，當地初步的醫療紀錄只會寫著「瘋子」二字）。[56]專業上的對立影響了對建構療法的態度。好比德國的軍陣精神科醫生就反對空軍醫院流行的長期療法，因為這種療法主要受到精神分析療法的影響。德國軍陣精神科醫生認為，許多飛行員根本是「醫療技術失敗」的幸運受益人，而且違反了「軍隊的陽剛紀律」。[57]德國的軍陣精神科醫生很快就對任何看起來像是精神創傷者之間的模仿或裝病行為進行懲罰——懲罰性治療帶來的威脅已足以鼓勵士兵自願返回前線。紅軍的主流軍事文化完全不給逃避責任者或愛發牢騷者任何空間，因此只要知道這兩種人會有什麼下場，幾乎可以確定能讓人加速恢復，無論這個恢復是透過同袍情誼還是透過睡眠來達成。[58]

用來描述精神創傷的語言，反映出當時精神醫學治療的混亂，也反映出軍事高層對於什麼能算是可接受狀況的疑慮。在太平洋瓜達康納爾島發生的第一場大戰役後，亞美利加師（正式番號為第二十三步兵師）唯一一位隨軍精神科醫生因為擔心人們對精神崩潰的態度，因此他在診斷士兵時使用了「爆炸震盪」這個聽起來像是軍隊用語的詞彙；蘇聯軍醫也是基於同樣理由而將士兵診斷為「挫傷」。[59]在英國，「彈震症」這個詞彙在二戰之前就已廢棄不用，主要是為了避免士兵以為只要遭受砲火攻擊就可以說自己精神崩潰，但新的詞彙如「努力症候群」、「疲勞症候群」等同樣也遭到濫用，直到諾曼第會戰時，才引進了「戰爭疲勞」（battle exhaustion）一詞。[60] 美國軍方認為絕大多數病例是戰鬥狀況引起的，因此一般診斷時都認為陸軍士兵是「戰鬥疲勞」（combat exhaustion），而空軍機組人員是「作戰疲勞」（operational fatigue）。精神科醫生自己把在前進醫療站裡無法復原的病人區分成各種不同的醫療類別，這些區別除了反映人們在戰間期對精神損害的性質有更進一步的瞭解，也鼓勵不想回到前線的士兵把自己看成是一個符合特定條件的傷殘人士。

戰時精神醫學所進行的各種測試，到頭來主要是想瞭解出現疲勞症候群或更嚴重精神病與身心失調的軍人，他們在多大程度上可以重返軍隊服役。精神科醫生與心理學家承受著巨大壓力，必須證明自己在軍事醫療結構中的價值；這種職業焦慮幾乎可以確定這些醫生會把士兵送回前線或讓他們擔任非戰鬥人員——這些士兵無論從哪個角度來看都不能說已經「痊癒」，不過他們也不像先前那樣完全失去行動能力。醫生可以使用各式各樣的療法來協助士兵克服疲勞與恐懼，包括麻醉藥物、暗示療法與注射胰島素（刺激體重增加）。醫生也會對一些病人使用藥物，使其進入某種狀態，病人可以在醫生的刺激下重新經歷特定創傷，將壓抑的恐懼釋放出來。[61] 各神經精神醫學單位宣稱的人員重返軍隊比例往往存在很大差異，而重返軍隊的士兵絕大多數都會被分配到前線或離前線不遠處擔任非戰鬥人員。義大利是一個有趣的例子，該國前線精神科醫院讓士兵重回軍隊的比例只有大約百分之十六，絕大多數精神創傷的士兵都會被送回義大利。[62] 一九四三年三月，位於突尼西亞前線的美國軍陣精神科醫生宣稱，只需要三十小時的休息與治療，多達三成的士兵就可以重新回到崗位，四十八小時後更能提高至七成。但其他來源的估計則顯示，重返崗位的士兵只有百分之二能夠擔任戰鬥人員。[63]一九四三年，英軍患者整體而言重新回到軍隊的比例，一個星期之內約介於百分之五十到七十，但絕大多數重新返回崗位的士兵都是改任非戰鬥人員。英國空軍機組人員即使沒有被貼上「缺乏道德品格」的標籤，通常也不會返回飛行崗位。一旦士兵重返崗位，就幾乎沒有人繼續調查他們的復發率。一份戰時研究指出只有少數人病情復發，但針對個別部隊的其他研究則顯示，其實很少人能夠長久繼續待在崗位上。另一份研究顯示，一九四三年從精神創傷中復原並重新回到作戰崗位的三百四十六名，在三個月後只有七十五人留了下來。[64]在諾曼第歷經數星期的艱苦作戰後被送往休養中心的士兵，也只有百分之十五能夠返回原部隊，高達半數會被送回英國。[65]重回前線者，絕大多數都是乍看之下可以勝任原職，實際上卻無法恢復效率的軍人。結果往往是為了補充那些無法繼續作戰的士兵而招募新兵，但這些訓練不足的新兵又一下子被丟進前線的混亂戰場，因此有很高的機率跟他們填補的人一樣出現精神創傷。

在前進精神科醫療站無法獲得協助的人，當他們被送到後方醫院與精神科診所治療時，往往面臨憂喜參半的命運。有些人會被認定為精力耗盡，無法繼續服役。在一九四三年與一九四四年的義大利戰役中，許多戰功彪炳的軍士官會在歷經數個月前線戰鬥之後精神崩潰，盟軍將這種現象稱為「老中士症候群」(Old Sergeant Syndrome)，英國陸軍又稱之為「衛兵的歇斯底里」(Guardsman's hysteria)。這些人被認定為無法治療，只能光榮退役。[66]在英國，已經被診斷出有精神病症狀的人，會被要求返回後方接受治療，如果狀況無法改善，就只能退役，如果還能擔任一點勞力工作，就讓他們在基地與倉儲服務，將其他適合的人替換到前線去。[67]但在獨裁國家，人們往往認為情緒崩潰者可能會假裝或誇大自己的症狀，好比德國精神科醫生就認為這是一種「逃避戰爭」的方式。紅軍則會將被指控逃避兵役或裝病的人送進懲罰營，這些人很快就會在營裡被除掉。在德國，被送回後方診所的人要接受痛苦的電擊療法——電擊引發心臟病或造成骨折的事時有所聞。如果士兵不願接受治療，或拒絕返回軍隊，他們就會被送到後方負責懲罰的「特別部門」，環境類似集中營。一九四二年四月之後，這類士兵更會直接被送到前線的懲罰營。一九四三年，德國陸軍決定把因為身心失調而染上胃病或聽力出問題的人送進所謂的「病患營」，替換正規軍負起駐防與守衛要塞的責任。有一小群人更是因為「反社會」性格而被判定沒有好轉的可能，最終被送進「安樂死」設施處死。[68]

高比例的精神創傷、很少患者能夠重返戰鬥崗位，加上替補新兵對前線的嚴酷毫無準備，這些現象都證明了，只要暴露在戰場的時間不斷延長，所有武裝部隊的戰力都將持續下降。雖然生產大量軍事裝備、提升作戰或戰術能力能夠彌補人力衰減，但只要在困難的條件中長期作戰，任何部隊都將難以充分運用物質優勢。尤其是歷經重大戰損的地面部隊，往往會變得步履蹣跚，就像挨了幾記重拳而頭昏腦脹的拳擊手。隨著戰事不斷延長，這些地面部隊會愈來愈難出拳一次擊倒敵人。戰場上不乏小部隊在戰線上突然陷入恐慌的例子。例如前線戰場多變混亂的中日戰爭，就有一名中國軍官提到，他曾看到士兵「像老鼠一樣驚慌失措」，四處逃竄。[69]儘管如此，真正集體恐慌或紀律完全崩潰的例子非常少見。少數案例包括一九四〇年從挪威倉皇撤退的英軍、一九四二年初紀律崩潰的新加坡英軍，或是在多布魯克面對六千名沒有彈藥而改採刺刀衝鋒的波蘭軍隊時居然驚恐投降的義大利軍隊。大規模投降（二戰最後幾天的大規模投降不算在內）一般出現在大戰初期，如一九四〇年的法國與比利時，一九四一年的東非與蘇聯，或是發生在史達林格勒等軍隊無法繼續戰鬥的時候。即使軍隊暫時崩潰，例如一九四〇年的法國陸軍、一九四二年夏天頓河大草原上的紅軍，或是一九四四年失去組織且橫越整個法國撤退的德軍，但這些驚慌失措的士兵往往最終都能被安撫下來，拋開恐懼、重新整頓並建立起新的防線。與上一場世界大戰一樣，儘管現代戰鬥對心理造成很大壓力，精神創傷也具有強烈的感染力，但多數軍人終究能堅持下來，繼續作戰。

## 維持士氣

如果戰時的情緒壓力令成千上萬名男女軍人難以承受，那麼那些不願向精神疾病（無論短期還是長期）屈服的大多數人，又是如何克服這一切繼續作戰下去呢？這個問題的另一種問法，就是軍隊該如何維持士氣？「士氣」是個模糊的詞彙，不僅涵蓋人為什麼要從事戰鬥的各種解釋，還囊括各類人所做出的各種反應——這些人的智力、社會背景、心理狀態或個人條件都大不相同，因此無法用單一的道德或情緒狀態概括解釋。二戰期間的軍事組織普遍認為，只要靠有效的軍事訓練與啟迪人心的軍事教育，就可以把役男改造成整齊劃一的軍人。英軍行政官亞當（Ronald Adam）在一九四三年寫道：「既然我們可以訓練那麼多人對抗德國人，當然也可以訓練同樣多人對抗恐懼。」[70]就連精神科醫生也傾向於把正常人想像成可以適應現代戰爭與軍隊生活，不像「毫不顯眼、羞怯扭捏、優柔寡斷」且無法適應軍隊生活的少數人（套用某位英國精神科醫生的話）。[71]當時人們相信，絕大多數男人只要接到命令，就能克服自己的恐懼。英國陸軍顧問精神科醫生里斯（J. R. Rees）寫道：「這個想法的根據是，勇氣與懦弱是兩種可以自由選擇的能力，每個男人都可以克服情緒壓力，從中做出選擇……如果他告訴自己必須做到，他就會有勇氣做到。」[72]

認為所有男人都可以做好戰鬥準備、只有極少數男人會被情緒控制，這種說法其實完全忽略各交戰國的軍事環境存在極大文化與社會差異，也沒考慮到戰鬥情境的不同。戰時敘事不遺餘力地強調健全領導的重要，提到勝券在握所引發的道德熱情，然而這兩項論點的解釋力就跟「男人只要接受訓練就能產生更多勇氣」差不多。以德軍與日軍為例，兩軍面對即將來臨的戰敗，卻依然抱持必死決心繼續作戰。相較之下，盟軍反而隨著勝利愈來愈近而變得更加小心，不願意冒死前進。美國陸軍的士氣處是在戰爭最後一年的一九四四年才由參謀長馬歇爾將軍成立，而當時美軍明顯已勝券在握。[73]對蘇聯而言，一九四三年到一九四四年戰爭局勢的轉變，對於蘇軍士氣狀態的影響也沒有原先預期的那麼大。一九四四年，一名紅軍士兵表示：「經過三年的戰鬥，蘇聯士兵已經身心俱疲。」[74]糟糕的指揮體系與作戰判斷失誤，同樣也沒有讓美軍停止在一九四三年到一九四四年於義大利南部的安奇奧灘頭堡奮戰，以及在一九四四年下半年在胡特根森林進行一場災難性戰役——美軍與德軍在該役中都為了毫無意義的軍事行動付出了慘重傷亡。任何討論士氣的論點，都無法解釋為何會有軍隊願意在最令人士氣低落的環境下作戰。

另一個極為明顯但不那麼受歡迎的解釋，就是軍隊中的壓迫。軍事組織本質上就是壓迫性的，但壓迫不一定等同於懲罰。二戰時的軍事組織試圖徵召公民社會的各階層民眾，逼迫他們接受軍事結構、軍事紀律與軍事生活的日常要求。為了因應兵員增加引發的問題，軍法制度也跟著擴充。然而軍法制度關切的問題與民間司法制度不同，幾乎是限制了軍人所有的自由選擇，限縮他們從訓練場到戰場所有可接受的行為。軍事組織針對軍人日常進行的規訓是侵入性的，充滿限制而且無所不在，貶低個體性、強調集體的力量。壓迫存在於軍事活動的每個層面、每個戰場與每個兵種上，目的就是維持組織與兵員的戰鬥力。當然，一支軍隊除了要建立紀律，還需要訓練（訓練的嚴苛與否取決於各國軍事文化）、政治與意識形態教育、適當的戰役以激勵士氣，以及（對少數人來說）晉升與獎賞的前景。對於在陌生的現代作戰環境中生活與工作的人來說，上述因素確實有很大的影響，但軍隊之所以能夠徵召、訓練與規訓成千上萬的民眾投入戰爭，威脅施加壓迫與懲罰才是真正的關鍵。

儘管如此，壓迫的程度仍會因為軍事環境的不同而有所差異——威權體制的軍隊一般而言要比民主國家的軍隊更重視懲罰。德國與日本的軍事文化建立在榮譽與服從的傳統之上，日本士兵甚至會為此犧牲生命。日本士兵如果顯露出一點怯懦或不服從的樣子，就會被公開處以鞭刑，甚至會因為怠忽職守而遭到同袍毆打。[75]德日兩國存在著心理壓迫的文化，在這種文化下，即使身處最艱困的環境，軍人仍被期許要做到絕對服從與盡忠職守，即便不一定能做到，這仍舊被視為軍隊的最高價值。[76]軍法制度與軍隊紀律在蘇聯與德國獨裁制度下最為極端，兩國對於逃兵或精神崩潰的忍耐度也最低。兩國的軍事懲罰制度其實是兩國獨裁恐怖統治的延伸，凡是違反政權的意識形態目標都會遭到嚴懲。無法或不願為德國的未來而戰或保衛蘇聯祖國，等於在政治動機上犯了不可饒恕的過錯，也違反了軍隊的行為準則。義大利法西斯主義的觀點大致相同。義大利曾有一百三十名逃兵遭特別軍事法庭判處死刑，雖然實際上只有少數人被抓，但判決主要是想立下「教育」典範，鼓勵其他人能盡忠職守。[77]

在蘇聯，莫斯科於一九四一年八月向所有方面軍黨委下達命令，處決所有開小差與臨陣脫逃者，命令依序下達到軍團與軍級部隊。為了阻止大量逃兵或後撤，紅軍在一九四一年九月設立所謂的「督戰隊」（內務人民委員部安全部隊）。他們的主要任務是阻止害怕與脫隊的士兵後撤，並且將他們送回原部隊。德國入侵的最初幾個月，督戰隊捕獲六十五萬七千三百六十四人，絕大多數都送回前線，「只有」一萬零兩百零一人因為情節重大而遭到處決。一九四二年七月，史達林發布第兩百二十七號命令，「一步也不許撤」，明確表示任何士兵棄守崗位都會遭到嚴懲。蘇聯在二戰期間估計有十五萬八千人因為臨陣脫逃、犯罪或政治偏差而被處決，此外還有四十三萬六千人被送進古拉格，數量之多相當於六十個蘇聯師。[78]一九四三年以降，紅軍的任何問題都交由名為「反間諜部」（Smersh）的新安全組織進行調查；反間諜部除了追查叛國行為，也接管了處理逃兵、臨陣脫逃與自殘者的工作。反間諜部的職責是灌輸懲罰的恐懼，使人們害怕懲罰更甚於害怕敵人。[79]由於蘇聯政權也威脅懲罰逃兵或降兵的家人，蘇聯士兵因此承受了額外壓力——無論遭遇何種情緒壓力，都必須克服並且繼續戰鬥。

德軍則認為，放棄戰鬥者都屬於次等種族，無論是身體逃離軍隊還是心不在軍陣，應該受到懲罰，因為他們放棄確保德國未來的鬥爭。當人力缺乏迫使軍方必須徵召能力或適應力較差的士兵到前線作戰時，軍隊也更常威脅使用懲罰來逼迫士兵順從——納粹政權稱之為「特別處置」。德國軍事司法依照軍事刑法第五十一條對「臨陣脫逃」或違反軍隊紀律者判刑；案子經常需要精神科醫生提出報告，確認被告沒有嚴重的精神疾病才能予以懲罰。[80]與蘇聯軍隊一樣，德軍中許多案例的懲罰是處決——讓士兵害怕怠忽職守的後果，才能讓士兵繼續打仗。[81]雖然德軍的人力不像紅軍那麼充裕，但處決人數仍足以讓一戰德軍的處決案例相形見絀。德軍在一戰共處決了四十八名士兵，而二戰德軍則大約有三萬五千名士兵被判死刑，兩萬兩千七百五十名被實際處死，其中大約一萬五千名是逃兵。[82]總處決人數幾乎可以確定高於這些數字。因為在戰爭的最後一年，逃兵只要是在第三帝國境內被捕，若不是吊死在路燈上以儆效尤，就是當場被憲兵槍斃，而這些幾乎都不在統計數據上。輕罪的數量更多，處置方式主要是送進軍事監獄。德軍士兵在二戰期間被判監禁的案例大約有三百萬件，其中大約有三十七萬件是六個月以上有期徒刑，兩萬三千一百二十四件是長期的苦役刑。[83]蘇軍與德軍統計數據的矛盾在於，士兵雖然害怕懲罰，這些懲罰卻無法完全嚇阻他們。東線戰場的戰鬥特別漫長、艱苦與血腥。德蘇兩軍都實施了嚴厲的紀律，確保所有士兵都知道擅離職守的代價，但對於極度害怕戰鬥或對於戰局不抱幻想的士兵來說，這些懲罰仍不足以阻止他們逃亡。

在民主國家的軍隊裡，壓迫是一種組織與日常現實，只不過沒有極具懲罰性的軍法威脅。美國的逃兵與犯罪確實會受到懲罰，但二戰時只有一名美國士兵因為逃兵而被槍斃。英國駐北非陸軍總司令奧欽列克將軍強烈要求對臨陣脫逃的士兵恢復死刑，但沒有任何英國士兵真正因此被處決。[84]

民主國家的軍隊更強調以羞辱的方式來處置沒有充分健康理由而臨陣脫逃的士兵，例如羞辱式除役或在正式公開場合進行降階。英國空軍機組人員在接受「缺乏道德品格」調查時，即便精神或身體狀態的正式醫學判定尚未公布，他們軍服上的徽章與階級標識就會先被拔除，還要在當地街上行軍以供民眾觀看。[85]對於逃兵事證確鑿者來說，他們還會受到其他懲罰，但不會比之前的羞辱更加危險。在戰爭最後一年，有八千四百二十五名英國士兵被判逃兵罪。[86]二戰期間被軍事法庭定罪的英國士兵共計有三萬零兩百九十九人，其中將近兩萬七千人士因為逃兵或擅離職守，兩百六十五人是因為自殘，只有一百四十三人臨陣脫逃。[87]美國陸軍軍事法庭審理了一百七十萬件案子，絕大多數是戰場微罪，監禁的逃兵總數是兩萬一千人。

除了壓迫之外，軍隊還必須採取正面獎勵來維持士氣，以精心安排的激勵措施來加深士兵的參與感。這些激勵士兵的做法包括提供常態性的政治教育或提振士氣的講話。在這一層面上，獨裁國家同樣表現得比民主國家更為積極。蘇聯軍隊在一九三九年改革之後，在每支部隊都設置了一名軍事政委，負責提升士兵的政治意識、糾正政治偏差與懲罰政治反常行為。莫斯科當局會決定軍中討論與宣傳的議題，士兵們必須參與討論。即使政委的戰場角色在陸軍高層的堅持下於一九四二年遭到降低，但政治教育依然繼續維持。蘇聯陸軍發行的單張報紙《紅星》（*Red Star*），裡頭既有戰爭報導，又有當前意識形態課程。這份報紙在當時發行了數百萬份，所有部隊都會收到。蘇聯的戰時文化充斥著許多可歌可泣的英雄故事，然而這些故事很少完全真實——渲染這些故事是為了在個別士兵與理想典範之間建立一種情感連結，鼓勵士兵做出無私的英勇行為。數百萬名立下戰功的男女士兵，可以迅速取得共產黨員身分。[88]德軍也重視政治教育與提振士氣，透過這兩項工作鼓勵士兵認同德國的生存鬥爭、支持對猶太人的戰爭，以及擁護納粹黨的「民族共同體」價值。一九三九年四月，德軍成立政治宣傳部，負責組織宣傳連，提升軍心士氣與提供前線將士閱讀材料。一九四〇年，德國陸軍根據四項基本原則公布了教育方針：「德意志民族」、「德意志帝國」、「德國生存空間」與「國家社會主義為基礎」。[89]一九四三年十月，當蘇聯軍隊開始降低政治教育的比重時，希特勒反而設立了國家社會主義督導處，負責在軍中安插政治軍官。一九四三年十二月，德軍總共有一千零四十七名的全職政治軍官，四萬七千名兼負正規軍事需求與士氣提振任務的兼職政治軍官。[90]

我們很難判斷這種提供教育與提振士氣的做法是否真有助於協助士兵認同戰爭目標與維持紀律。某方面來說，所有士兵都瞭解對抗敵人與求勝的必要性，但光靠這些不足以讓軍隊撐過日復一日的漫長等待或危險。蘇聯士兵時常因戰鬥而精疲力竭，此時就算情感上支持戰爭也無濟於事，哪怕士兵都曉得失敗主義言論或政治異議將會受到懲罰。一名紅軍士兵表示：「你變得無動於衷，甚至覺得活著沒什麼意義。」[91]到了一九四四年，即便是當初懷抱理想且確實胸懷熱忱的德國士兵，此時也感到幻滅與絕望。一九四四年七月，一名年輕德軍戰車兵在日記裡寫道，他與戰友「之所以還繼續作戰，只是因為他們被灌輸了責任感。」[92]光憑理想顯然無法支撐在史達林格勒戰場上的士兵。一名士兵在最後幾封信上寫道：「從來沒有人提過，我的戰友們死前是否嘴邊還掛著『德國』或『希特勒萬歲』這樣的詞彙。」[93]只有美國陸軍對士兵是否瞭解自己為何而戰進行調查。在接受調查的人當中，太平洋戰場有百分之三十七的士兵表示自己根本不關心為何而戰，歐洲戰場則是百分之四十。當蓋洛普民調請士兵說出羅斯福總統誓言以戰爭捍衛的四大自由是哪四大時，只有百分之十三的士兵能答對至少一個。[94]一名退伍士兵告訴陸軍研究局，他剛加入軍隊時「愛國心溢於言表」，但戰爭改變了他：「你是為了活命而戰……戰場上根本沒有愛國主義可言。」[95]英國陸軍教育服務部門發現，軍人只有在戰勝之後會比較願意討論這個世界，但與士兵們討論戰爭目標或為了戰勝而奮鬥只會引發負面反應。政治教育與提振士氣也許要比紀律壓迫更能讓士兵願意作戰，但正向鼓吹是否能夠動員士兵，使他們克服眼前的恐懼、絕望或危險，依然是個很大的疑問。

對敵人訴諸於集體仇恨的效果也是如此。我們想當然耳地假設，仇恨是戰爭最具代表性的特徵，因為有許多證據都顯示，仇恨在某些時刻（或者更適當地說，是突然產生的憤怒）會激勵人們為同袍之死復仇，或讓人有勇氣面對無情的狙擊手或機關槍，或對敵人的戰爭罪行進行報復。中日戰爭的日記經常記錄著各種油然而生的仇恨，寫日記的人以此來自我激勵，讓自己能夠面對危險與隱藏在暗處的敵人[96]。然而，同時也有許多證據顯示，對部隊灌輸仇恨雖然可能提升戰力，但也存在缺點。一九四〇年，英國一名著名心理學家表示，仇恨「斷斷續續且反覆無常」，這種情緒很難長時間維持。[97]一九四二年，英國陸軍決定設立戰爭學校，根據英國廣播公司的說法，這些學校將進行仇恨訓練，「教導士兵……仇恨敵人與善用仇恨」。然而當仇恨訓練涉及到參觀屠宰場，而役男還要被鮮血噴濺全身時，開始有民眾對此表示不滿。這種做法在時任英國本土東南區司令的蒙哥馬利反對下叫停，他認為以仇恨來動員戰爭情感完全是徒勞無功。[98]一九四三年，社會人類學家多拉德（John Dollard）針對戰爭的恐懼進行研究，他發現在九種激勵士氣的方式中，「仇恨敵人」排行第八，只比「保持忙碌」高了幾個百分點。[99]美國陸軍的士氣調查顯示，四成駐歐士兵認為仇恨完全沒有激勵作用，而這個數字在太平洋戰場則是三成——美軍在太平洋戰場受到的仇日宣傳特別多。[100]仇恨的情緒是相互的。日本士兵持續受到對抗「野蠻」美國人的仇恨宣傳。戰後美國對日本士氣的調查顯示，四成日本士兵表示對美軍極端仇恨、憤怒與輕視，只有十分之一沒有仇恨情緒。[101]

如果想理解軍人如何面對戰爭的情緒需求且在壓力下不至於情緒崩潰，比較實際的做法就是觀察軍人們最基本的日常經驗。武裝部隊顯然不是完全同質性的群體，而是由數千個小型軍事社群組成的混合體，例如步兵連、潛艦官兵、砲兵單位或轟炸機機組人員。許多討論戰時士氣的研究，都強調前線接戰部隊的重要性，將其視為忠誠、投入戰鬥與情緒支持的重點。絕大多數的前線士兵，甚至包括軍官在內，根本不知道前線以外的部隊如何戰鬥，也不知道自己在整個大戰略裡扮演什麼角色。各種資訊都經過篩選，前線士兵只會知道與自己特定軍事行動有關的資訊。對於駐守在遙遠太平洋島嶼、新幾內亞或緬甸叢林裡的日軍士兵來說，他們根本不可能知道己方是否正在贏得這場戰爭，而且官方說法（如果他們接收得到的話）總是樂觀。只有歷史學家才有綜觀全局及評估成果的特權。從日常例行經驗來說，絕大多數士兵的首要之務，就是支持自己所屬的小團體，因為這樣才能提高生存機會。作戰人員關心的都是相當日常的事務，例如德國的戰車兵會因為損失戰車而哭泣。每個小團體構成了社會心理學家所說的「義務的宇宙」，各成員的生存仰賴成員彼此之間的相互幫助。[102]你共享基本道德與情感的對象，是那些與你一起分擔相同危險的人，而非更廣大的社群或義務。雖然經常有人主張士氣的形成是由上而下，但在實際上，士氣往往源自於底層的自我激勵。

在小團體的脈絡底下，往往有著一套截然不同的情緒反應。士兵能夠堅守崗位，往往是因為對自己所屬的團體投入了情感與忠誠，也擔心自己未能盡忠職守或精神崩潰，可能讓自己蒙羞與產生愧疚感。二戰這場數百萬人參與的真實勇氣測試，顯示堅守崗位並非某種隨機的英雄主義行為，而是一種克服無所不在的恐懼與為了周遭人堅持下去的能力。一名美軍退伍士兵寫道：「害怕與懦弱的差別僅在於是否被人發現。」[103]即使是傷兵也不願讓人發現他流淚，因為在陽剛的軍事文化中，眼淚會讓他被貼上軟弱的標籤。[104]精神科醫生發現，身體與精神受創的人，通常會對自己的忍耐力不足感到羞愧，急欲在同袍面前再次證明自己的能力。針對美軍士兵的調查也發現，歐洲與太平洋兩大戰場的士兵有高達百分之八十七認為，不讓身旁戰友失望才是最重要的事。一名退伍士兵說道，無論戰爭的宗旨有多崇高，「都遠不如人與人之間的相互尊重。」[105]針對蘇聯與德國軍隊所做的社會學研究顯示，小團體的凝聚力極其重要，雖然嚴重死傷可能讓團體迅速瓦解，但團體往往也能在必要時藉由新兵加入而起死回生。就算過去損失慘重，團體依然能找回自己的認同。[106]評論者正確地指出，這種情感紐帶關係也有可能存在於更大的團級甚或師級部隊之中，藉由信仰主流意識形態或價值體系而激勵出來。儘管如此，對於那些直接參與戰爭的基層部隊來說，這些都是外在因素。無論部隊成員來自什麼階層、個性或外貌有何差異，對部隊凝聚力的影響都比不上內部成員的情感投入。[107]好比盟軍的轟炸機機組人員在轟炸德國時蒙受了嚴重損失，但新兵們只要上了同一架飛機，即使機組人員之間沒有時間建立紐帶關係，機內的封閉環境也會讓他們別無選擇，只能為了生存而緊密合作。因此，無論心理學家如何解釋，機組人員都必須在作戰前盡快改善彼此的薄弱連結，避免影響其他機組人員。[108]每個小部隊都是獨特的，不可能完全相同。他們會出現任何團體常見的情緒緊張，也會因為心理崩潰或軍事災難而瓦解。儘管如此，戰場環境卻能讓這些臨時組建的小部隊凝聚起來，而大規模的武裝部隊正是在這些小部隊組成下才能進行作戰。

在這類小型連帶關係中，左右日常生活品質的往往都是很簡單的事物。例如所有單位都會關注的糧食與資源（即使物資缺乏，人們通常也不會因此停止戰鬥）。為此，掠奪資源就是一件隨時可能發生的事，特別是掠奪糧食。每支軍隊都會掠奪，德軍在二戰時期的第一次掠奪就發生在一九三九年入侵波蘭的時候。[109]少量的物資補充，無論再怎麼微薄，都能對每支小部隊的士氣產生重要的影響。即使是最偏遠的前線，英國陸軍也會費盡心力將茶運送過去，讓當地士兵能夠泡茶飲用——當美軍與大英帝國自治領的部隊發現英軍士兵即使作戰也要喝茶時，不難想像他們有多麼吃驚。蘇聯當局則認為，向部隊大量分發免費的口琴，可以讓疲倦而沮喪的軍隊提振士氣。[110]部隊無論何時何地，總是會竊取酒類與藥物來麻痺自身的恐懼。許多蘇聯士兵飲用甲醇或防凍劑，結果死於後遺症。派往義大利的盟軍士兵則持續仰賴中東港口輸入的麻醉藥物。日本士兵則選擇飲用軍方發放的大量酒類，藉此麻痺掉戰場的恐怖。[111]對於遠離故鄉的男性來說，另一個大問題就是性生活的缺乏與剝奪。各國軍方於是對士兵買春睜一隻眼閉一隻眼，或者是自行設立軍妓院，分發避孕用品給士兵以避免性病傳播。日軍無情地在中國與東南亞設立性奴役場所，那些所謂的「慰安婦」形同關進牢裡的犯人，定期遭受日本士兵強姦，而蘇聯紅軍四處掠奪與強姦的惡名更是眾所皆知（日本與蘇聯的此類惡行將在下一章深入探討）。[112]不是只有單身漢才有滿足性欲的問題，已婚男子也有，但已婚男子面臨的情緒問題更加多樣。公認對軍中士氣最不利的因素之一，就是想念遠在家鄉的妻子與家人，卻沒有機會返鄉。美國婦女因此承受了廣大的公眾壓力，認為她們必須對派往海外的丈夫保持忠誠，但這卻帶來好壞參半的影響。例如在一九四五年一月，美國紅十字會就曾公開譴責那些寄信給前線士兵抨擊其妻子不忠的民眾，認為此舉將傷害美軍士氣。各國都做出龐大努力，以維繫後方與前線的信件往返。德國建立了特別快遞服務，讓前線將士知道後方家人在盟軍轟炸下仍平安無事。無法收到故鄉的信件，不知道家人的安危，對士氣的影響遠大於即將到來的戰鬥。[113]

軍中的日常生活必然有許多小小的愉快與焦慮，而軍中的男性與女性也發展出一套應對之道。舉例而言，軍中就很常見到迷信與護身符。美國潛艦官兵會隨時攜帶一尊小佛像，在戰鬥之前會撫摸佛像的圓肚皮祈求好運。士兵有時也會相信護身符會保護他們不受傷害。雖然精神科醫生認為這種依賴是一種危險跡象，顯示士兵可能正面臨精神疾病的危機，就像其他傷亡的士兵在面對死亡時產生了宿命論，對自身的生死麻木不仁。儘管如此，迷信顯然可以讓一些士兵克服面臨的壓力。[114]對一些人來說（雖然不是所有人都是如此），軍隊裡的宗教確實可以幫助士兵面對作戰帶來的恐懼，宗教的重要性也因此與日俱增。日本士兵知道戰死具有重要的宗教意義，但這是否能讓日本士兵更能面對死亡仍有待討論。蘇聯軍中原本因為共產主義意識形態的關係而排除宗教，但史達林在戰爭期間放鬆了對宗教儀式的攻擊，重新開放教堂，無神論者也放緩了對宗教主張的猛烈攻擊。儘管如此，上帝卻不一定是蘇聯士兵訴求的首要對象。在德國，納粹政權對宗教的敵視反映在陸軍總部為了讓牧師能夠進入軍隊而進行的長期抗爭。納粹高層最後僅同意大約一千名牧師為六百萬名陸軍士兵服務，而這些牧師在前往前線時也充滿各種限制。[115]宗教對德國士兵的影響可以從史達林格勒殘存的信件看出：士兵一方面祈求上帝拯救，另一方面戰時經驗也粉碎了他們的信仰。

相較之下，美軍與大英帝國部隊有較多的隨軍牧師進駐，也對宗教儀式比較不抱持偏見。美軍有八千名來自各個教派的隨軍牧師，英軍則有三千名，數量較少的加拿大陸軍也有九百名。英國牧師會在「牧師時間」固定討論特定主題，例如「我們能相信永生嗎？」到了一九四一年，英國廣播公司的電臺牧師節目已擁有七百萬名聽眾。美軍隨軍牧師收到大量請求，希望他們能給予安慰與支持，有些隨軍牧師一天訪談的士兵多達五十名。艾森豪將軍堅持「宗教開導」也要寫進軍隊的醫療紀錄。一九四三年到一九四四年對美軍士兵進行的調查顯示，百分之七十九的受訪者表示，戰爭使他們更相信上帝。對駐歐美軍進行的調查也發現，高達百分之九十四的士兵認為，禱告對於排解戰鬥壓力很有幫助。[116]對於來自宗教氣息濃厚國家的士兵來說，「散兵坑宗教」的強烈吸引力，*引發了士兵在遭遇危機時是否真能進行隨軍牧師所說的「真實禱告」的爭論。然而對士兵來說，真正重要的不在於他們的信仰有多虔誠，而在於禱告可以暫時舒緩戰鬥帶來的長期恐懼。戰爭結束後進行的研究顯示，禱告確實有減緩壓力的效果。[117]對於在戰場前線倖存而且還能繼續戰鬥的士兵而言，禱告確實使他們從衰弱無力的心理影響中恢復過來。

---

* 編注：指在面對生死交關的戰場環境時，任何宗教或超自然的力量都被士兵拿來崇拜。精神上類似於二戰時出現的一句格言「散兵坑中沒有無神論者」。

## 後方民眾的情緒

身為徵召兵源的交戰民眾同樣承受情緒壓力，但歷史學家向來只注重軍隊士氣的心理面向，很少關注後方民眾的情緒問題。恐懼與不確定感同樣揮之不去，差別只在於民眾以不同的方式感受這些情緒，而且鮮少以持續的情緒狀態呈現。分離焦慮、擔心聽到家人死亡或受傷的消息、對敵人感到憤怒、對未來感到絕望，而這一切又與日復一日國內生活的現實情緒混合在一起。後方民眾感受危險或剝奪的程度，因國家不同而有很大的差異：好比美國社會從未受到戰爭的直接影響，不過美國精神醫學學會還是於一九三九年開始協助美國人面對戰爭帶來的「不安全感與恐懼」，更在一九四〇年成立了全國士氣委員會以協助建立「緊密而持久的情緒共同體」。[118]另一方面，蘇聯社會則深陷於漫長工時的生存掙扎，稀少的糧食供給，以及前線吸收了絕大多數的蘇聯男性。其他國家往往介於美蘇這兩大極端之間，其民眾飽受轟炸之苦，前線的戰爭經驗因此被帶到了大後方。在戰時，英國、德國、義大利與日本的城市居民長期受到敵軍的猛烈轟炸（累積死亡的平民人數達到七十五萬人）。而在法國與歐洲其他被軸心國控制的地區，雖然工業與戰術目標才是盟軍轟炸的重點，但此等大規模轟炸同樣不可避免地造成民眾的慘重傷亡。整個二戰期間，將近一百萬名平民在轟炸中喪生，重傷的平民人數也同樣在一百萬左右，其中的原因已經在第八章做了充分討論。[119]唯有集中營與強制流放帶來的心理創傷，能夠跟反覆轟炸產生的情緒經驗相比。

早在二戰於一九三九年爆發之前，就已有許多人提到民眾士氣很可能在未來戰爭中成為打擊目標，而且敵軍不僅會丟下正規炸彈，還會使用毒氣彈與生化炸彈，迫使驚恐的民眾要求政府談和。許多二戰前的流行作品在提到未來戰爭時，總是強調平民的心理脆弱性——除了缺乏軍人一般的訓練，也無力反擊空襲，因此很容易陷入大規模恐慌與情緒崩潰。政府開始察覺，如果民眾遭到轟炸，特別是工廠工人在驚慌之下「擅離職守」，進而影響戰時經濟，將對未來的戰爭投入形成潛在的負面影響。各地於是陸續建立民防與防空設施，可能遭到轟炸的社區也準備救難物資與防空洞，醫療設施也做好準備以因應轟炸後可能出現的精神創傷病患。英國與德國的精神科醫生同樣認為，轟炸過後除了身體創傷，也會出現精神崩潰的現象。不少精神科醫院因此開始淨空病人，準備收容戰時傷患。[120]

當遠程戰略轟炸開始在一九四〇年固定出現時，被空襲民眾的情緒狀況似乎沒有原先預期的那麼嚴重。城市居民並未陷入大規模恐慌，精神科醫院也未擠滿嚴重情緒創傷的病患。德國轟炸英國期間，心理學家與精神科醫生開始研究為什麼很少出現慢性或持續性精神障礙的病例。[121]針對一千一百名固定躲在同一處防空洞的倫敦市民所進行的研究顯示，只有百分之一點四出現長期心理問題。英國精神衛生緊急委員會的一名官員巡視在一九四〇年九月遭到猛烈轟炸的倫敦東區，發現「沒有明顯的情緒創傷病例」。[122]一九四一年，英國國土安全部對遭到猛烈轟炸的港口城市赫爾的精神衛生進行調查，結果精神科醫生在報告中指出，他們幾乎沒有看到任何「歇斯底里」的病例（先前預期最可能出現的狀況），因此認定赫爾市的民眾精神狀況穩定。[123]絕大多數英國精神科醫生都因此認為，少數精神崩潰的民眾可能就像一些徵召入伍的士兵一樣，是出於先天體質的原因。一項針對「空襲恐懼症」的研究證實，少數被送到醫院的精神創傷病患全都有精神官能症病史。[124]奇特的是，部分精神病患反而因為空襲壓力而出現病情好轉的跡象，有人因此認為這就像被虐狂享受身體被虐的狀況一樣。[125]其他國家被轟炸居民的反應也與英國相去不遠。一九四五年，美國轟炸調查團訪談德國精神科醫生的結果顯示，德國診所很少看到「器質性的神經病症或精神病症」。即使在日本，研究人員也發現，在廣島與長崎被投下兩枚原子彈之後，儘管民眾對於未來依舊有著長期擔憂的情形，但並未出現憂鬱症病例大增的現象。與英國和德國經驗一樣，日本人在空襲期間接受精神病治療的病例並未明顯增多。[126]

慢性精神疾病的病例與收容治療的病例數量極少，這種現象其實掩蓋了殘酷的現實：空襲所導致的精神創傷人數，其實被負責計算的專業醫生給低估了。部分原因在於許多精神科醫生被徵召入伍，導致只剩為數不多的精神科醫生負責照顧人數龐大的民眾。儘管戰時軍陣精神科醫生的數量大增，但為一般民眾看診的精神科醫生卻未能進行補充。各國政府也不鼓勵民眾到精神科看診，以免造成醫院過度負荷。部分資深的英國精神科醫生抱怨，民眾總是誇大自己的症狀，明明只需要一杯茶與制式對談就能打發病人離開。[127]前述因素加總的結果，就是短期精神創傷、嚴重身心失調反應者或甚至是出現慢性精神障礙的民眾，絕大多數都只能靠自己解決情緒危機。與士兵一樣，許多民眾的休克反應都被官方認定為器質性而非心理性的，因此病患若就醫就會被歸類為內科而非精神科傷患。英國針對布里斯托遭到空襲的兩條道路上的一百名民眾進行調查，結果發現除了大量民眾出現可以透過藥物治療的身體受傷反應之外，那些有明顯精神症狀反應的民眾卻不好意思承認自己的狀況。[128]

這類精神受創的民眾在英國被歸類為「短期創傷精神官能症」，在德國則被歸類為「短期反應症狀」。這些民眾的人數無法確切估計（一名英國心理學家認為，實際人數至少比確診病例多上五倍），但從既有證據可以看出，空襲造成的情緒反應導致了廣泛的精神創傷（儘管通常是短期創傷）。與士兵一樣，精神科醫生發現最有可能出現精神創傷的病例，其實不一定與體質有關，反而與差點遭到活埋、房子被毀或家人被殺等所謂「跡近錯失」（near miss）的戰時經驗有關。促使情緒反應加劇的關鍵因素，在於這些經歷是否切身，這一因素也獲得戰後德國精神科醫生的訪談確認。[129]某方面來說，這些病患的症狀與遭受猛烈轟炸或砲擊的士兵類似：嚴重顫抖、小便失禁、感官與行動出現障礙、木僵狀態、明顯憂鬱，婦女則出現閉經。身心失調的反應很常見，包括短暫性失語、喪失聽覺、手腳麻痺，或者在德國常見的例子是消化性潰瘍。[130]針對英國赫爾市進行的調查顯示，儘管精神科醫生做出了相對樂觀的結論，但其他證據卻呈現出廣泛的情緒障礙病例。一些女性受害者表示，她們只要一聽到空襲警報就會昏厥、小便失禁或嘔吐；男性受害者則坦承出現明顯的消化不良、失眠、憂鬱、酗酒與易怒。絕大多數民眾拒絕看醫生，男性則在數天或數星期後回到工作崗位，儘管仍舊處於焦慮狀態。[131]赫爾市的狀況就跟其他被轟炸的城市一樣，空襲造成的精神疾病被當成私人危機來處理。美國作家史特恩（James Stern）是美國士氣團隊成員，他接受徵召前去訪談德國境內的空襲受害者，而他把前述的現象稱為「隱藏的傷害」（hidden damage）。[132]戰後部分研究顯示，劇烈創傷的經驗對民眾的影響是長久持續的，例如史特恩在德國訪談女性受害者時發現，這些婦女只要一聽到突如其來的聲響就會顫抖哭泣。一九四八年，在列寧格勒工作的醫生發現圍城倖存者出現了「列寧格勒緊張症候群」。這點或許不令人感到意外，因為飢餓、砲轟與空襲皆有可能造成了嚴重的心理創傷。[133]

政府最擔心的，仍舊是空襲可能引發群眾恐慌與士氣崩潰。然而，即使在最糟糕的狀況下，社會也沒有在轟炸之下癱瘓。遭受轟炸的可能，與轟炸後的殘破景象，確實讓民眾感到恐懼，也因此引發短暫恐慌。但與無法離開駐地的軍隊不同，民眾的恐懼會驅使他們離開受轟炸的地區。於是，民眾紛紛在遭受猛烈轟炸之後離開城市，疏散到鄰近的鄉村與村落。這是理智的決定，而非恐慌的行為。一些英國城市遭到德國猛烈轟炸，導致居民出逃，特別是南安普敦、赫爾、普利茅斯或克萊德班克等比較小型的都市圈。部分德國城市也是如此，在遭到轟炸後出現了德國當局不樂見的民眾逃離城市的景象（儘管就短期而言，這種離開城市的現象實在難以避免）。一九四五年的日本城市也是如此，在燃燒彈襲擊下，民眾開始逃往鄉村地帶。每個被轟炸的國家都會提出官方疏散計畫，以防止逃離城市演變成一場社會危機。在英國，大約有一百萬名女性與兒童被疏散；在義大利則是大約兩百二十萬人。相較之下，德國在戰爭結束前疏散的總人口數達到將近九百萬人，日本也有八百萬人。政府原先擔心人口大規模轉移可能會破壞戰時經濟，然而這種說法毫無根據。英國的勞動力研究顯示，在空襲後的幾天，所有工人都回到工作崗位，即使他們必須在工作地點與鄉村之間長途跋涉。在德國，一九四三年與一九四四年猛烈而持續的轟炸並未造成嚴重缺勤，也只有百分之二點五的工時損失與轟炸直接相關。到了一九四四年三月至十月，德國戰時經濟產業的總工時實際上反而是增加的，只不過這也必須考慮到該年有許多新勞工是外籍工人或來自於集中營的囚犯，而這些人即使遭遇空襲也必須待在工廠繼續工作。[134]

有許多理由可以解釋被轟炸的城市為什麼沒有出現士氣崩潰。原因之一來自於政府當局在建立「情緒規範」上扮演的角色。情緒規範鼓勵民眾接受犧牲，避免流露情緒而影響民心士氣。各國的情緒規範不盡相同，而這些規範多少反映了各交戰國之間的文化差異。在日本，死亡與犧牲的文化深深影響日本政府的政策，使其將民眾情緒與符合軍隊的戰爭投入結合成一體。[135]英國在遭受德國轟炸期間，當時流行的宣傳語「英國承受得住」，巧妙運用了英國人面對危機時冷靜而有決心的刻板印象。從英國遭到轟炸的城市圖像可以看出，早晨，民眾依然在瓦礫堆之間步行上班，或婦女心情愉快地拿著圓形馬克杯喝茶。[136]在德國，獨裁政權強調民眾與士兵結合成「命運共同體」，在面對攸關民族的生存鬥爭時，個人的焦慮必須放在一邊。政治宣傳的影像顯示，人民在面對集體的共同犧牲時顯露出來的肅穆決心，以及人民病態地執迷於英雄式的死亡。德國陸軍拒絕讓有精神病的士兵退役返回德國，因為這麼做可能會影響到國內民眾，使前線非英雄式的崩潰現實暴露在民眾面前。蘇聯政權也強調集體犧牲與英雄事蹟，只不過做法不像德國那麼病態。[137]

對於遭受轟炸的平民與士兵家屬來說，死亡是個揮之不去的現實。然而，當經過安排的葬禮傳達的是公眾決心而非集體悲傷時，死亡與民眾的實際情緒之間便隔出了一段距離。在日本，整個鄉里會用精心安排的儀式來讚頌逝去的「英靈」。在英國，死去民眾的圖像要接受審查，而民眾在轟炸期間的詳細傷亡數字也會被有意隱瞞或限制，以避免民眾恐慌。[138]公開流露歇斯底里的情緒是不被允許的，當這種事發生在防空洞時，民防人員會把違反者帶走。「情緒規範」成為民眾的模範，民眾可以藉此鍛鍊自己消極忍受與穩定情緒的能力。個人如何調整自己的情緒狀態以順應現實的戰時規範，其程度往往因人而異，規範架構只是提供了建立正面士氣所需的框架。有了規範架構，民心士氣就不至於偏離太遠。公共形象與私人行為在社會壓力與官方要求下不得不盡量一致，有些人無法承受相應而生的壓力，因而出現了情緒障礙。這些人必須像前線戰鬥的士兵一樣，接受協助或規訓。

物資援助對處理空襲所衍生的問題至關緊要。赫爾市的精神科醫生就認為，「赫爾居民的精神能否穩定，取決於他們是否能攝取充分營養。」國家努力提供糧食、救助、補償與重建計畫，最終避免了更大範圍的社會抗爭或示威。政府在休養中心與急救站成立了「前進精神醫療」，試圖直接協助受害的民眾。與前線戰場一樣（不過這完全是巧合），休養中心與急救站可以提供糧食及睡眠，民眾可以在此交談，分享最近的糟糕經驗，儘管此處無法提供正式的精神治療。英國的精神科醫生對於受害民眾採取的往往仍是陳舊呆板的治療法，包括使用老掉牙的「精神急救」——嘴裡講著堅定的話語，用手拍拍病人的背來打氣。對官方來說，隱藏恐懼不讓他人知道被視為最重要的事；官方也同樣宣稱，只要靠著一包餅乾糖果或喝一點白蘭地，就可以讓激動的人冷靜下來。[139]醫界也把社區防空洞視為小型的自助團體，認為人們可以在地下社區生活組織的合作下，坦誠說出自己內心的恐懼。在德國，即使是遭受最嚴重轟炸的地區，防空洞也被精神科醫生認定是「精神治療」的適當場所，認為人們可以在此控制情緒，協助崩潰的人克服恐懼與休克。[140]精神科醫生指出，定期遭受轟炸的平民，會逐漸對空襲養成習慣——這點與在前線戰鬥的士兵不同，士兵不可能習慣持續暴露在槍林彈雨之中，因為這反而會對戰力產生反效果。戰後在德國進行的調查顯示，高達百分之六十六的受訪者表示，只要被轟炸過一次，就不會對接下來的轟炸感到那麼害怕。只有百分之二十八的受訪者表示他們會因此感到更加恐懼。[141]針對倫敦大轟炸期間英國民眾的兩次民意調查都顯示，民眾最害怕的其實是糧食供應受到威脅。一九四〇年十一月的民意調查中，只有百分之十二的民眾認為轟炸本身是他們最害怕的事，四個月後只剩下百分之八。[142]

與前線士兵一樣，許多民眾也仰賴各種方式來克服恐懼，包括迷信、護身符，或是抱持宿命論及對生死無動於衷的態度。日本民眾以為把洋蔥放在頭上就可以避開炸彈，英國商店裡擺滿了「招好運」護身符及幸運咒語。一九四一年，英國大眾觀察組織針對迷信進行調查，發現百分之八十四的女性受訪者與百分之五十的男性受訪者承認他們受迷信影響。[143]有一則盛行於德國與義大利的迷信是這樣子的：兩國民眾相信自己是因為兩國政府犯的罪而遭受懲罰，因此唯有「善行」才能讓轟炸機無法靠近他們。義大利還有一個強大的迷信，據說有一架不知從哪裡來的飛機被人們稱之為「皮波」(Pippo)，這架飛機會飛過義大利半島上的城市，尋找要懲罰的壞人；有些說法更宣稱「皮波」會向民眾警告即將有敵機來襲。[144]遭受轟炸的民眾也會用宿命論的方式來面對內心的恐懼，包括相信炸彈上「寫著自己的名字」因此怎麼樣都躲不掉，或是內心產生一種特殊的應對機制——有位精神科醫生把這種機制稱為「無敵狀態」。處於這種狀態的民眾，會做出非理性的冒險舉動，因為他們已經把個人生死完全交託給超自然力量。[145]

有些民眾也跟士兵一樣，會在面對如雨點般落下的炸彈時仰賴宗教的保護與安慰。許多地方都能看到有愈來愈多人上教堂，或者民眾愈來愈依賴禱告。但轟炸也限制了宗教儀式的進行，因為教堂也會被炸彈炸毀，信眾們也因此四散。希特勒曾經下令，要求德國教會儀式不可以影響民防工作與空襲後的重建工作。一九四三年，萊茵蘭主教向希特勒請願，希望鬆綁禁令，讓民眾可以透過教會紓解空襲造成的「巨大心理與神經壓力」，結果遭到希特勒拒絕。[146]相較之下，一九四〇年代的英國已經是一個相當世俗的國家，因此宗教在英國無法跟其他國家一樣扮演撫慰人心的角色。雖然英國曾經舉行「危機祈禱」，每年九月也訂定國家祈禱日，但願意上教堂的人數仍從一九四二年之後不斷減少。[147]宗教對天主教社群往往能發揮比較大的影響與安慰，因為天主教有透過禱告尋求安慰的文化，可以向上帝懇求幫助，聖人的介入也很容易融入當前空襲的環境。在遭受空襲威脅的義大利城市，家家戶戶都立起了小小的聖母像或地方聖人祭壇，希望藉此避開炸彈帶來的危險。民眾也為空戰禱告，懇求聖母馬利亞能讓盟軍的轟炸機掉頭轉向。如果在廢墟中發現完好的聖母雕像，信眾會認為這是獲得拯救的奇蹟。在義大利北部城市弗利（Forlì），四萬名民眾排隊朝拜在轟炸後毫髮無損的火焰聖母像。馬利亞崇拜逐漸在德國與義大利掀起熱潮。當一名農村少女在義大利城市貝加莫（Bergamo）附近宣稱看到十三個聖母異象時，數萬名義大利人蜂擁而至尋求保護或安慰，或祈求戰爭早日結束。官方表示異象與奇蹟都無可佐證，但對許多義大利天主教徒來說，教會已經逐漸取代國家，成為在轟炸之下提供實際幫助與心理寬慰的主要來源。[148]

※ ※ ※

在平民受害光譜的另一端，有數百萬人捲入流放、種族滅絕、大屠殺與廣大德蘇戰場的漩渦之中。這裡不存在「前進精神醫療」，沒有人試圖閃躲最極端的創傷壓力，也沒有人關切情緒規範或刻意的病態行為。在缺糧、持續受到轟炸的列寧格勒，一名倖存者寫道：「死亡統治了一切。死亡舉目可及，人們已經習慣了，對此無動於衷……憐憫消失殆盡，沒有人在乎。」[149]從殘存的回憶錄、口述證詞或當時的日記與信件，我們可以設法蒐集到數百萬名受害者的情緒或心理狀態，然而這些訊息完全沒有提到加害者，死去的數百萬人也未對此留下任何紀錄。歷史學家只能從片段零星的紀錄，追溯人們在毫無節制的暴力（不同於戰場上有節制的暴力）與最原始暴行下的創傷反應。那位列寧格勒的日記作家寫道：「我們回到了史前時代。」[150]

當蘇聯紅軍解放了被德軍占領兩年多的蘇聯西部地區時，蘇聯精神科醫生突然有了捕捉情緒創傷程度有多嚴重的機會。他們發現數千名因占領軍暴力而深受創傷的兒童，他們因此將焦點放在這些兒童的心理狀態。占領軍的恐怖統治不僅針對成年人口，而是連他們的孩子也不放過。德國占領者把孩子當成游擊隊嫌疑犯或潛在的強制勞動者（有些孩童甚至只有九到十歲），以殺害孩子為樂，如果是女孩，就將她們送進野戰妓院。許多孩童淪為孤兒，被迫在街頭乞討甚至偷竊為生，這也使他們成為占領者無情虐待的對象。[151]對於數百萬在戰火中求生存的人來說，這就是占領區的日常生活。在解放區，蘇聯醫生找到最極端的精神崩潰病人進行治療，並且發現有孩子曾經目睹父母或鄰居被殺，有孩子見證所有村民全被關在建築物裡活活燒死，有孩子看到折磨與肢解的場面。一九四三年到一九四四年進行的大規模研究顯示，「持續生活在恐懼與焦慮中」的孩子，要不是表現出昏厥、夢遊、尿床、頭痛、極度易怒等傳統焦慮症狀，就是展現出痲痺、神經性抽搐、口吃、失語或木僵狀態等身體反應。報告指出，這些兒童病患在安全平靜的環境下會做出合理的回應，但反應症候群仍持續存在。只要出現巨大的聲響或爆炸聲，就會讓這些孩子出現噁心感、大小便失禁、顫抖與嚴重出汗等反應，非常類似有些人在空襲後出現的症狀，那些因為作戰而精神受創的士兵也會如此。[152]即使危險狀態已經消失很長一段時間，極端恐懼產生的心因性反應還是會繼續顯現。由於蘇聯的精神醫學單位缺乏人力及物力，因此只能針對少數受害的孩童進行治療。

被解救的蘇聯兒童中，有少部分是逃過種族滅絕的猶太人。遭遇過猶太大屠殺的受害者之中，只有極小部分到了一九四五年時仍然倖存，人稱「倖存的殘餘者」（She'arit Hapleta）。當時的蘇聯當局幾乎沒有對這些倖存者的情緒狀態進行治療或研究，部分是因為絕大多數倖存者顯然更迫切需要身體醫療而非心理治療，另一個原因則是出於蘇聯的「解放」文化。解放予人一種幻覺，彷彿創傷的經驗就此完結——即便對這些快要餓死且腦袋昏昏沉沉的集中營囚犯來說，「解放」兩字根本沒有任何意義。[153]在歐戰結束後三個星期舉行的「解放音樂會」上，曾在一間滿是猶太病患的醫院工作的格林伯格（Zalman Grinberg）如此寫下經歷這場苦難之人的情緒狀態：

我們屬於在集中營裡被毒死、被絞死、被折磨、被餓死、被強迫工作與被凌虐致死的那群

> 人……我們並未活著，我們依然是死人……今日的世人並不瞭解我們在這段時間遭遇與經歷了什麼，未來也不會瞭解。我們已經不知道該怎麼笑，也不知道該怎麼哭。我們不瞭解自由是什麼，這或許是因為我們依然置身於我們死去的同胞之中。[154]

對於絕大多數同胞都已遇害的倖存者來說，自己依然活著的事實往往使他們產生愧疚或羞恥的情緒。不僅如此，他們還得面對親友們確實已經逝去的痛苦（往往是在事件許久之後才真正有感）。在收容流離失所者的營區裡，猶太倖存者的精神往往十分低落，一名觀察者表示，這些人「一直感到恐懼、焦慮與不安」。管理營區的官員發現，這些倖存者會出現搗亂、神經質與不合作的行為，包括尿床、心智年齡退化、輕微竊盜與衛生習慣不佳，這些都明顯反映出嚴重創傷與持續處於不確定狀態下的精神疾病反應。[155]但相較於這些負面情緒，更令人驚訝的或許是這些營區裡的猶太倖存者對於重建猶太文化社群的高度興致。官員們一度擔心集中營造成的精神創傷很可能導致猶太人陽痿或永久不孕，但到了一九四八年，猶太倖存者卻已經有著全世界最高的生育率，達到戰後德國人的七倍之多。[156]

直到二戰結束的一年後，心理學家才獲准造訪位於德國的流離失所者營區，這些營區收容了絕大多數倖存的猶太人。當時的西方把更多興趣放在瞭解加害者的情緒狀態上，例如辨識與描述所謂的「納粹的心靈」，而非試圖認識加害行為對於受害者的情緒層面究竟有何影響。[157]一九四六年四月，波蘭心理學家格里吉（Tadeusz Grygier）急欲研究「壓迫對人類心靈的影響」，他獲准找了一群前集中營囚犯與強制勞動者做為研究對象，結果猶太流離失所者卻拒絕他的研究請求，格里吉於是把對方的拒絕歸因為「極端壓迫的影響」。[158] 一九四六年七月，原名邁克爾森（Aron Mendel Michelson）的俄裔美國生理心理學家伯德爾（David Boder）也獲准到流離失所者營區進行訪談計畫。伯德爾想研究「遭受史無前例壓力下的人格」，他認為這些猶太倖存者是非常合適的研究對象。由於伯德爾自己也是猶太人，所以並未碰上格里吉遭遇的問題。他研究了各種倖存者，包括從集中營倖存的猶太人與外國強制勞動者，後者曾經在戰時德國生活，生活條件遠比猶太人好得多。[159]

伯德爾一開始使用了標準的「主題統覺測驗」，也就是選擇一些圖片給受訪者看，而受訪者理應要根據圖片來做出回應。伯德爾不久就發現，他無法從這些測驗得出任何有意義的結論，因為他的受訪者經常做出不置可否的回應，或是懷疑是否真有可能瞭解受害者的情緒世界。十八歲的蒙布魯姆（Abe Mohnblum）就問他，「心理學家真有那麼厲害？心理學家真的瞭解人性嗎？」伯德爾猶豫了一下，表示心理學還處於開拓階段。結果他的受訪者立刻反駁，說心理學家「絕對無法評價實際上會發生的事」。[160] 伯德爾感到顏面盡失，發現他身為心理學家想達成的目標，與這些倖存者所面臨難以想像的現實之間（倖存者詳細告訴他發生了什麼事）根本無法連結。一九四九年，伯德爾選擇將部分訪談紀錄出版，書名叫《我沒有訪談過死者》（*I Did Not Interview the Dead*）。他在書中建立所謂的「創傷索引」（後來的版本改成「創傷目錄」），總共有十二類，而他便利用這十二類「從心理學上定義了這些人的遭遇」。創傷索引涵蓋了這些人所有的經驗領域，而這些經驗剝奪了他們「文化現在」（cultured present）的情緒與物質世界，而代之以「原始過去」（primitive past）。創傷目錄的第七項寫道：「讓身體與心靈的忍受力持續處於超載狀態。」[161]雖然伯德爾對「創傷」一詞的使用方式與今天的主流用法不太一樣（今日通常把「創傷」視為對壓力的一種壓抑反應），但伯德爾確實試圖描述受害經驗在這些倖存者身上不斷累積的心理創傷。伯德爾最後還試圖用「災難量表」來量化這些倖存者的苦難，結果不令人意外地，伯德爾發現營區倖存者承受的創傷，至少超過外籍工人的三倍以上。[162]

※ ※ ※

有數百萬人在戰時遭受了情緒危機，卻未能倖存下來。他們有的死於前線，有的死於空襲，有的則是殘酷暴行、飢餓與種族滅絕的受害者。到了戰爭結束時，德國、蘇聯與日本的武裝部隊總計已有約一千八百萬人死亡，相較之下，西方的武裝部隊則有約一百萬人死亡。這表示民主國家的軍隊有數百萬人得以返鄉、重新加入公民社會。就像集中營倖存者一樣，回歸社會並不是一個簡單或直截了當的過程。參戰的男女官兵已經習慣一套價值觀完全不同的世界，身上背負著從遙遠戰場帶回來的情緒與精神包袱，試圖在未來重建符合民間規範的行為與恢復傳統的情感紐帶關係。只有美國將精神醫學的調整視為當務之急。一九四五年出版了許多精神醫學指引，包括《給退伍軍人的家人與朋友的精神醫學指南》（*Psychiatric Primer for the Veteran's Family and Friends*），書中解釋返鄉軍人可能會「感到不安、具侵略性與忿忿不平」。[163]由於民眾普遍擔心返鄉軍人可能會引發犯罪潮，或返鄉軍人的精神障礙可能會影響和平時期社區的繁榮與復甦，美國陸軍於是在一九四五年出資拍攝了兩部宣傳片，一部談「戰鬥疲勞症」，另一部則有著不大恰當的片名，叫做《返鄉的精神官能症患者》（*The Returning Psychoneurotics*）。第二部電影由休斯頓（John Huston）執導，片中探討紐約精神病院為了讓重度精神障礙病者恢復正常生活而使用的療法。結果陸軍認為片中影像對美國民眾來說可能太過病態，因為民眾還不瞭解戰爭會對一個人的情緒造成多大傷害，因此他們恐怕無法明瞭劇本想要傳達的「人性救贖」意涵。雖然這部電影後來改名為《要有光》（*Let There Be Light*），但陸軍還是決定禁止該片上映，直到一九八一年為止。[164]

戰後針對軍人進行的調查少之又少，顯示這場衝突留下的情緒傷疤將會持續到和平時代。在美國，百分之四十一的退伍軍人因為精神障礙領取了傷殘補償。一九四六年戰爭部（三年後改名為國防部）公布的另一份調查顯示，曾在戰時接受醫療的士兵，有四到五成罹患了戰鬥疲勞症。[165]英國進行了小規模調查以追蹤戰時退伍返回社區的精神疾病案例。調查發現，許多人很難維持工作或恢復自尊。雖然並未有針對德國、蘇聯或日本退伍軍人回歸平民生活的系統性研究，但三國退伍軍人重新融入社會的過程十分艱辛。以德國與日本的例子來說，英國、法國與蘇聯決定讓德國或日本俘虜從事與戰後重建相關的勞務，卻在《日內瓦公約》簽訂後過了很長一段時間才願意放人，耽誤了德日退伍軍人回歸社會的時機。[166]當日本俘虜終於在一九五〇年代初從蘇聯返回日本時，日本國內民眾普遍對這些人感到擔憂，認為這些士兵不僅當初恥辱地被俘，現在返回國內時所展現的態度，充分證明他們原本就是一群愛搗亂與「好爭辯」的頑劣分子。[167]

美國在一九四五年後還有一項獨特的安排，那就是希望將所有戰死海外的士兵遺骸運回故土，重新安葬。一般同盟國與軸心國的男女官兵，只要是在海外服役時陣亡，通常就葬在他們陣亡的戰場上。但美國民眾最大的願望，就是讓遠渡重洋戰死海外的子弟兵能夠歸葬美國故土。此舉形同擱置了美國在戰時的情緒規範（美國官方當初就是根據這套規範隱匿了戰死者的實際人數），並且允許所有民眾為陣亡將士哀悼。一九四七年十月，第一批總計六千兩百具靈柩從歐洲運抵美國。一個不知名的士兵被隨機選中，他的靈柩被神聖隊伍簇擁著，沿著紐約第五大道行進，夾道致敬的民眾多達五十萬人，在中央公園舉行的儀式更是多達十五萬人觀禮。[168]有些人哭泣，有些人無法直視，這個時刻捕捉到了戰時歲月被壓抑的情緒。「永別了，我的孩子。」群眾中一名婦女哭泣說道。四年來，數百萬美軍男女官兵都必須在個人恐懼與焦慮，以及軍隊要求的紀律與自我犧牲之間不斷拉扯。世界各地的民眾同樣活在類似的矛盾之中，既要對外表現出堅忍卓絕的模樣，也要承受個人的悲傷與失落。

猶太兒童被運往波蘭的海烏姆諾滅絕營，最後被關在毒氣貨車裡遭一氧化碳毒死。大屠殺的組織者想殺光猶太兒童，使猶太人無法繁衍後代構成德意志帝國的威脅。圖源：*Prisma/Schultz Reinhard/Alamy*

CHAPTER

第十章

# 10

# 戰爭暴行與戰爭罪

「當猶太人從自家公寓被拖出去槍斃時，擔任教師的麗莎（Liza Lozinskaya）正藏匿在某處。第二天，在槍決了一大批人之後，殺人不眨眼的蓋世太保抓到了她。這群惡棍把她拽到市場廣場，把她綁在電報柱上，然後開始將鋒利的匕首往她身上丟。這些禽獸在她脖子上掛了個牌子，上面寫著，『我妨礙德國軍官執法。』」

——記錄的證詞，《莫濟里的德國人》（*The Germans in Mozyr*）1

「一旦德國士兵被抓而且被帶到〔游擊隊〕基地時。他們甚至不想拷問他。他們只是想把他撕成碎片。他們會扯掉他的頭髮，那是個恐怖的景象。女人，老人，每個人都在喊著，『這是為我的兒子，這是為我的丈夫』等等。」

——訪談奧肯（Leonid Okon）2

第二次世界大戰是一場殘暴的衝突。從戰爭爆發到戰爭結束，犯罪與暴行反覆不斷地在士兵、安全人員與平民中出現，其規模之大，力量之無情，遠遠超出前人所能預期。暴行引來報復，一報還一報，惡性循環之下，滋養出更多暴行。回憶麗莎遭遇的村民還記得有一名蘇聯女游擊隊員被抓，而且以相同的方式被懲罰，罪名也是「妨礙」德國警察與地方輔助部隊工作。這些人的任務是驅趕鄰近白俄羅斯猶太人到村子外面的坑洞，然後槍斃他們，一次一層。

年輕的奧肯是明斯克猶太區的逃亡者，他加入游擊隊只有一個念頭：「我一直想戰鬥。我想報仇。」[3]德國人與其在地協力者深怕遭到報復而活在恐懼之中，而這份焦慮助長了他們以殘酷暴力來遏止這個威脅。這只是眾多戰時暴行敘事中的一個。暴行並非局限在某個戰場，也無法以單一原因來加以解釋。二戰的陰暗面是由許多部分所組成。有些暴行是正規戰犯下的罪行，這些暴行的出現嘲弄了既有的法律與戰爭慣例。有些暴行則是深刻種族仇恨或偏見的產物。另一些暴行則是長期以來男性對女性施加暴力的結果，而且這種暴行很容易被掩蓋。

※　※　※

對二戰時期的人來說，「戰爭罪」的概念通常被理解為違反了兩項公約內容，分別是一九〇七年的《海牙第四公約》（又稱《陸戰法規與慣例公約》）及其附件章程，以及最初在一八六四年針對國際紅十字會達成協議的《日內瓦公約》。根據這項定義，武裝部隊犯下戰爭罪的受害對象，一方面是戰場上與被俘虜的敵國武裝部隊，另一方面則是理應受到「已開化民族」制定之「人道法律」保護的敵國平民。[4]公約不適用於殖民地民眾，因為殖民地民眾被定義為「半開化」或「未開化」。當時對戰爭罪的性質沒有精確定義，也沒有明確規定要如何調查與懲罰，這是因為尚未設立國際法院來執行這些協議。第一次世界大戰期間的交戰雙方都違反了戰爭常規與慣例，不過大多僅限於非系統性的違反，因為在漫長的四年裡，戰場始終局限在壕溝戰，比較沒有游擊戰或以平民為目標的情事發生。儘管如此，一戰依然促使各國開始對其他被認定違反《海牙公約》的「犯罪」進行分類。一戰結束後，戰勝國擬定了三十二項犯罪目錄做為犯罪行為清單，包括「謀殺與屠殺」（特別針對土耳其人屠殺亞美尼亞人）、「有系統的恐怖主義」、「拷打平民」，以及對非戰鬥人員進行流放或強制勞動。[5] 一九一九年二月，協約國成立戰爭與戰爭行為責任委員會，委員會下設違反戰爭法規小組委員會，負責報告已知敵國戰犯的起訴情況。然而，美國否決設立國際法庭來審判德國與土耳其戰爭罪的提議，德國與土耳其政府最後是在協約國的鼓勵下才進行了幾次樣板審判。至於法國與比利時，兩國則對仍由他們拘禁的一千兩百名囚犯進行審判與定罪。在山的另一邊，德國調查局也曾編纂五千份關於協約國戰爭罪的卷宗，但一九一九年的正義顯然站在戰勝國而非戰敗國這一邊。[6]

雖然歐洲各國無法在一九一九年成功定義戰爭罪或制定出戰爭罪的審理程序，但各國在接下來十年間仍試圖以更明確的國際協議來規範出可接受的戰時行為。協約國和同盟國都曾在戰爭期間轟炸平民，無視「空中轟炸」早在一九〇七年公約中已明文禁止的事實，因為沒有特定的國際法機構來管理這類行徑。一九二三年，根據前一年華盛頓海軍會議的決定，在海牙召開的國際法學家委員會制定了《海牙空戰規則》（Hague Rules for Air Warfare）。雖然《海牙空戰規則》並未獲得任何政府批准，卻被視為具有國際法效力，特別條文規定了禁止攻擊平民生命財產與只能攻擊可識別的軍事目標。[7] 一九二五年，各國在日內瓦達成協議制定公約，宣布毒氣戰與細菌戰等生化武器的使用為非法（「持有」並不在此限）。四年後，各國又締結一份戰俘待遇公約，將《海牙公約》的保護範圍擴大。新的海戰規則於一九三六年制定，將一戰進行的無限制潛艦戰列為非法行徑，同時規範海軍艦艇在有必要攔停與搜索可能資敵的商船時，必須維護船員安全，不能一看到船隻就立即擊沉。

對於這些追加的保護條款，早在一九三〇年代就已經有國家帶頭違反部分內容。義大利與日本在入侵衣索比亞與中國時使用了毒氣、日軍飛機在中國轟炸平民、義大利與德國飛機也在西班牙內戰時轟炸平民，或是中國戰俘當場遭日本軍人違法處決。二戰期間的交戰國違反了上述每一項國際協議，許多時候侵害的規模之大，恐怕締約者當時怎麼想也想像不到。隨著規模超乎想像的暴行證據浮上檯面，二十世紀的戰爭罪概念也逐漸被擴大與延伸。到了二戰結束時，為了處理如此殘暴衝突的後果，新的概念因此誕生。唯有新的概念出現，才能對大規模流放、剝削與屠殺平民的暴行進行懲罰。如今這類暴行全都歸類在「反人類罪」這個名稱底下。[8]一九四五年，勝利的同盟國陣營再次定義戰時犯罪的性質，區分出所謂的「甲級戰犯」（被控策畫發動侵略戰爭）、「乙級戰犯」（被控違反戰爭常規與慣例）與「丙級戰犯」（被控犯下反人類罪）。

## 違反戰爭法規與戰爭慣例

狹義的戰爭罪，也就是敵對武裝部隊之間或武裝部隊與平民之間的非法暴力，早已被歷史證明不可能光靠書面協議予以約束。戰場上的戰爭罪多如牛毛，其原因相當明顯。與一戰的壕溝戰不同，二戰的交戰雙方經常在開闊地帶以運動戰的方式進行會戰。在這類戰場環境下，有時射殺降兵或傷兵要比分散兵力將這些人運送到後方簡單得多。在步兵戰鬥中，那些才剛殺敵後不久便投降的士兵，幾乎當場就會被殺害；狙擊手一旦被俘，通常都會被處決，因為他們被視為特別致命的殺手。在德蘇戰場與亞洲戰場中，倒臥的傷兵無一例外會直接遭到殺害。在戰況白熱化的階段，前線士兵腦中根本不會想到《日內瓦公約》，軍官也不會刻意阻止底下士兵，有時甚至會主動鼓勵與慫恿士兵犯下戰爭罪。海上的戰場非常不同，但依然可能出現違反公約的狀況，例如任由水手與敵兵在水中掙扎，或故意燒毀救生艇，或用機關槍掃射生還者。只有在空戰時，雙方才比較能夠謹守交戰規則，但有時還是會出現用機關槍掃射跳傘者的情況。另一種比較特殊的情況是空對地戰鬥，主要是因為投彈不精確的緣故，無論是轟炸或掃射地面敵軍都帶有隨機性質。引發最多倫理爭議的，無疑是遠程「戰略轟炸」，因為轟炸行動大量殺傷平民，有時甚至是以平民為目標刻意為之，此外也無差別地摧毀醫院、學校、教堂與文化遺產。

絕大多數乙級戰爭罪都在地面戰鬥時發生，這是因為士兵必須面對面廝殺，不是你死就是我亡。一名參與太平洋戰爭的美軍工兵在日記裡寫道：「這裡只有一項規則：殺、殺、殺。」[9]雖然激戰時違反交戰規則之事時常發生，但戰時各戰場武裝部隊的暴行規模與性質，仍須取決於地理、意識形態與政治宣傳、軍隊文化、約束有無等各種因素。然而，當士兵正在犯下暴行時，心裡幾乎不可能考慮到其他因素。一旦無人約束，或軍事高層有意藐視規則，士兵就會為所欲為，在戰場上順著本能施加暴力。舉例來說，在一九四一年十二月，希特勒告訴正在蘇聯打仗的德國陸軍，說這場戰爭與「軍人的騎士精神無關，也與《日內瓦公約》無關」，他期待軍隊自己判斷背後的用意。但在西線戰場上，希特勒卻希望他的軍隊盡可能遵守交戰規則——當一九四四年末武裝親衛隊在馬耳美地（Malmédy）屠殺美軍的消息傳到希特勒耳中，他便向陸軍重申遵守交戰規則的必要。[10]儘管違反交戰規則之事在西方軍隊較為少見，但有時還是會出現規則遭到刻意擱置的狀況。一九四四年，在美軍入侵關島前夕，士氣振奮的海軍陸戰隊將士被告知不用留下俘虜。[11]

各場戰役的脈絡與背景，其實也能解釋戰場暴行何以在規模與野蠻程度上存在差異。在西歐與地中海戰場，交戰各方一般而言都會遵守國際協議的公約——但盟軍對上納粹的武裝親衛隊時卻是例外，因為一般認為武裝親衛隊總是自行其是，死忠於希特勒，且毫不在乎行為是否合乎道德。一九四四年到一九四五年，在義大利與德國邊界的艱苦戰役中，被俘的武裝親衛隊有時會被就地處決。當關於武裝親衛隊暴行的消息傳到盟軍時，盟軍軍隊自行做出了決定。在突出部之役，武裝親衛隊幾乎沒有人能活著進入戰俘營。一名美軍退伍軍人日後回憶說：「戰爭的本質就是如此，人的本性也不會改變。人很常在憤怒下完全失去理智，被情緒牽著走。」[12]英軍偶爾也會做出違反交戰規則的事，成立於一九四一年的空降特勤隊（Special Air Service, SAS）就很少留下戰俘。德軍在北非、義大利與西歐戰場犯下的戰爭罪，如果與在蘇聯與中國戰場發生的暴行規模相比，可以說都是些零星個案。在北非、義大利與西歐戰場的受害者數量約數十名到數百名，但在俄羅斯與亞洲的受害者卻多達數十萬人。在海戰方面，交戰各方都採取了無限制潛艦戰，違反了一九三〇年簽訂的《倫敦海軍條約》（London Naval Treaty）。但一般而言，雙方都節制不去殺害棄船的人。英國皇家海軍除了少數情況，基本上也都會救起落水者。[13]

東歐與亞洲戰場有著完全不同的樣貌。在這兩個地區，防守方很快就發現進攻方採取殘忍的戰鬥方式，於是也以相同的方式加以還擊。結果就是暴行不斷升級，每一次殘忍報復都換來對方更加低劣的行徑。在德軍與日軍的案例中，這就是刻意為之的「戰爭的野蠻化」，這個詞彙是由歷史學家白德甫（Omer Bartov）所提出，旨在描述德軍在俄羅斯發動的野蠻戰爭。然而德日兩國會這麼做，有一部分也是受到各種環境壓力的影響，使得原本不會做出這種暴行的人紛紛成了邪惡的殺手。[14]地理與地形的影響尤其重要。士兵們發現自己身陷在最險惡的環境裡，遠離故鄉，幾乎沒有生還的機會。當軍隊在緬甸叢林或遙遠的南太平洋島嶼，或在華中面對層巒疊嶂與河川交錯的地形，或在廣袤的俄羅斯大草原，夏日灼熱塵土飛揚，冬日則天寒地凍，勢必得陷入艱苦的戰鬥。在這些偏遠地帶，舉目所及盡是戰鬥、疾病或受傷造成的大量死亡，這使得軍隊產生相當病態的文化，對於敵人的死亡無動於衷。德軍士兵無法理解紅軍宛如自殺般的衝鋒戰術，結果就是把對方當成砲灰處理。在日軍的軍事制度下，日本士兵只會戰至死亡為止，因為「玉碎」的原則早已深植在每個士兵心中。[15]日軍對攻守皆時常採取自殺式衝鋒，使美國、澳洲與英國士兵開始冷眼看待日本士兵的死亡。日軍的屍體暴露街頭，來來往往的盟軍車輛很快就讓這些屍體變成扁平而乾癟的殘影。

打從一開始，日本在中國的戰爭就幾乎完全不遵守現代戰爭公約。日軍推進時，投降的中國士兵通常會當場遭到槍斃或斬首，傷兵則往往被日本步兵愛用的刺刀或軍刀了結性命。雖然日本空投傳單鼓勵中國士兵投降，並且承諾日軍「不會傷害戰俘」，但從日本士兵的日記中即可看出，這項承諾不過是一種詭計。一名日本士兵在進攻河北省時，記錄了他曾愉快地用石頭毆打一名中國傷兵，還用軍刀將一名戰俘開腸剖肚。當他的部隊追擊撤退的中國軍隊進入山西省時，他還提到殺死逃亡的敵軍士兵這件事樂趣無窮：「玩弄這些傷兵，讓他們自相殘殺，實在很有趣。」[16]與此同時，這些日記也顯示出進攻的日軍感到深刻不安與恐懼，因為他們經常遭到中國士兵的埋伏與偷襲——此時的中國士兵已化整為零消失在戰場上，改採非正規游擊戰術。日軍推進時傷亡慘重，於是士兵也刻意用虐殺的方式來報復敵人。

日軍攻下國民政府首都南京是日軍在中國暴行的高點，估計有兩萬名中國士兵與無數平民遭到屠殺。雖然日本駐華司令部希望士兵有所節制，但長達數個月在永無止境的大地上艱苦戰鬥，激起日軍強烈的報復欲望。當時有兩名日本軍官比賽看誰先砍下一百顆中國人的頭顱，消息刊登在報紙上後頓時使兩人成為名人。這場「百人斬比賽」一直持續到一九三八年。該年三月時，其中一名少尉已經斬首三百七十四人。當時的詩文、歌曲，甚至童書都讚揚這場「愛國的百人斬」。[17]各地的中國士兵都遭到追捕與屠殺，而且日軍各種殘酷的處決方式都用上了——戰俘被割掉舌頭絞死、活埋、活活燒死、充當刺槍術的練習目標、在冬日結凍的河面鑿洞再將赤裸的中國士兵丟進去「釣魚」等。[18]在南京，一名日本士兵走過兩千具被肢解的中國人屍體，這些人當初都是舉起白旗的投降者。這名士兵提到，這些人「被用各種方法殺死」再棄置於路邊任其腐爛。[19]這種無限制的暴力源自於日本軍方把中國士兵定義為盜匪，一旦中國士兵被俘，日本士兵便沒有任何法律上的顧忌，可以任意殺害中國戰俘。《日內瓦公約》關於戰俘的規定並未獲得日本政府批准，但就算批准，日軍指揮官顯然也完全無視《日內瓦公約》強調的國際法限制。[20]殘酷的戰鬥讓日本士兵愈來愈冷酷，殺害傷兵與俘虜的習慣也成為日軍士兵日常生活的一部分。一名在南京的目擊者在日記裡寫道：

「我踩在中國士兵的屍體上，絲毫不以為意，因為我的內心已變得瘋狂與失常。」[21]

當日軍於一九四一年十二月大舉攻擊美國、英國與荷蘭在東南亞與南太平洋的屬地時，絕大多數參與任務的日本士兵都有在中國打仗的經驗——這點與對抗日軍的盟軍士兵剛好相反，後者幾乎沒有任何作戰經驗。日本士兵於是把過去四年的作戰習慣也用在對抗殖民地強權的戰爭上。即便西方軍隊早已聽聞日軍野蠻的名聲，日軍還是帶給西方軍隊巨大的震撼，不僅是因為西方軍隊低估了日軍的戰術技巧，也因為西方軍隊以為日軍在與白人軍隊作戰時會遵守公約，不會出現無限制的暴力。一九四一年耶誕節當天，英國香港總督向日軍投降，但日軍仍四處燒殺擄掠，殺害戰俘，用刺刀刺死醫院裡的傷兵，強姦與殺害護士（但就在幾天前，英國軍警也用機關槍殺害了中國搶劫者，還讓七十名疑似第五縱隊者排成一列，用麻袋套頭後再一口氣將所有人槍決）。[22]在入侵馬來亞時，日本士兵沿著半島南下，沿途殺害俘虜與屠殺傷兵，這種作戰模式在往後的太平洋戰爭中還會如法炮製。在新幾內亞戰役中，盟軍發現被俘的澳洲士兵會被脫光衣服綁在樹上當成刺槍術的練習目標，或者被刀子砍成碎片，有些甚至被宰了充當飢餓日軍的食物（當時日軍經常陷入缺糧與沒有軍火補給的狀況）。[23]美軍除了發現死去的戰友遭到肢解與拷打，也在陣亡日軍口袋裡發現從美軍屍體割下來的戰利品。在海上，日本海軍一看到盟軍船隻就予以擊沉，若非任由生還者溺死，就是用機關槍掃射他們。當日軍進攻東印度群島（今日印尼）時，海軍士兵在安汶島屠殺了數百名被俘的澳洲與荷蘭士兵，上級甚至下達了詳細的處決命令：要不是砍下盟軍士兵的頭顱，就是用刺刀刺向他們的胸部。[24]美國海軍在戰爭爆發後也採取了無限制潛艦戰。到了一九四五年，日本海軍已經沒剩幾艘艦艇可以擊沉，美軍潛艦於是轉而將目標對準日本漁船與近岸舢舨——此舉同樣違反了交戰規則。在海中掙扎求生或努力爬上救生艇的日本人最終是遭到遺棄還是被殺，完全要仰賴個別盟軍指揮官的良知，法律完全無用武之地。[25]

對日本入侵者來說，對盟軍施加暴行完全是有害無益。由於日本人完全沒有遵守戰爭公約的意思，因此盟軍在戰場上遇到日軍時也會以相同方式加以報復。不是每個盟軍或日軍士兵都犯下違反戰爭法規的行為，但在太平洋戰場上，這類的違規情事可說是稀鬆平常，沒有人會期望陸軍士兵與海軍陸戰隊會謹守紀律不做出違反交戰規則的事。美軍的態度深受珍珠港事件引發的憤怒影響，好比海軍軍令部長史塔克海軍上將就在戰爭爆發後幾個小時內宣布，美軍可以「對日本採取無限制空戰與潛艦戰」，在戰鬥真正開始之前便推翻了美國的國際承諾。羅斯福的個人顧問李海也清楚表示，與「日本野蠻人」戰鬥，「必須放棄」既有的戰爭規則。海爾賽海軍中將則向他的航空母艦艦隊人員表明：「殺死日本鬼子，殺死日本鬼子，殺死更多日本鬼子！」[26]在這種情況下，美國士兵幾乎不可能受到法律約束，更不用說當他們親眼目睹日本人的戰爭暴行後就更不可能收手了。美國士兵在軍中閱讀的所有作品，基調永遠都是「殺死這幫混蛋」。在美軍的理解中，日本守軍不遵守任何交戰規則，甚至違背常理。他們會使用停戰旗幟來偷襲靠近的敵軍，會在開火前靜靜地躺著佯裝已經死去，會在投降時把已經拉掉引信的手榴彈綁在手臂上，一口氣炸死自己與俘虜他的人。比較不常見的狀況是，日本士兵會舉起軍刀，朝著敵軍的機關槍陣地衝鋒。[27]

美國海軍陸戰隊與陸軍步兵對於日軍普遍抱持著憎恨與輕視，加上部分戰時宣傳把日本人描繪成非人的禽獸，將他們視為文化奇特難解的產物，凡此種種皆加深了美國士兵對日軍的厭惡。戰場上「最好的日本鬼子」就是「死日本鬼子」，因此幾乎不留戰俘。遇到傷兵，只要在他們喉嚨上劃一刀就可以解決問題。還有人會從屍體身上取下一部分當成戰利品，可能是死者的頭皮，也可能是死者嘴裡的金牙，全部收藏在一個小袋裡。肢解屍體的行為相當普遍，導致美國戰爭部不得不在一九四二年九月下令所有部隊指揮官嚴禁士兵蒐集這類可怕的紀念品，然而成效不彰。當戰後日本要把馬里亞納群島上的日軍遺骨運回故土時，居然發現百分之六十少了頭骨。甚至有人將一把用日本人骨頭雕刻的拆信刀送給羅斯福總統，雖然羅斯福堅持必須把它歸還給日本。[28]有些日本戰俘無法接受自己未能戰死沙場，為此瘋狂掙扎，最後俘虜他們的人只好完成他們的心願。在瓜達康納爾戰役中，美軍發現自己極難找到一名生還的日本士兵來拷問，上級長官不得不為此承諾，若亞美利加師能找到生還的日本兵，就可以獲得威士忌與額外啤酒做為獎賞。[29]到了一九四四年十月，在歷經三年戰鬥之後，盟軍依然只俘虜了六百零四名日軍。在整個太平洋戰場，最終只有四萬一千名日本士兵與水手被俘，幾乎全部集中在戰爭快結束的時候。日軍也得知美軍與澳軍通常不會留下俘虜，這更強化了日本《戰陣訓》對士兵的要求：必須戰死，不可忍辱偷生。同樣的狀況也發生在緬甸戰場，英國、西非與印度軍隊在目睹日軍的暴行之後，同樣採取殺死戰俘與傷兵的策略，而這也讓日軍更沒有意願投降。印度士兵曾經活活燒死一百二十名日本傷兵，同時活埋二十餘名日本傷兵。一般來說，日本傷兵不是被刺刀刺死就是被槍斃，即使已死也還是會再用刺刀刺過，好確認真的死亡。一名旅參謀長說道：「他們是畜生，就用對待畜生的方式對待他們。」[30]

許多類似的情況也發生在德蘇東線戰場。德國陸軍早在一九三九年波蘭戰役時便已展現殘暴的一面，當時德軍為了報復波蘭反抗，遂槍斃了大約一萬六千名波軍戰俘。早在德國入侵蘇聯之前，德軍士兵已經開始閱讀一本小冊子《你瞭解敵人嗎？》，以瞭解蘇聯軍隊打仗的「不可預測、詭計多端與冷酷無情」。德軍對蘇軍的偏見有部分來自於對俄羅斯陸軍在一戰時期的表現。[31]在種族偏見與敵視「猶太布爾什維克主義」的推波助瀾下，德國陸軍將領同意希特勒在一九四一年三月提出的主張，即俄羅斯戰役是一場「滅絕戰爭」——在這場戰爭中，德國人不需要「體恤軍人情誼」。負責進攻的第十八軍團指揮官屈希勒將軍告訴底下軍官，他們要對抗的是「與我們不同種族的軍人」，彷在戰場上「不值得我們留情」。[32]米勒少將（Eugen Müller）形容德軍士兵在俄羅斯進行的戰爭，彷彿回到了《海牙公約》與《日內瓦公約》制定交戰規則之前「更早期的戰爭形式」。[33]就在德國入侵蘇聯前不久的五月與六月，希特勒的最高統帥部接連發布三道訓令，協助德軍定義了何謂「更早期的戰爭形式」。首先是「入俄部隊行為指導方針」，要求徹底無情地除去所有形式的抵抗。第二是「政治委員令」，指示將所有俘虜的蘇聯政委直接交給親衛隊處決，因為政委被視為「亞洲式戰爭的化身。第三道訓令是「軍事管轄權的縮減」，也就是不追究士兵犯下的戰爭罪行。雖然少數德國將領擔心這些訓令會助長目無法紀的「胡亂射擊」（來自賴赫勞元帥的評論），但絕大多數將領似乎都同意這些做法，而且日後也以無情手段遂行這場戰爭。[34]

一九四一年六月爆發的戰爭，證明德國對於蘇聯打仗方式的看法並不完全是偏見。進擊的德軍很快就發現有德國士兵的屍體遭到肢解，有些人舌頭被釘在桌上，有些人被掛在肉鈎上，還有些人被石頭活活砸死。蘇聯暴行的故事，無論真假，很快就在德軍裡傳開，因此在開戰後數星期內投降的成群紅軍，最後幾乎都被槍斃。一九四一年九月，德國陸軍總部把所有位於德軍戰線後方的蘇軍都定義為游擊隊，只要發現就立即處決。[35]與日軍一樣，蘇聯士兵經常在絕望處境下戰至最後一人，或是躲藏起來從後方偷襲德軍，或是假死再突然開火，或即使身受重傷仍繼續奮戰。與日軍一樣，蘇聯當局要求士兵不能淪為戰俘，要有犧牲小我完成大我的精神。一九四一年八月，蘇聯當局甚至發布了第兩百七十號命令，指責投降或被俘者是「祖國的叛徒」，其家人將會遭受連坐懲罰。[36]在絕望的戰役初期，紅軍很少俘虜德國士兵；但到了戰爭後期，推進迅速的紅軍也把敵軍俘虜視為累贅。一九四四年末，一名年輕德國士兵在森林裡迷路，卻得以逃過自己原部隊遭遇的命運——當他再次發現自己的部隊時，發現所有人成排倒臥在原野上，每個人頭破血流，被刺刀開腸剖肚。[37]

蘇聯士兵沒有遵守交戰規則的義務。他們不擇手段進行戰鬥，因為他們信奉的核心道德理念是拯救蘇聯祖國不受法西斯主義者的侵略。德國暴行的故事同樣在蘇聯部隊裡流傳，堅定了蘇聯士兵絕不對敵人留情的信念。[38]他們的任務就是殺死德國人。與美國在太平洋戰爭期間流行的文學作品一樣，紅軍的報刊也經常發表仇恨言論，鼓吹士兵殺敵。詩人愛倫堡（Ilya Ehrenberg）在《紅星》發表的文章寫道：「沒有任何事比德國人的屍體更讓人高興。」蘇聯士兵被鼓勵盡量一天殺死一名德國人。一九四一年在撤退時脫隊的蘇聯士兵組織了游擊隊，持續騷擾德軍補給線，拷問與殺害俘虜的德軍士兵。蘇軍拼命想扭轉戰局，擊敗意料之外的侵略者，在這種情況下，遵守抽象的戰爭法規對蘇聯軍隊來說毫無意義。數百萬蘇軍在一九四一年的大型包圍戰中被俘，消息很快傳回蘇聯後方，說無數戰俘被德軍有系統地殺害。德軍顯然完全按照最高統帥部的三道訓令行事，從戰俘中找出政治委員、共產黨員與猶太人加以殺害。根據估計，德軍戰時殺害的蘇軍戰俘人數多達六十萬人。反過來說，德軍同樣發現己方戰俘被「以毫無人性與難以形容的方式虐殺與折磨」——如德國外交部向莫斯科抗議時所說。[39]德蘇兩國的軍事組織都沒有約束暴力的意思，因為兩國的高層都認同這種做法。戰俘被殺的數字在一九四二年到一九四三年間有所減少，但這僅是因為德蘇兩國都希望利用戰俘的勞動力來支撐各自的戰時經濟。即便如此，當時被俘的德國士兵已有半數死亡，而德國手裡的蘇聯戰俘也已折損了三分之二。

我們能從遠離前線的戰俘與他們的命運，看出前線不遵守交戰規則的現象。最顯著的差異就是存活率。大英帝國與美國在西線戰場俘虜的士兵並未遭受嚴厲懲罰或拷打，也未受到飢餓之苦——不過在戰爭結束的一九四五年有大量敵軍淪為戰俘，意外造成嚴重的住居與飲食問題，也導致臨時設立的營區出現遠高於預期的死亡率。在英軍與美軍俘虜的五十四萬五千名義大利士兵中，只有百分之一的人死亡。[40]德國或義大利俘虜的盟軍士兵也受到符合《日內瓦公約》規定的待遇，三十五萬三千四百七十四名戰俘中有九千三百名死亡，絕大多數是因傷或因病死亡（死亡率百分之二點七）。反觀日本俘虜的盟軍士兵有十三萬兩千一百三十四人，其中三萬五千七百五十六人死亡或被殺（死亡率百分之二十七）。太平洋戰場的美國與澳洲戰俘過得最慘：四萬三千名戰俘中有三分之一死亡。[41]在二戰結束前，日軍士兵被俘虜的人數相對稀少，因為絕大多數都在前線死亡或被殺。

在緬甸有十八萬五千名日軍戰死，只有一千七百人被俘，被俘者當中只有四百名身體健康，而且這些人還試圖切腹自殺。[42]由於德蘇戰爭投入的兵力規模太大，因此儘管殺害的降兵數量眾多，戰時的俘虜數量依然多得令人吃驚。蘇聯士兵有五百二十萬人被俘，估計被俘期間死亡的人數在兩百五十萬到三百萬之間（死亡率百分之四十三到六十三）。德軍有兩百八十八萬人被蘇聯俘虜，其中三十五萬六千人死亡（死亡率百分之十四）。義大利、羅馬尼亞、匈牙利與奧地利（與德國分開計算）的軸心國士兵則有一百一十萬人被俘，其中十六萬兩千人死亡（死亡率百分之十四點七）。一九四五年八月，滿洲有六十萬名日軍被蘇軍俘虜，其中六萬一千八百五十五人死亡（死亡率百分之十點三）。[43]蘇聯俘虜的敵軍中，死亡率特別高的是一九四一年墨索里尼派去對抗布爾什維克主義的義大利軍隊：四萬八千九百四十七人被俘，兩萬七千六百八十三人死亡（死亡率百分之五十六點五）。[44]

德國俘虜的蘇聯士兵與日本俘虜的盟軍士兵有著不尋常的高死亡率，這是因為德日兩國刻意虐待、忽視或殺害這些從死傷慘重的戰場倖存下來的士兵。一九三〇年代正值崇尚為天皇犧牲與鄙視投降的意識形態鼎盛期，因此日本軍方始終用特別負面的眼光看待戰俘。所有日本士兵都被灌輸了被俘虜就是道德失敗的觀念。一九四一年一月，日本陸軍大臣東條英機發給每位士兵一本小冊子，書名叫《戰陣訓》，書中再次提醒眾人，「不要活著蒙受被俘虜的恥辱。」[45]而這也使得日軍把敵軍戰俘視為可恥之人。中國戰俘會被當成「盜匪」殺死，一名日本軍官說道，這些中國戰俘不是人，而是「豬」。[46]在一九四二年二月的新加坡戰役與三個月後的科羅希多島戰役結束時，都有大量盟軍士兵向日本投降，而日軍對於有這麼多士兵投降感到不可思議，既瞧不起這些人，也持續虐待這些戰俘。日本政府已經在一九二九年《日內瓦（戰俘）公約》上簽字，但並未獲得國內批准，直到一九四二年一月，日本政府才表示願意遵守公約，前提是同盟國也必須遵守。值得注意的是，日本的提議排除了公約中禁止使用戰俘勞動力投入戰爭的條款。時任首相的東條英機下令，應將戰俘當成一種資源，讓他們為日本軍隊興建道路、機場與鐵路。事實上，日本從未提供盟軍戰俘任何《日內瓦公約》規定的保障，負責管理與守衛戰俘營的人員從未得到指示要執行《日內瓦公約》的規定。日本的戰俘情報局長官上村幹男中將特別喜歡虐待戰俘，他想藉此向被征服殖民地的民眾展現「日本民族的優越」與高加索人種的衰落。[47]

日本戰俘營隨即開始出現高額死亡率，原因有幾個。第一，絕大多數戰俘營的守衛都是從朝鮮與臺灣徵召，他們奉命將這些戰俘視為牲畜，也獲得任意處置戰俘的權限。朝鮮人與臺灣人自己也遭受日本士兵與軍官的野蠻對待，而且時常缺乏糧食與醫療供給，因此會把挫折感宣洩在這些戰俘身上。當時有許多日本軍人都認為，既然日軍的生活條件已經十分艱困，那麼戰俘理應只配獲得更糟的對待。戰俘營的軍官與士兵皆把完成上級交辦事項當成首要任務，保護戰俘不受虐待則不在他們的工作範圍內。由於得不到適當的食物或醫療照護，幾乎所有戰俘都罹患了熱帶疾病或當地流行的痢疾。戰俘隨意遭到粗暴對待，被棍子與鞭子毆打，被認定在偷懶就會遭到拷打，只是犯一點小錯就會被長時間關進懲罰小屋：一旦被關進去就會有三天沒有水喝，七天沒有東西吃。如果戰俘試圖逃跑，就會遭到槍決。如果負責政治偵防的憲兵隊懷疑戰俘祕密策畫抵抗行動，就會拷問戰俘直到他們吐實為止。憲兵隊用盡各種方法逼供，包括極不人道的「米拷問」。受害者被迫吞下大量生米，再灌入大量的水；隨著米在胃裡吸水膨脹，受害者會持續數日胃部劇痛。為了讓毆打更讓人難以承受，拷問者會用濕沙子摩擦受害者的皮膚，讓被毆打部位變得血肉模糊。[48]被拷問的人要不是被訊問至死，就是坦承策畫了不合常理的陰謀。一旦他們坦承犯案，私設法庭要不是宣布將他們處決，就是判處他們長期徒刑。這些莫須有的罪名就這樣強加在已經因為長期飢餓與疾病而衰弱無力的戰俘身上。戰俘能夠活下來就像中了彩券，或因為遇到日本軍官一念之仁，或因為運氣不錯，被關押的地方疾病較不猖獗或守衛較不粗暴野蠻。

軸心國與蘇聯的戰俘之所以有較高的死亡率，主要因素在於意識形態。由於德國武裝部隊奉命不去理會《海牙公約》與《日內瓦公約》，因此德軍自覺沒有義務妥善對待被俘的蘇軍士兵。一九四一年九月，蘇聯已經有數百萬名士兵被德軍俘虜，帝國保安總部部長海德里希於是發布訓令：由於蘇聯戰俘與罪犯無異，因此沒有資格「享受榮譽軍人應有的待遇」，只能得到罪犯的待遇。[49]面對數量龐大的戰俘，德軍幾乎沒準備好糧食供應。蘇聯軍隊被成群趕進臨時戰俘營，途中可能被迫行走數百英里才能抵達目的地。德軍所謂的「戰俘營」不過是一片荒野，四周圍起鐵絲網與架起機關槍。營區幾乎沒有飲水，糧食不足且品質低劣，除非被俘的蘇軍中有醫療人員，否則不可能獲得醫療照顧。軍服與軍靴都被德國守衛偷走，想逃走的人會被槍斃。營區裡被槍決的對象不僅包括被安全部隊追捕的猶太人與共產黨員，也包括違反營區規則的士兵（即便規則非常模糊粗略），例如曾有兩名戰俘因為不願像其他戰俘一樣活活餓死而吃人肉，結果就因此遭到槍斃。[50]身體還算健康的戰俘必須工作，但寒冷、飢餓乃至於當地流行的斑疹傷寒很快就會讓這些戰俘倒下。能在一九四一年到一九四二年這段期間存活下來的蘇聯戰俘，往往是因為他們同意為德國陸軍擔任志願軍，至於絕大多數戰俘通常在監禁數星期後就喪失了工作能力，最後只能等死。到了一九四二年二月，已經有兩百萬名蘇聯戰俘死亡，德軍也根本沒有要讓他們活下去的意思。[51]

與日本一樣，蘇聯並未批准一九二九年的《日內瓦公約》，而且認定沙皇政權簽訂的所有協定，包括兩個《海牙公約》，都屬無效。一九四一年六月底，蘇聯政府試圖透過國際紅十字會與德國達成協議，希望雙方共同遵守《戰俘公約》，但遭到德國政府拒絕。在這個階段，德蘇雙方實際上都未遵守《戰俘公約》的規定。由於德蘇戰爭來得太過突然，蘇聯武裝部隊並未做好收容戰俘的準備。到了一九四一年底，蘇聯只完成三座戰俘營，只能收容八千四百二十七名從前線生還的德國士兵；到了一九四三年，戰俘營的數量增加到三十一座，已能夠收容二十萬人。依據一九四一年七月一日頒布的「戰俘勞動力利用法令」，所有戰俘都必須工作。戰俘的待遇比照古拉格集中營的蘇聯囚犯辦理，領取相同的配給。與蘇聯囚犯一樣，這些戰俘只要工作夠努力就能分得更多食物，然而帳篷與簡陋營舍的生活條件太過艱困，加上糧食供應愈來愈少，導致許多戰俘日漸虛弱，最終無法工作。某種程度上，蘇聯並非刻意要讓德國戰俘挨餓，而是比照國內囚犯來對待德國戰俘。一九四二年冬天，蘇聯國內糧食供應崩潰，結果就是不僅德國戰俘，連蘇聯古拉格也有成千上萬的犯人餓死。軸心國戰俘的死亡率達到百分之五十二，十一萬九千人死於嚴重營養不良。從一九四一年六月到一九四三年四月，二十九萬六千八百五十六名戰俘當中有十七萬一千七百七十四名死於疾病、寒冷與醫療匱乏。[52]

在蘇聯國防委員會與內務人民委員部的命令下，戰俘營的惡劣狀況自一九四三年春天起逐漸改善，戰俘死亡率到戰爭結束時已經下降到百分之四。蘇聯當局也從這個時期開始嘗試對德國戰俘進行再教育，使他們從法西斯主義轉向共產主義。存活的戰俘有五分之一登記加入了由共產黨發起的「自由德國」運動。[53]義大利戰俘大量死亡同樣不是蘇聯刻意推動的政策，而是忽視、飢餓與寒冷的結果。蘇聯在史達林格勒會戰之後設立的第一批戰俘營，有著高得嚇人的死亡率。戰俘抵達營區時，早已因為缺乏食物與適當禦寒衣物而虛弱不堪。一九四三年一月底，在切雷諾沃（Chrenovoe）戰俘營原本有兩萬六千八百零五名戰俘，但兩個月後只剩兩百九十八人還倖存。切雷諾沃戰俘營長官於是遭到當局逮捕，罪名是忽視內務人民委員部的戰俘待遇指令——戰俘勞動力對蘇聯的戰爭投入至關重要。義大利戰俘並未做好承受這場考驗的準備，而關押他們的集中營偏偏又是最糟糕的一批。一九四三年一月到六月間，三萬一千兩百三十名義大利戰俘死亡，有些死在前往集中營的路上，有些死在最初的關押所，絕大多數則是因為飢餓、體溫過低與斑疹傷寒而死於集中營。許多被德國關押的蘇聯戰俘也是如此。[54]

各國無法遵守協議制定的交戰規則，也無法尊重戰俘的地位，這一切都顯示國際協議的本質極為脆弱，限制戰爭罪的可能性也相當渺茫。《海牙公約》最初的主要關切，就是確保各國達成避免在戰爭中傷害平民的協議，但正如二戰的戰場環境助長軍人之間的犯罪行為，軍隊對平民的傷害也同樣難以遏止。總體戰的需求使平民注定受到戰爭波及，不只是因為平民就此成為敵國戰爭投入的一環，也因為平民時常選擇以暴力反抗占領軍。當數百萬大軍穿越領土時，無論該地區是敵對還是友善，光是軍隊的規模本身就足以讓沿途不幸的民眾受害。一九〇七年《海牙公約》的制定者恐怕想像不到，所有簽署該公約的國家日後都將使平民捲入窮凶極惡的戰禍。

武裝部隊最常出現的違反公約行為是掠奪，但若從二戰的戰場環境來看，真正的罪魁禍首還是國家本身。海牙《陸戰法規與慣例公約》第四十六條與第四十七條明確規定，「私有財產不得沒收」與「應正式禁止搶劫」。[55]但問題在於什麼行為構成掠奪，定義卻不明確。根據國際法，征服國有權使用被征服國的公共資產，包括黃金與貨幣儲備，但征服國也必須充分滿足占領區民眾的經濟與社會需求。也就是說，國家可以獲得大量敵國資產，但士兵卻必須尊重民眾的私有財產，不能橫加掠奪。[56]這一規定極富理想主義色彩，即使是在擬定公約的當時看來都是如此。等到二戰爆發後，這類法律約束證明幾乎不可能行使，或即使執行禁令的軍官與憲兵有執法意願，也沒有執法的手段。就算歐洲盟軍最高司令艾森豪將軍下令美軍不許掠奪，士兵卻還是進行了大規模打劫，甚至對解放區的民眾也不放過。[57]入侵蘇聯的最初幾個星期，德軍將領也曾下令部隊在取得物資時必須付錢給農民，不許進行掠奪。結果幾個星期之後，軍方還是允許了前線士兵進行掠奪，一方面是不可避免，另一方面則是難以控制。[58]掠奪或搶劫的程度與性質會隨著環境與機會而有所不同。從偷竊少量物品、食物與酒，到徵用民眾住房做為兵舍，再到徹底的洗劫與破壞。掠奪在某些情況也涉及對平民婦女的強姦，形同性的戰利品。在東線戰場上，德軍士兵與民兵搶光猶太人的所有財產，為日後的猶太人大屠殺揭開序幕。這裡面同時出現了好幾種暴行，這些暴行構成了本章接下來數節討論的主題。

進行征服的國家把掠奪視為理所當然。德國在一九三九年入侵波蘭的頭幾天，士兵就已開始恣意掠奪波蘭財產。波蘭醫生克魯科夫斯基（Zygmunt Klukowski）在日記裡提到日復一日的掠奪：「大肆破壞與掠奪商店」，「德國人……搜刮美食、美酒、菸草、香菸與銀器」，「今天就連德國軍官也開始搜索猶太人住家，拿走所有現金與珠寶」。他看到德國士兵偷走當地天主教堂的珍寶，也看到德國憲兵只是冷眼旁觀。[59]征服西歐之後，德軍的掠奪較為節制，但還是有火車將一車車的食材、酒類與家具運回去給在德國的家人。征服巴爾幹半島之後，德軍重複了對波蘭的掠奪經驗。在希臘，德軍軍官與士兵搶劫了每一座城市的博物館，連一般民宅也無法倖免。雅典一名旁觀者感到震驚，疑惑為什麼德國人「全變成了賊」。他寫道：「德國人只要看到房子就衝，把東西全部搶個精光……如果是窮人的房子，他們就拿走床單與毛毯……就連門上的金屬球形把手也不放過。」[60]

一九四一年德國入侵蘇聯之後，德軍開始針對蘇聯的城市與鄉村進行全面掠奪。與日軍在中國與東南亞採取的策略一樣，德軍盡可能仰賴蘇聯當地的資源進行補給。在俄國與中國的遼闊領土上，德日軍隊所到之處皆被搶得精光，無論貧富，完全不給當地民眾活路。這些地區的生活水準原本就差，因此取得的戰利品也乏善可陳。儘管如此，德日的軍隊依然如蝗蟲過境，什麼也沒留下。日軍在一九四〇年接獲指示，為了應對中國軍隊的游擊戰，決定採取恐怖手段對付各地民眾，如中國受害者描述的，日軍採取「燒光、殺光、搶光」的「三光政策」。[61]戰事蔓延整個華中與華南省分，鄉村地區遭受摧殘，牲畜被偷，村落燒毀，城市也因為轟炸而成為瓦礫堆。在俄國，德軍一邊推進一邊就地取得補給，德軍士兵直接搶奪俄國人的衣物來度過寒冬。德軍的掠奪是有系統的，目的是為了維持德軍攻勢。一名朝列寧格勒推進的德國士兵發現，軍隊「別無選擇，只能掠奪農田……可憐的民眾賴以維生的物資全被後勤單位搶走。跟在我們後面的其他組織，也用同樣的手法繼續搶掠……。」另一名軍官看到軍隊搶走了貧農的糧草與牲畜，發現這個地方能夠拿走的物資少得可憐，「當我們離開時，這裡什麼都沒剩下。」[62]

盟軍進行大規模掠奪的動機要比德日複雜得多——就在德國最終戰敗與遭到占領之前的幾個月，盟軍開始進行掠奪。一九四四年下半年，當英美部隊橫越法國時，他們開始未經授權進行掠奪。英軍早在一九四〇年就發生過失控掠奪的狀況，當時英國遠征軍因為經常偷竊而遭到法國民眾憎恨，但一九四〇年掠奪的規模遠遠比不上一九四四年。英國政府最終為英國士兵的偷竊行為支付了六萬英鎊賠償金。美國士兵則拿走食物與酒，也拿走禦寒衣物或毛毯以度過一九四四年的寒冬，民眾避難留下的空屋，也成為掠奪者垂涎的對象。然而，隨著盟軍進入德國領土，掠奪不再被軍方視為偷竊，而是勝利者「解放德國人」應得的戰利品。只有直接被憲兵逮個正著的人才有可能受到懲罰。一九四五年四月，一名美國中士在信裡寫道：「我們破壞一切，所到之處不留任何東西——相機、手槍、手錶、珠寶全都帶走，連處女也不放過。」[63]德國人在法國掠奪的大量美酒，此時轉而被解放者奪取。在科布林茲，最後的戰鬥還在進行，一名年輕士兵發現一座放滿香檳的酒窖。他的部隊在澡盆裡倒滿香檳，每個人輪流泡澡，「就像光著身子的電影明星」，他們一邊泡一邊希望德軍不要挑在這時發動反擊。[64]

進入德國領土的蘇聯士兵，只要一看到酒就搶，而這種行為也帶來不良的影響。有人發現士兵死在酒窖，因為酒窖裡的酒桶被子彈射穿，漏出來的酒居然把士兵淹死。蘇聯士兵甚至跑進醫院尋找任何喝起來像酒的東西，並且大肆破壞醫院。然而蘇軍大規模掠奪也有其他動機。在經過多年苦戰之後，蘇聯士兵認為戰利品是他們理所應得的補償。他們搶劫與恣意破壞行經的農家與農場。讓紅軍士兵憤怒的是，蘇聯人的生活與德國人相對繁榮的日子相比簡直是天壤之別。他們無法理解德國人已經如此富足，為什麼還要掠奪貧困的蘇聯人。六年前，當蘇聯占領波蘭東部與波羅的海國家時，蘇聯人也帶著同樣的感受進行掠奪；如今德蘇富裕程度的懸殊差異也讓紅軍上自軍官下至士兵，每個人都參與了這場掠奪的狂歡。[65] 這種竊盜行為獲得官方認可，蘇聯當局允許士兵每個月寄五公斤的包裹回俄國，軍官則是十四點五公斤。軍事郵政系統因為大量寄回蘇聯的包裹而忙得不可開交，這些都是前線官兵寄給蘇聯家人的物品，而後方民眾已有數年未能吃到像樣的食物與使用像樣的消費品。[66]

掠奪只是眾多傷害平民罪行中的冰山一角。從一九三〇年代中期到一九四〇年代晚期，有數百萬平民被殺或餓死，我們至今仍無法確定究竟有多少比例死於發動戰爭侵入他國領土的武裝部隊與安全單位之手。與武裝部隊彼此間犯下的罪行一樣，平民的死亡是各種動機與條件的共同結果。然而，要在今日重建遭殺害的平民死亡人數與瞭解暴行的動機並不容易，因為當時並未留下精確的死亡人數紀錄，而各種破壞的記載也付之闕如。唯一的例外是義大利的暴行模式，整座義大利半島的受害者數量與受暴細節都被詳細記錄下來。從一九四三年到一九四五年，德軍與義大利法西斯民兵

（墨索里尼建立的傀儡政權義大利社會共和國動員的部隊）犯下了五千五百六十六起暴力案件，造成兩萬三千四百七十九人死亡。這些人在當局針對義大利游擊隊進行報復時遇害，而這是一種針對民眾叛亂而進行的集體懲罰，另外也有一些村民因為不服從前線地區禁止移動的命令而遭到殺害。死者當中有三分之一是手無寸鐵遭到圍捕的男女游擊隊員，他們未能受到戰爭法規的保護。在一些惡名昭彰的案例中，婦女與小孩也成為受害者，但義大利的死亡人數有百分之八十七是男性，且絕大多數是役齡男子。[67]在一些特別凶殘的懲罰性屠殺中，死者往往包括婦女與小孩，尤其是在波隆那附近發生的太陽山（Monte Sole）暴行，造成七百七十人死亡，這是西歐地區死亡人數最多的單一暴行。[68]法國發生的最殘暴暴行是德軍武裝親衛隊第二裝甲師（又稱帝國師）在格拉訥河畔奧拉杜爾進行的屠殺與破壞，導致六百四十二名村民死亡，其中兩百四十七人是女性，兩百零五人是小孩。德軍這麼做是為了報復當地的抵抗行動。此前當局對這類暴行相對有所節制，但隨著法國游擊隊於盟軍登陸諾曼第期間升級了抵抗行動，德軍便開始對法國平民痛下殺手。一九四四年六月，法國平民有七千九百人被殺，其中四千人是「帝國師」下的毒手。[69]

在東歐、東南歐或亞洲戰場上被殺害、餓死或拷打的平民人數，足以令西歐戰場的暴行相形見絀。軸心國與蘇聯的戰爭造成的平民死亡人數估計達到一千六百萬人（其中一百五十萬人是蘇聯猶太人）；波蘭的死亡人數達到六百萬人，其中半數是猶太人。中國民眾的死亡數字沒有確切紀錄，但估計在一千萬到一千五百萬人之間。太平洋戰爭中，日本占領區的平民死亡達數十萬人，其中日本占領的菲律賓到了戰爭最後階段高達十五萬人死亡。日本沖繩島的殘酷防衛戰造成約十萬名沖繩人（沖繩人是日本公民）死亡，殺害他們的不僅是美國人，也包括日本人。沖繩人深陷殘酷的前線，遭到空襲與砲擊，交戰雙方都不給他們食物，被迫離開藏身處的他們在機關槍掃射下成排倒下，而如果他們嘗試投降，就會被日本士兵用刺刀刺死或炸死。[70]在游擊戰中，平民如果被懷疑通敵，或者在搜尋食物的游擊隊面前故意不交出食物，往往就會成為游擊隊暴力的受害者。在緬甸北部，中國游擊隊（半游擊隊半土匪）掠奪當地民眾，將村落夷為平地，又殺害拒絕交出糧食的農民。在烏克蘭，俄羅斯游擊隊無情對待他們要解放的民眾，公開絞死可能的通敵者。[71]蘇聯與中國政府對於資敵的社群毫不留情，民眾也因此受害。戰爭期間有數百萬人被流放到蘇聯邊區，其中包括一九三九年到一九四一年蘇聯占領下成千上萬的波蘭人與波羅的海國家平民。一九四一年，窩瓦德意志人（十八世紀就移居俄羅斯）的後裔被指控擔任第五縱隊，婦女與小孩都被送到位於中亞的臨時集中營，男人則遣送強制勞動營，無數人死於飢餓與虐待。一九四四年，輪到克里米亞與高加索地區的非俄羅斯人受害，他們被迫離開家園，被流放到西伯利亞。每位蘇聯民眾都有可能因為一丁點違法或怠忽職守而被控顛覆破壞或主張失敗主義，最後被送進古拉格集中營，從一九四〇年到一九四五年，大約有九十七萬四千人死於古拉格。

儘管如此，歐洲與亞洲會出現大量的平民死亡，仍舊是德國與日本武裝部隊對外征服的結果。全面占領歐亞大陸的困難顯而易見。日軍發現自己占領領土的人口高達一億六千萬，日本陸軍與軍政府顯然不可能控制所有被征服的地區。德國與軸心國部隊占領的蘇聯領土有六千萬人口，為了控制這些民眾而動員的軍警人數也達到數十萬人。日軍與德軍高層的首要目標便是「綏靖」，但這項任務的規模令人望之生畏，再加上抵抗行動散布的區域極為廣大且難以預測。俄國與中國有著彷彿無窮的領土空間，潛藏著無止境的危險。入侵者對於當地民眾既恐懼又輕視。他們認為這些地區適合殖民，對待當地民眾的苛刻方式也反映出長期以來的暴力殖民擴張歷史。反抗殖民者的民眾無法得到國際法的保護。德國對待東方民眾的方式，與對待西歐人與北歐人有著根本上的不同。[72]義大利在戰前面對衣索比亞民眾的抵抗與戰時利比亞民眾的暴亂，其採取的殘暴行徑同樣帶有典型的殖民性格。義大利在這兩地都動用了軍隊與無情的義大利非洲警察，大力鎮壓阿拉伯人與柏柏人叛軍。義大利當局使用了各種殖民地常見的無情做法：集體處決、公開執行絞刑與鞭刑。當地殖民者對叛軍公報私仇，有些叛亂分子被手榴彈炸死、被活活燒死或被用來練靶。[73]義大利殖民地警察與德國安全部隊合作，為德國在東方殖民地的治安工作提供建議與訓練。類似的維持治安手法也拓展到義大利統治的希臘與南斯拉夫，義大利在當地焚燒村落與處決民眾，完全複製了非洲經驗。[74]

會在俄羅斯與中國實施綏靖策略，主要是為了建立一個安全的大後方，讓規模龐大的陸軍能夠在遙遠的前線作戰。在俄羅斯與中國，入侵者很快就發現自己面臨的不只是敵方的正規軍，還有非正規的抵抗行動，包括脫隊士兵、民兵或努力破壞殖民計畫的一般民眾。在中國，正規軍脫下軍服，或混入民眾之中，或加入游擊隊及盜匪集團，在日軍後方進行騷擾。在蘇聯，要維持各個社區的治安極為困難，因為抵抗分子就像一般工人一樣可以隨意進出，例如刺殺白魯塞尼亞區總督庫貝（Wilhelm Kube）的年輕女僕，她在沒人注意之下輕易混入明斯克總部。在中國與俄羅斯，日軍與德軍都把非正規的叛軍視為軍隊安全與福祉的重大威脅，認為必須堅決與嚴酷地加以處理。日本陸軍獲准在對抗叛軍時進行「嚴重處分」，或者在戰場上進行「現地處分」。地方指揮官經常要面臨埋伏、暗殺與狙擊，他們大權在握，容許部隊任意殘殺平民、燒毀村落與處決人質。德軍在開戰之初，就已經允許使用一切手段壓制所有叛亂行為。一九四一年七月，希特勒在東普魯士總部要求所有將領必須盡速平定被征服的地區，「只要是看起來有問題的都抓起來槍斃。」七月二十五日，陸軍總部下達訓令，「必須無情鎮壓」游擊隊反抗德軍的一切攻擊與暴力行為，如果找不到元凶，就採取「集體暴力措施」。這些指示使得德蘇在開戰之初就針對所有可疑的威脅施以極端暴力。平民游擊隊被公開絞死以儆效尤，村落被夷為平地。德國入侵蘇聯才幾個星期，德軍就已經處決了數千名人質。同月，帝國保安總部部長海德里希下令允許就地處決所有「激進分子」（顛覆破壞者、宣傳者、狙擊手、暗殺者、煽動者等），毫無節制的暴力就此展開。[75]

當德軍與日軍在俄羅斯與中國戰場陷入僵局時，入侵者對待平民與游擊隊的方式也轉趨激烈。到了一九四一年五月，估計中國戰場已有四十六萬七千名游擊隊，有些游擊隊與土匪無異，專門在日軍後方的三不管地帶進行騷擾。他們有些是共產黨員，有些是來自西南的國民政府敵後人員，這些人對日軍補給線構成嚴重的威脅。[76]愈來愈感到不安與恐懼的日本士兵，開始把矛頭轉向不幸的平民，因為游擊隊經常混在民眾之中。日軍對中國民眾採取的懲罰十分嚴酷。雖然日後許多證詞顯然渲染了日本占領軍的暴虐，但實在有太多的描述提到平民遭到活埋、活活燒死、斬首、溺斃、嬰兒被丟入滾水中，或婦女被固定在地上的木樁刺穿陰道……，因此也無法認為所有說法都是謠傳或虛構。日本士兵不僅將自己的挫折感、接受苛刻訓練與長期焦慮都宣洩在進攻途中遭遇的平民身上，更有計畫地對平民施加充滿虐待性質的詭異暴行。有時候是軍隊推進時突發性的暴力行為，例如勝利狂喜與報復心態的可怕混合造成了南京大屠殺。有時候只是一種因為可怕景象而引發的變態快感，例如壓制新幾內亞美國傳教站裡面的年輕女孩，在她的尖叫聲中將其斬首，或是強迫荷蘭小孩爬上棕櫚樹，直到他們體力不支一路滑到底下的刺刀尖上。有時候，這些暴行又像是某種古怪計畫的產物，最怪的莫過於南太平洋新愛爾蘭島上三十名被監禁平民的死亡事件。受害者中包括了七名德國教士，也就是說，這七個人是日本盟邦的國民。日本軍官並未直接將他們槍斃，而是想出一套匪夷所思的謀殺過程。被監禁者被要求收拾行囊，準備到碼頭搭船到另一個目的地。日軍每次只引領一個人前去，不讓其他人知道發生了什麼事。日軍讓這個人坐在碼頭邊上，為此人戴上頭套，再讓旁人用絞索套住他的脖子迅速拉緊。結束沉默的絞刑之後，就將屍體用鐵絲纏繞在大塊混凝土上，將屍體連同混凝土運出海，最後丟進海裡。[77]

德國的平叛行動也隨著游擊隊抵抗的威脅日增而愈演愈烈。與日本一樣，德國也採取嚴厲的集體懲罰來警告民眾不要違背德軍指示或不要援助游擊隊。德軍兵分兩路，一方面由正規軍與警察負責維持前線後方的秩序並與游擊隊作戰，另一方面則由保安警察與保安處負責圍捕嫌犯，進行訊問與拷問，最終幾乎都會處決犯人。[78]德國當局認為自己正在進行一場「反恐戰爭」的早期版本，主張自己在法律上有權使用恐怖手段來嚇阻恐怖主義繼續發生。從一九四一年開始，德國占領區各地的叛亂分子都被德軍稱為「盜匪」或「幫派」，德軍這麼做是為了避免這些叛亂分子被捕之後取得作戰人員的地位，同時也強調這些人的罪犯身分。從希特勒的最高統帥部到地方各級指揮部，訓令中無處不充斥著反恐怖主義式的語言與修辭。一九四二年八月，希特勒譴責恐怖攻擊已經發展到「令人無法容忍的規模」，於是下令實施「滅絕」政策。這項命令留下了任人解釋的模糊空間，足以讓部隊能夠毫無限制地進行屠殺。一九四二年十二月，希特勒終於批准使用「最殘酷的手段……對象包括婦女與小孩」，不過德軍部隊與安全人員早就已經在掃蕩游擊隊的行動中無情屠殺過婦孺。一九四四年七月三十日，希特勒的最高統帥部發布了「與恐怖分子和顛覆破壞者進行鬥爭」的訓令，清楚表明必要時可以完全不需要顧慮平民。[79] 地方層級的指揮官各自詮釋中央的訓令。一九四三年，德軍在克羅埃西亞發動的平叛行動中，一名德軍將領發布指示：「『凡是』能確保部隊安全的措施……都具有正當性……沒有人需要為過當的行為負責。」從烏克蘭司令部調到法國司令部的基辛格將軍（Karl Kitzinger）就認為，「更嚴酷的做法」通常就是「正確的做法」。[80] 研究顯示，不是每支部隊都會如此嚴厲鎮壓，但軍官們依舊承受巨大壓力，要求他們不要怯於殺害平民。駐法空軍副司令史培萊空軍元帥（Hugo Sperrle）就曾警告各級將領，如果行動「軟弱或不堅定」就將受到懲罰，但「採取的措施太過嚴厲」反而會受到寬容。士兵被告知要放心不安的良心，因為那將會「犯下反對德意志民族與反對前線將士的罪名」。[81]

反恐政策激進化的結果，就是導致反恐對象納入整個社區，男女老幼全部涵蓋在內。然而，這種現象並非憑空產生。叛亂分子確實使用恐怖主義戰術來對付占領軍，他們的做法可說是一九四五年後在全球發展的不對稱戰爭先河。占領軍感受的深刻恐懼與不安，特別是在前線後方的地區，源自於敵人行為的不可預測，而這些敵人要不是隱藏在偏遠山區與森林，就是隱身在都市群眾。叛軍知道自己一旦被捕，將得不到任何法律上的保護，因此他們對敵人也毫不寬貸。在蘇聯，被游擊隊俘虜的德國士兵通常會遭到處決。一名年輕蘇聯游擊隊員日後回憶說，當他們抓到兩名德國士兵時，就連「孩子也想拿著棍子上前痛打他們」。相較於其他俄羅斯游擊隊員的描述，這樣的報復算是相當輕微。其他人則提到會活剝犯人的皮、挖出眼睛、割下耳朵與舌頭、斬首或溺斃等等。[82]義大利游擊隊員佩西（Giovanni Pesce）在戰後描述一場雙方傾盡全力拼搏的衝突：「我們以恐怖回應敵人的恐怖，以報復回應敵人的報復，以伏擊回應敵人的圍捕，以奇襲回應敵人的逮捕。」[83]佩西的游擊隊在米蘭激戰了數星期，戰果充分顯示這場戰役的恐怖主義本質：

> 七月十四日（一九四四年），兩名愛國行動團體激進分子（Gappisti）襲擊法西斯間諜貝托洛蒂（Odilla Bertolotti），導致他身受重傷。同一天傍晚，同一個團體又有兩名激進分子破壞突尼西亞大道上一輛德軍大卡車。一名德國軍官試圖阻止而遭殺害。七月二十日到八月八日，八輛大卡車與兩輛德國人員專車被毀。三輛大卡車遭汽油彈攻擊而著火。萊奧帕爾迪路（Via Leopardi）有一輛德軍戰車著火。兩名軍官被殺。[84]

佩西與其他人從事恐怖主義活動的代價，往往是由當地民眾承擔。根據德國軍方接到的指示，「盜匪共犯」的村落將會遭到摧毀，村民也會被正規軍屠殺。軸心國為了壓制數千名騷擾他們的恐怖分子而發動的反恐戰爭，最終導致數百萬平民死亡。

相較之下，盟軍地面部隊並沒有殺害路過民眾的慣例，因為盟軍是以解放者之姿前來，也預期民眾會把他們當成解放者。紅軍的確會對與軸心國占領者合作的蘇聯人進行報復，但通常會以預先安排好的公審與公開處決來呈現。第一支抵達德國東普魯士領土的紅軍部隊，對於首次看到的德國城鎮與村落施加了突發而極端的暴力，這是因為他們一路走來已先看到蘇聯鄉村的殘破景象，心中充滿怒氣。一名士兵在家書裡寫道：「當你經過火光沖天的德國城鎮，內心只會充滿喜悅。我們要報復一切，報復是正義的。以火攻火，以血洗血，以死換死。」[85]但在最初幾天的暴力之後，蘇聯各級指揮官開始嚴令阻止部隊破壞財產與殺害民眾（卻對眾多的強姦受害者視而不見）。如今我們已無從得知究竟有多少平民在最初這波復仇浪潮中死亡。那些曾為希特勒獨裁政權工作的德國民眾，後來也陸續遭到蘇聯圍捕並且被監禁在先前的集中營裡。一九四五年到一九四六年，這些被監禁的民眾有超過四萬三千人死亡，主要原因是營養不良與疾病。

儘管盟軍地面部隊較少蓄意屠殺平民，但英國、美國與加拿大等盟軍空軍卻在歐洲與太平洋戰場以轟炸攻勢殺死了將近九十萬名平民，其中超過十四萬名受害者是解放區民眾。這一事實使我們更難對「避免平民受戰爭波及」這一原則進行法律判斷或倫理判斷。殺害敵國平民到什麼程度才構成戰爭罪，一直頗有爭議。但可以確定的是，空中轟炸會造成可怕的殺戮與破壞，因為轟炸可以讓整座城市陷入火海，成千上萬民眾在高爆炸彈、窒息或嚴重燒傷的影響下死去。一九四三年七月二十七日到二十八日晚間，盟軍對德國漢堡市轟炸了一整晚，導致超過一萬八千名德國民眾化為灰燼。在風暴性大火下，街道散布著碳化的屍體，掩體中的民眾也因為空氣中的氧氣被消耗殆盡而緩緩窒息。一九四五年三月十日的東京大空襲，也造成八萬七千名民眾死亡，同年八月廣島與長崎被投擲原子彈，總共造成二十萬人死亡，創下二戰時任何戰鬥人員在單一軍事行動中殺死平民人數的紀錄。

每個實施遠程戰略轟炸的國家，都知道這麼做會遭到既有法律觀點的譴責，因為戰略轟炸會讓平民與民間設施成為故意或「過失」轟炸的受害者。《海牙交戰規則》把保護平民不受空中攻擊列為首要任務，並且嚴格限制正當的攻擊目標。雖然《海牙交戰規則》並未獲得各國正式批准，但一般認為該規則具有國際法效力。西方各國普遍認為一九三〇年代日本轟炸中國城市，或義大利與德國在西班牙內戰期間的轟炸行為是一種恐怖攻擊，不僅藐視《海牙交戰規則》，也違反各國默認的國際戰爭法規。英國對於合法性的立場相當明確。一九三九年秋天歐戰爆發，英國空軍部與參謀首長會議旋即宣布，轟炸位於都市平民區的軍事目標，或在無法辨識目標的夜間進行轟炸，或故意轟炸平民與民間設施，全都違反了通行的戰爭法規。[86]一九四〇年，隨著德軍逐漸被妖魔化成為野蠻人，加諸於英國空軍機組人員的法律限制也逐漸解除，夜間轟炸更是愈發成為常態。反觀美國在評估何謂可接受的空中轟炸時，幾乎從未考慮這類法律限制。[87]一九四二年到一九四三年，美國第八航空軍司令依克將軍表示：「我不覺得陸軍航空軍高層有什麼道德顧慮。軍人接受訓練，對於這種事本該習以為常……。」[88]無論是否出於故意，轟炸勢必會造成民眾的大量傷亡，而採取遠程戰略轟炸的各國，最後也逐漸接受這樣的軍事行動。各國空軍開始將轟炸大量殺傷民眾與嚴重破壞民間設施的法律責任拋諸腦後，轉而重視現實考量：如何最有效地轟炸敵人的後方。

時人普遍認為，軸心國以平亂之名面對面屠殺民眾，與空中轟炸造成民眾死亡，兩者之間在法律立場上有著明顯差異。首先，被轟炸的城市幾乎都有戰鬥機與防空砲保護（不過中國城市缺乏有效的防空設施），機組人員進行轟炸時認為自己是在與正規軍交戰，而非單純或單方面地屠殺平民。此外，實施轟炸的人與地面的人無論在物理距離或心理距離上都十分遙遠，而這種距離感會讓人產生一種幻覺，以為轟炸與個人無關。理論上，民眾可以自由離開可能遭受轟炸的區域，而遭到當局鎮壓報復的受害者卻無法脫身。現實上，被轟炸地區的民眾只有有限的自由，因為不可能做到完全疏散（但光是擁有有限的自由，就足以影響外界對民眾是否為受害者的判斷）。最後，絕大多數轟炸行動針對的都是最廣義的軍事目標，包括戰爭產出有關的工業與運輸目標，比較少刻意以平民做為轟炸對象。執行轟炸行動顯然會造成民眾死傷，而且數量可能相當龐大，這也當然違反一九二三年的《海牙交戰規則》，但轟炸行動的目標是破壞工業設施而非殺傷民眾——這依舊是個細微的法律區別。然而，對於遭到轟炸的民眾來說，這樣的區別並無意義。

話雖如此，我們還是能看到刻意針對民眾的轟炸行動，那就是英國對德國的轟炸攻勢，以及一九四五年美國轟炸日本城市。在戰爭初期，英國一度認定即使是轟炸時的「過失」導致平民傷亡也屬違法。但英國皇家空軍後來仍舊在政府允許下，把軍事目標的定義擴大到包括整座城市與城市的人口——軍方的理由是這些都是敵人投入戰爭的資源。一九四一年七月與一九四二年二月，英國政府開始下令要求轟炸機轟炸德國的工人階級與民間設施，以打擊工人階級的士氣。英國官方使用了一套說詞來美化這項戰略轉變，也就是將殺害工人與「除去工人住家」定義為一種「經濟戰」，因此不算刻意轟炸平民。然而，空軍部的祕密訓令（更不用說邱吉爾鍥而不捨地要求轟炸「匈族人的巢穴」）卻表明殺害平民與燒毀住宅區才是轟炸行動的真正目標。一九四二年十二月，空軍參謀總長波特爾空軍中將（Charles Portal）向其他參謀長解釋，他打算在未來一年殺死九十萬名德國人，讓另外一百萬名德國人變成殘廢。[89] 一九四三年秋天，轟炸機司令部的一名科學家遺憾地表示，最近的空襲未能將德國城市「一口氣燒成灰燼」。[90] 英國轟炸戰略自一九四二年二月後的激進化，完美體現在轟炸機司令部司令哈里斯身上。他毫無顧忌地表示，空軍轟炸的目標就是大範圍地毀滅整座城市與殺死所有市民。當戰爭接近尾聲時，曾有人問他為什麼還要繼續轟炸幾乎已經摧毀殆盡的城市，哈里斯潦草地在信件邊緣寫道，他這麼做只是「要殺光德國佬」。[91] 相較於炸死德國人，炸死法國、荷蘭、比利時與義大利平民具有比較大的倫理爭議。英國與美國最高司令部都以「軍事必要性」來解釋，表示這些民眾並不是轟炸的目標，因此他們是為了解放同胞而犧牲。反觀炸死德國平民則是當局故意的行為，而且為了殺死更多人，還投入大量的科學與技術研發。這項策略明顯違反了英國政軍高層自己在一九三九年提出的節制主張，也違反了一九一四年以前《海牙公約》規定不能以平民做為攻擊目標的精神。

上述的法律與道德約束原本可能阻止美國使用大規模燃燒彈來轟炸日本城市。當時美國陸軍航空軍計畫用燃燒彈殺死與致殘日本工人，同時將這些工人工作的地點（無論是住宅區還是工業區）予以摧毀。[92] 美國駐歐洲戰略航空軍總司令史巴茲對於要用燃燒彈空襲日本感到震驚，他於一九四五年八月在日記裡寫道：「我從來不贊成以殺光居民的方式來毀滅城市。」[93] 美國戰爭部長史汀生後來曾對轟炸一事向杜魯門總統抱怨，表示他不希望「美國背上比希特勒還糟糕的惡名」。[94]但從開戰那一刻起，也就是馬歇爾將軍下令對日本採取無限制空戰與海戰時，所有的法律或道德顧慮全被拋諸腦後。當時認定日本城市特別容易遭到空襲損壞，因為到處都是櫛比鱗次的房屋，更要命的是房屋大多是木造。一九四四年二月，美國陸軍航空軍司令阿諾德建議羅斯福總統點起「難以控制的大火」，燒毀日本城市與散布在城市間的軍事工業區。就像德國工人一樣，日本工人也被當做敵方戰爭投入的一部分，是具有正當性的攻擊目標。一九四五年七月，在日本政府宣布動員所有人民投入戰爭之後，一名陸軍航空軍情報軍官寫道：「日本已沒有所謂平民。」[95]當美國陸軍航空軍在日本上空用燃燒彈轟炸日本平民時並不覺得自己正在犯罪，反而認定自己是在讓戰爭盡快結束，讓這個已經被妖魔化為野蠻偏執與惡貫滿盈的敵人盡快投降。太平洋戰場第二十一轟炸機司令部司令李梅將軍寫道：「我知道當我們轟炸那座城市〔東京〕時，會殺死許多婦女與孩子。但該做的事還是必須做。」[96]現實上，這類空襲不僅違反了傳統戰爭法規，也違反了一九三九年九月羅斯福總統呼籲交戰國避免轟炸敵方城市的精神。這類攻擊行動也與美軍在歐洲戰場的策略完全相反——美軍反對英國轟炸德國城市的平民，認為這麼做缺乏軍事效率。但對於日本，美國卻以迫切的軍事必要為由，無視傳統上殺戮平民引發的道德顧慮。或許不令人意外地，當戰後英美審判戰犯時，都不願以轟炸城市做為起訴理由。一九四五年夏天，當有人想在倫敦發起對轟炸的相關起訴時，英國外交部堅持撤回起訴。因為不這麼做的話，西方盟國也將成為主要戰犯。[97]

## 種族犯罪

針對平民社群犯下的暴行有很多，其中一種便是以「種族」為出發點的極端暴力。各國在一戰前擬定的國際法條條約，完全未能預見種族差異將會導致特定種類的戰爭罪。一九一九年，戰勝的協約國一度考慮起訴土耳其屠殺亞美尼亞人的暴行——當初這項研議如果通過，種族暴行很可能就會提早寫進國際法。然而，當時並沒有「種族滅絕」的概念，這個詞彙是二戰結束後才創造出來的，而且當時也不認為種族滅絕必須透過國際法程序來處理。由於沒有一套共同認可的法律，也未成立能夠進行審理的國際法院，最後土耳其的案子便因為過於複雜而無法審理。要宣判種族暴力有罪是困難的，因為在這個由帝國支配的世界裡，種族差異就是最顯著的特點，種族暴力乃至於種族屠殺也相當常見。一九一九年，當日本代表團在凡爾賽要求將種族條款寫入國際聯盟成立條約，以保障亞洲民族不會遭受種族歧視時，其他協約國居然拒絕日本的要求。種族分化早已深植在由歐洲白人支配的帝國世界觀裡。現代生物學也被動員來為優等種族與劣等種族的區別背書，即便種族歧視主要仍以既有的文化差異為基礎。出身帝國主義國家的歐洲人，認為世界其他地區都只是半開化甚或未開化種族，即使由歐洲人統治依然無法與歐洲人平起平坐。[98]這一種族化世界觀助長了對其他種族的深刻偏見，不僅在帝國內部如此，在東歐與中歐的族群熔爐也是如此。一九一九年的《凡爾賽條約》逼迫中歐與東歐各族群接受主導民族的統治，至於前沙俄時代的猶太人柵欄區（歐洲猶太人絕大多數居住於此）則被嶄新而陌生的民族疆界給分割裂解。

在一個重視種族差異與種族階序的世界，當一九三〇年代有一方想建立新帝國而另一方想捍衛舊帝國的狀況下，種族必然成為爭議焦點。一旦戰爭引發嚴重動盪，那麼種族仇恨勢必將成為助長暴行與犯罪的關鍵因素。希特勒政權便是利用這種種族化的觀點看待敵人，以種族為藉口來施加極端暴力。然而，採取這套做法的政權並不只有納粹德國。一九三〇年代與一九四〇年代，日本與義大利打造新帝國的過程同樣以種族為基礎，兩國都吸收過去歐洲帝國主義的觀點，把新臣服的屬民視為先天上比殖民者劣等的種族，因此可以像對待被殖民者那樣以暴力與輕蔑來對待。在太平洋戰爭中，雙方的野蠻行徑反映出兩種相互競爭的種族意識形態：日本人敵視白種人，而盟軍則對日本人帶有種族蔑視。在絕大多數狀況下，種族主義不是用來解釋暴力的唯一理由，但種族主義可以給出一個讓一般士兵都能瞭解的藉口，使他們正當化軍事暴力，忽視自己的加害行為明顯是一種犯罪行為。

在亞洲戰場與太平洋戰場，以種族觀點看待敵人之事充斥著各個層級的戰鬥，進而影響了對民眾的嚴苛態度。日軍對占領區中國人的態度，源自於他們深信日本人是特殊的種族，日本人的歷史宿命就是必須支配占領的帝國領域，統治領域內的種族。在日本人眼裡，中國人就跟牲畜一樣，如果反對日本人的帝國就會遭到嚴厲對待。在東南亞的占領區，日本人總會單獨挑出中國人來施加暴行。在新加坡，英國於一九四二年二月投降之後，日本陸軍與祕密警察故意進行了「華僑肅清作戰」，以殘暴手段屠殺一萬名中國居民。在與歐洲國家及美國對抗的時候，日本一改原先對「白人聯合陣線」扼殺日本種族未來的擔憂態度，轉變成對白種人的輕視，進而無視戰場的交戰規則。日本媒體把美國描繪成一個野蠻國家，其野蠻充分體現在報紙刊登的一張照片上：只見羅斯福總統手裡拿著用日本人前臂骨雕刻的拆信刀。[99]日本對白人的種族敵視是數十年的憎恨累積而成，日本人不僅痛恨西方強權干涉東亞事務，也厭惡西方不斷藉由種族化世界觀來貶損日本人。只要日本征服東南亞，就可以反轉「白禍」威脅。[100]香港陷落後，日本人要求渾身髒汙的白人殖民者排成縱隊在街上行走，藉此向世界展示，白人自以為優越的主張根本毫無根據。

美國與澳洲對日本人的看法也源自於數十年來的偏見，但美國與澳洲參與太平洋戰爭的種族基礎，其實是由日本人發動入侵戰爭與日本人作戰時展現的殘忍暴行所點燃的。美澳的態度有部分源自於滅絕美洲或澳洲原住民的暴力遺產。美國歷史學家內文斯（Allan Nevins）就認為，或許「沒有任何敵人像日本人一樣招人討厭……與印第安戰爭的野蠻情緒曾經長久被遺忘，如今又再次遭到覺醒……。」[101]美國民眾與軍隊都希望滅絕日本人。對太平洋戰場美軍退伍軍人進行的民調顯示，百分之四十二希望徹底消滅日本人。同盟國媒體同樣營造出對日本人的極端種族偏見，這種偏見也被軍隊吸收，促成太平洋戰場上的無節制暴力。一名美國中尉寫道，日本士兵「活得像老鼠，說話的聲音像豬，動作像猴子」。美國陸軍一本談「日本鬼子」的訓練手冊提到，日本士兵身上帶有一股「動物的野味」。[102]美軍士兵於是把日本人看成獵物，可以用來打獵消遣。「開放狩獵日本鬼子」成了流行的汽車貼紙，此外還有無數的打獵比喻，強化美國既有的邊疆遺產與太平洋新邊疆之間的連結。[103]澳洲軍隊也對「醜陋的黃種人」或「骯髒的黃色雜種」帶有類似的種族化敵意，一名士兵說道：日本人的行為就像「帶有某種人類特質的聰明動物」。一九四三年，布萊米將軍（Thomas

Blamey）在對澳洲部隊演說時提到，日本人是個「奇怪的種族，是人類與猿猴的混種」。[104]既然都能用充滿貶意的種族詞彙來形容敵人，那麼對這個敵人使用極端暴力似乎也不意外。這也是過去數十年來亞洲人與西方人接觸經驗的重演。

歐洲戰場的種族暴力經驗與太平洋戰場不同。西歐戰場確實有著強烈的敵意，但大部分是對敵人帶有粗糙刻板印象的結果，與種族本身並無直接關係。美國民調顯示，只有十分之一的受訪者認為德國人應該予以滅絕或絕育。儘管如此，種族暴力在西歐戰場依舊存在，那就是德國人在一九四〇年法國戰役中對法國人僱用黑人軍隊的反應。德國人基於種族因素，會對黑人部隊施加暴行，不過這些暴行仍停留在各部隊自發進行的程度，尚未上升到系統性採取行動的層次。德軍對法國僱用黑人殖民地士兵的敵視，最早可以追溯到一戰與一九二三年法國占領魯爾工業區時期，當時黑人士兵被用來執行法國對德國的賠償請求。當德軍在一九四〇年遭遇來自西非的塞內加爾步槍兵時，他們幾乎不留活口，並在該年五至六月的一連串暴行中殺害了一千五百名黑人。黑人士兵頑強抵抗，有時俯臥低下身子，從側面與後方攻擊德軍。德國軍官認為黑人是野蠻人，因為黑人據說會使用傳統大砍刀來肢解德軍戰俘。雖然不是每支德軍部隊都會殺害黑人士兵，但與白人士兵相比，淪為戰俘的黑人士兵生活條件較差，較容易成為種族歧視的目標。陣亡的塞內加爾步槍兵無法獲得埋葬，即使被埋葬，墓地也不會被標記出來。[105]

至於德國在東方的戰爭，從波蘭戰役到入侵蘇聯的巴巴羅薩戰役，則是打從一開始就帶有強烈的種族色彩。這裡出現的暴行，並不只是戰場環境影響的結果，更是德國政軍高層刻意制定的政策得到施行的結果。德國第三帝國特別重視種族清洗與野蠻殖民，關於這點我們已在第二章做過介紹。儘管如此，發生在一九四一年到一九四二年，由軍人、警察與安全部隊對蘇聯猶太人所犯下的屠殺，卻屬於一種獨特的種族暴行，反映出納粹政權把種族問題視為首要之務。德軍在鎮壓叛亂與綏靖時對非猶太人的殺戮雖然也帶有種族考量，但整體而言仍屬於無差別式的野蠻治安行動的一環，種族並非主要原因。歐洲的羅姆人與辛提人（Sinti）估計有二十一萬兩千人遭到殺害，這反映了對游牧民族的偏見，認為他們容易成為間諜、罪犯或破壞者，而這些人遭到迫害顯然也是種族偏見所造成。在東歐的羅姆人與辛提人會被當成游擊隊或游擊隊的共犯，這表示他們會「被當成猶太人」，整個家庭會遭到殺害，通常與猶太受害者一起遭到屠殺。[106]對於進行屠殺的人來說，即使是殺害蘇聯猶太人（屠殺範圍很快擴大到所有男女老幼），也不完全是基於種族考量。有人認為蘇聯猶太人等同於布爾什維克病毒的攜帶者，這種說法是為了替猶太人種族滅絕計畫披上一層虛假的政治外衣。還有人虛構猶太人是騷擾德軍的主要叛亂分子，這也是一開始用來大規模屠殺猶太人的藉口。一九四一年九月，親衛隊將領熱勒維斯基宣稱，「有游擊隊的地方就有猶太人，有猶太人的地方就有游擊隊。」[107]這種粗略的三段論掩蓋了一九四一年夏秋發生的事實：猶太人無分年齡或性別，只因為他們是猶太人就遭到屠殺。

德國在入侵蘇聯的最初幾天，就以猶太人阻礙德軍前進這個微不足道的藉口展開對猶太人的暴行。實際理由依然不清楚，但德軍總是會誇大民眾的潛在威脅。希特勒的最高統帥部下達的「犯罪命令」明確提到消除蘇聯共產黨或蘇聯公務員內部的猶太男性，但命令沒有提到要動用軍隊與安全部隊無差別地屠殺猶太人。不久，所有猶太役齡男子也被加入受害者清單中。就在希特勒與希姆萊批准殺害選定的猶太目標後，德國高層一度關切德國民眾與東線戰場的德軍士兵是否會對大屠殺的證據產生反感。不用多久，德國高層就發現這份擔心完全是多餘的。從一九四一年七月以後，安全部隊、警察與軍隊，連同派駐東線戰場的四支特別行動隊，開始合作辨識與清除猶太人，而這也成為德國在整個占領區實施種族清洗計畫的一部分。[108]

到了這個階段，猶太人大屠殺其實已經展開。六月二十三日，保安處在立陶宛城鎮加爾格日代（Gargždai）逮捕兩百零一名猶太人（包括一名婦女與一名小孩），罪名是反抗德軍，這些人在隔天即遭當地警察處決。六月二十七日，在比亞維斯托克，這裡在一九三九年蘇聯入侵前原是波蘭東部領土，陸軍第兩百二十一警備師命令秩序警察殺害兩千名猶太人，多達五百名男人、女人與小孩活活燒死在猶太會堂裡。在此之前，德軍高層從未下達殺害婦孺的指示，但到了七月底，或許是在希姆萊的堅持下，殺害婦孺成了標準程序。同月，特別行動隊C隊指揮官耶克爾恩（Friedrich Jeckeln）下令親衛隊第一旅在日托米爾附近實施清洗行動，總共殺害一千六百五十八名猶太男女。七月三十日，特別行動隊第九分遣隊在維伊列卡（Vileyka）槍斃了三百五十名猶太男女，此前該隊隊長曾被訓斥未能依照新指示行事。八月之後，婦孺也被納入屠殺的固定清單。[109]

屠殺猶太人的規模急遽擴大，其實也和所謂「自我清洗」的背景有關。波羅的海國家、波蘭與羅馬尼亞的非德國人皆利用蘇聯勢力突然崩潰的機會，對當地猶太人進行野蠻報復。他們指控猶太人諸多罪名，其中一項是與蘇聯占領者串通。這些暴行有些是自發性的，有些則來自德國的壓力。

一九三九年到一九四一年，蘇聯對波蘭東北部的統治十分嚴酷，因此在蘇聯撤退與德國建立新秩序的這段空窗期，當地民眾至少在二十座城鎮屠殺猶太人。當德軍往東推進時，波蘭人組織了維安團體來報復猶太人。六月二十三日，在科爾諾（Kolno），德國士兵看到當地波蘭人殺光了猶太人家庭。在格拉耶沃（Grajewo），根據戰後證詞，有數百名猶太人被關在猶太會堂裡遭受可怕的拷打：手被鐵絲綁起來，有些人的舌頭與指甲被拔掉，所有人每天早上都要被鞭打一百下。在拉齊洛夫（Radziłów），波蘭人殺害與強姦猶太鄰人，逼迫倖存者進入穀倉後再縱火燒掉穀倉；當更多藏匿的猶太人被發現時，這些猶太人被迫爬上梯子，然後跳進火中。曾有波蘭地方官員詢問德國人，在發動反猶騷亂之前是否可以殺害猶太人，結果德國軍官回答：猶太人「沒有任何權利」，波蘭人可以任意處置猶太人。[110]柏林當局密切注意事態發展，但無意阻止暴力事件發生。一九四一年六月，海德里希通知特別行動隊，「不應該阻礙『自我淨化』……反而應該從旁加以煽動。當然這種事必須暗中進行，加以協助，使其走上正確的發展道路。」[111]

一九四一年七月二日，羅馬尼亞加入入侵蘇聯的行列。羅馬尼亞陸軍與警察單位也隨後對猶太人展開野蠻暴力。當紅軍迅速撤離他們在一九四〇年六月占領的羅馬尼亞比薩拉比亞省與北布科維納省時，當地社群就開始對猶太鄰人展開一連串的反猶騷亂，因為當地猶太人被指控曾經協助蘇聯「猶太布爾什維克」入侵者。當羅馬尼亞軍隊在幾天後抵達時，大屠殺早已如火如荼地展開，估計死亡人數約在四萬三千五百人到六萬人之間。羅馬尼亞軍隊與憲兵的抵達升級了暴力。七月四日，在北布科維納省的斯托羅日內茨（Storojinet），士兵槍斃了兩百名男人、女人與孩子，受害者的住家則遭到鄰居劫掠，北布科維納的烏克蘭農民採取了更加凶殘的報復行動，用農具殺死他們的猶太鄰人：一名負責處理符合猶太教潔食規定的屠夫，居然活活被自己的工具鋸成數段。[112]德國特別行動隊D隊從旁協助羅馬尼亞人，但暴力已超過親衛隊挑釁煽動的程度。就連德國的觀察者也對於羅馬尼亞軍隊與當地共犯表現出來的殘暴與無紀律感到吃驚。直到羅馬尼亞與德國的軍隊攻下敖得薩為止，這場暴力一直沒有降溫的跡象。

波蘭與羅馬尼亞的暴力，是戰前反猶太主義文化與對於猶太人涉嫌協助蘇聯占領而產生的憎恨，兩者相輔相成的結果。德國當局迅速採取行動，結束這一場無休止的暴力與對猶太人財產的大規模掠奪。儘管如此，龐大東歐地區在一九四一年六月到九月所顯露的反猶情緒，替德國當局掃除了殘存的疑慮，決定升級日後對猶太人的暴力。事實上，確實有德國安全部隊在看到猶太人社群的無限制屠殺後，開始採取更具種族滅絕色彩的暴力行徑。除此之外，一旦德國沒有足夠人力擴大殺戮規模，那麼從波羅的海國家的警察與民兵，或是從曾被蘇聯占領的比薩拉比亞與烏克蘭找到熱情的反猶太志願者，大概也不是什麼難事。為了辨識、圍捕與看守猶太人，並且在之後將他們押送到處決地，納粹德國還需要建立一支輔助部隊。到了一九四一年末，已經有三萬三千名輔助警察（Schutzmänner），一九四二年夏天達到十六萬五千人，一九四三年來到巔峰的三十萬人。白俄羅斯人偶爾也會主動屠殺當地的猶太人，例如一九四一年十月掠奪鮑里索夫猶太區與屠殺六千五百名到七千名居民。[113]舉報藏匿的猶太人或揭發試圖隱匿猶太人身分的人十分普遍，因此德國當局設立了正式的舉報單位來鼓勵檢舉。一旦舉報資訊正確，就會給予一百盧布做為報酬，有時還會承諾給予猶太人的住房。[114]

最早對蘇聯猶太人展開大屠殺的，幾乎清一色是德國人。一九四一年七月，希姆萊與秩序警察首長達呂格（Kurt Daluege）大幅擴充實施屠殺的部隊數量。除了最初的三千名特別行動隊，又從後備警察營中抽調了大約六千名秩序警察，此外還有一萬名武裝親衛隊。人員會定期輪替補充，但在往後一年的屠殺中，負責採取行動的人員幾乎都維持在兩萬人左右。有必要的話，保安處與安全警察也會協助，另外軍方也會派出戰地祕密警察與戰地憲兵進行支援。雖然比較不常見，但國防軍有時也會被要求提供武器彈藥與補給物資——對此國防軍不僅願意提供，有時還會派出士兵進行屠殺。雖然國防軍將領對於無差別殺害猶太人興趣缺缺，但第六軍團司令賴赫勞元帥的觀點也獲得不少人贊同，他在一九四一年十月對部屬表示：「必須讓次等的猶太人嚴厲而公正地贖罪。」[115]一九四一年八月初，在逮捕了兩名據說是蘇聯內務人民委員部間諜的猶太人之後，賴赫勞的部隊與特別行動隊C隊下轄的特遣隊4a小隊合作，在日托米爾圍捕四百零二名猶太人，主要都是年老的男性，之後便將這些人處決。受害者會站在預先挖好的坑洞前面，然後由行刑隊將其槍斃。然而，這種在地方墓地進行的屠殺凸顯出一些早已存在的問題：根據觀察，當這些受害者掉入洞中之後，大約還有四分之一的人其實還活著，畢竟要對受害者的頭部精準射擊有其難度。因為受害者的腦漿與鮮血會噴濺到處決者身上。最後行刑者索性不管那些半死不活的人，而是任由下一批屍體壓上去，再鋪上一層土。處決結束後，親衛隊與國防軍軍官還會討論如何更有效地進行殺戮與減少處決者的心理壓力。[116]

往後幾個月，親衛隊、警察與軍隊逐漸發展出一套井然有序且可以適用在任何地方的屠殺程序。一九四一年九月，在地方國防軍指揮官的催促下，各單位在德軍占領的蘇聯城市莫吉廖夫開會，討論如何建立一套處置猶太人與游擊隊的流程。處決步驟最後終於在實際處決三十二名猶太男女之後確定了下來，而這種透過實際操作而建立的步驟也開始廣泛推行。有些人可能對婦孺下不了手，於是同意讓婦女抱著孩子，處決者先處理孩子，再送孩子的父母上路。當特別行動隊接到殺害婦孺的命令時，特遣隊11b小隊隊長親自向隊員示範如何執行槍決：先射殺嬰兒，然後再射殺母親。[117]秩序警察一般先由警官向警員示範如何射擊受害者的後腦勺，再讓警員跟著照做一遍。一九四一年春初，第二波屠殺開始，軍警單位吸收前一年的經驗，採取了讓處決者較無心理壓力的屠殺方式，試圖讓屠殺的效率最大化。屠殺需要精確分工，有當日輪值的「射手」，有人負責押送受害者到坑洞前，有人負責開卡車，有人負責將坑洞裡的屍體堆放整齊以利後續堆疊。一名在塔爾諾波爾（Tarnopol）被殺的猶太人，死後留下一封未投遞的信，信中描述了整個殺戮過程：「他們首先要整理墓坑中被處決的人，讓空間能夠充分使用且看起來整齊劃一。整個過程不需要太長時間。」[118]處決時出錯是不被允許的（雖然不一定會受懲罰），處決者必須維持超然而無動於衷的心態，彷彿是在進行一場困難的外科手術而非令人髮指的暴行。表現過於殘暴的親衛隊隊員（這樣的人非常多）偶爾會有破壞紀律的風險，畢竟做出與親衛隊不相稱的行為將有損組織精神。儘管如此，當慕尼黑親衛隊法庭評斷一九四三年某個親衛隊軍官的行為時，法庭認為無論他的行為如何失格，「猶太人都必須滅絕，因此無論對猶太人做出何等失格之事，這一結局都不會改變。」[119]

戰場上針對蘇聯猶太人的暴行一直持續到一九四二年。同年初，德國開始設立滅絕營，準備對全歐洲的猶太人進行種族滅絕。滅絕營是由親衛隊高層設立，部分原因是想減輕在俄羅斯從事屠殺的親衛隊隊員的心理壓力。前線的殺戮依然沒有終止跡象，這是因為德軍在一九四二年仍持續推進，許多在前一年逃離占領區的猶太難民又再度落入種族滅絕的羅網。一九四二年九月，第四裝甲軍團的通信小隊在通往史達林格勒路上的一處偏遠村落佩列格魯茲內（Peregruznoe），以取得遙遠蘇聯前線情報為藉口，抓捕了所有的猶太居民與難民，包括了男人、女人、小孩與嬰兒。這一逮捕行動並未獲得上級授權或指示，但身為一名忠實的納粹黨員與反猶太主義者，隊長費雪中尉（Fritz Fischer）很可能是想為種族滅絕計畫做出一己貢獻。他選擇下令將猶太人連夜送上卡車，由一小群士兵載到草原地帶，這些士兵可能是自告奮勇，也可能是無法拒絕費雪的命令。第一輛卡車停了下來，猶太人被允許下車。當他們有些人試圖逃跑，有些人還待在原地猶豫時，士兵們開槍將他們全數擊斃。等到運送下一群猶太人時，為了不想在原先處決的屍體堆中執行任務，卡車沿著道路繼續往前多開了兩百公尺，另外找一處乾淨的殺戮地點。最後，士兵們順利完成任務，趕在早餐前回到了營區。[120]

在佩列格魯茲內發生的殺戮事件，只是數千起屠殺中的其中一件，但這起事件引發的問題，卻可以適用在德國人面對面處決猶太人的所有案例上。這些殺戮不同於波蘭、羅馬尼亞或波羅的海國家爆發的反猶騷亂，這三個地區的社群屠殺的是與他們混居的猶太人，種族仇恨激發的極端暴力與掠奪頂多只持續數天。但德國人的殺戮卻是有系統且持續性的。秩序警察執行了絕大多數的殺戮任務，他們不只負責一場屠殺，而是一場接著一場。一九四二年七月十三日，第一〇一後備警察營首次執行任務，屠殺了約瑟夫烏猶太區（Józefów Ghetto）大約一千五百名猶太人，九個月後，該營參與的屠殺累積量已超過八萬名猶太男女與幼童。[121]與反猶騷亂的煽動者不同，德國的加害者不認識受害者（他們仰賴當地民眾告密來找出猶太人），而且也沒有理由憎恨受害者。德國人對猶太人的屠殺是不帶情感的，這點與二十世紀其他種族滅絕暴力完全相反，同時也與本章描述的其他類型犯罪不同。德國的加害者如何能不帶情感地進行無差別殺戮，而且鍥而不捨地追捕每一個猶太人？如果要從歷史學與心理學的角度來解釋這種現象，確實是一項不容易的挑戰。

我們通常認為，納粹政權的反猶意識形態已經深入人心，因此前線的加害者往往是藉助這種意識形態來合理化自己的行為與擺脫內心的疑慮不安。所有參與屠殺的人，顯然都知道自己服務的是一個反猶政權，對於這個政權來說，核心說詞就是把猶太人妖魔化，使其成為德國人的大敵。宣傳機器不斷向前線士兵灌輸，如一九四一年十二月一份刊物所言，我們當年的戰爭核心目標就是建立「一個沒有猶太人的歐洲」。[122]我們確實不大確定一般士兵與警察是如何將猶太人是德國的「世界敵人」（Weltfeind）這一觀念，與他們所屠殺的那群恐懼茫然且貧困蜷縮在一起的猶太人連結起來。過往談到東線戰場上的屠殺部隊時，絕大多數都會強調煽動者的重要性，也就是安全部隊與警察部隊裡的中下層軍警官。這些人接受了額外的政治訓練，包括一些以「猶太世界陰謀的邪惡本質」為核心的正規課程。對於猶太威脅的幻想，充分展現在安全部隊、親衛隊與陸軍的對話與書信中。我們可以從這些文字描述中看出，納粹政權的偏執很容易就能掀起一場大規模屠殺。一九四四年，一名德國步兵在思考戰敗可能性時提到，「猶太人會攻擊我們，滅絕一切與德國有關的事物，還會有一場殘酷而恐怖的屠殺。」[123]有些部隊的軍官與士官，有很高比例是納粹黨員或親衛隊員，這些人彼此之間會產生一種競爭意識，希望更有效率地執行屠殺任務。[124]至於警察或陸軍部隊中負責屠殺的一般士兵，則無法輕易歸納出單一特質。他們代表了德國社會的各個階層，有些人對於政權追求的目標忠實執行，有些人則不是如此。但無論是抱持懷疑、熱情還是冷漠的態度，當這些被徵召上前線的士兵必須扮演屠夫這個出乎意料的角色時，幾乎沒有人拒絕參與。

研究加害行為的社會心理學家表示，在奉命執行侵害他人的任務時，加害者會以各種方式來應對他們奉命執行的任務，而不光是單純地服從命令。[125]進行屠殺的人來自不同的背景，有不同種類的人格，他們會以自己的方式來適應殺戮。一旦制定了標準程序，分工合作可以讓部隊的一些人不用實際從事殺戮工作，例如他們可以自願當卡車司機、守衛或文書人員。拒絕參與是可能的，但拒絕參與的人總有一天還是會接受這項任務，因為若自己不做，其他夥伴就必須承擔他的工作，久而久之自己會感到羞愧。有些人在嘗到流血快感之後，便會表現出積極的熱情，積極到有時必須加以約束。有些人偶爾會發展出對受害者的仇恨，認為是受害者的命運迫使他們在不情願的狀況下淪為殺人者，並且將眼前發生的一切都歸咎於猶太人而非自己。無數士兵與警察拍下受害者被折磨的照片，使得無端殘酷虐待的證據與令人瞠目結舌的影像四處流傳。圍觀者的數量驚動了蓋世太保長官穆勒（Heinrich Müller），他於是在一九四一年八月下令特別行動隊「禁止在大規模處決時有人在旁邊圍觀」。[126]在希姆萊的堅持下，處決者在進行屠殺之前與屠殺期間可以獲得大量的酒類供應。烏克蘭的輔助部隊以酒後的殘酷行徑而惡名昭彰，據說他們會把小孩拋到空中，然後像打鳥一樣射殺他們。在恣意屠殺之後，參與者連續幾晚飲酒狂歡。在基輔附近的娘子谷大規模處決了三萬三千名猶太人與蘇聯戰俘後，處決者享受了一頓宴席以紀念這場非比尋常的任務。親衛隊長官安排了連續幾晚的餘興節目，目的是為了減輕處決帶來的心理衝擊，避免對處決者的「心靈與性格」造成傷害。希姆萊希望處決者能團結起來，在從事艱難工作時依然能像個體面的德國人，避免養成嗜血性格與陷入「憂鬱」。[127]有些處決者確實受不了持續屠殺帶來的壓力而神經崩潰，他們將被送回德國，成為工作艱困而造成神經衰弱的受害者。

有些人認為，加害者在某種意義上也是加害行為的受害者，因此加害者也需要撫慰與修復。我們都聽過不少這類道德翻案的觀點，但正是這種觀點使德國的殺戮成為可能。關心加害者的福祉，而對真正的受害者置之不理或視而不見，這就是加害者與他們的指揮官所居住的扭曲道德宇宙。猶太人社群被擺放在屠殺者的道德宇宙之外，屠殺者只對部隊其他人負有義務，只對自己的任務負有責任。現代神經醫學把這種心理過程稱為「他者化」，而這種過程造成了深遠的影響。猶太受害者淪為這場殘忍抹除儀式的物件。從負責屠殺的部隊留下的敘述與證詞中可以發現，幾乎沒有任何加害者對受害者顯露出一絲同情，因為這麼做等於重新接納了受害者，使受害者與他們身處於同一個道德宇宙。這些加害者把罪惡感擺在一旁，極力表現出焦慮的樣子，好讓自己不會流露出任何軟弱或同情。當你與所屬團體共同犯下相同罪行時，你就不會再把這些行為視為傳統意義上的犯罪。

## 戰爭與性暴力

二戰期間針對女性犯下的罪行，究竟是違反了狹義的戰爭罪或反人類罪，至今看法仍舊莫衷一是。敵軍對待女性受害者的方式顯然是反人類的，而且例子不勝枚舉。一九四一年六月，德國入侵拉脫維亞，符騰堡—巴登擲彈兵團的一隊士兵抓住里加大學兩名女學生。在脫光她們的衣服之後，士兵將兩人綁在椅子上，把椅墊拿掉換成兩片錫板，再把兩個火爐放在椅子下面烤。就在受害者扭曲慘叫的同時，這群德軍居然圍成一圈繞著她們跳起舞來。當德軍於一年後再次奪回克里米亞城鎮時，他們發現當地紅十字會護士的屍體。這些護士遭蘇聯士兵脫光衣服、強姦與折磨，有些人胸部被割下，有些人陰部插著掃帚柄。亞洲戰場上針對女性的暴行更是家常便飯。在華北的北票地區，日軍會當著家人面前強姦女性。一名孕婦被迫脫光並綁在桌上，遭強姦後再被刺刀刺入腹部，取出胎兒。士兵還對這些可怕的景象拍照留念。128

這些悲慘故事透露出毫無限制的虐待傾向。相關記載的共通之處，都是男性殘忍地剝削女性以尋求快樂，這也是這類暴行最獨特之處。雖然此處只是茲舉幾例，但這些例子可以不斷複製，同時在許多不同脈絡下發生。對於戰時婦女遭受性虐待一事，國際法規往往缺乏明文規定，這多少是出於這類犯罪與受害者的性質影響。在一九〇七年《海牙公約》中，對「家庭名譽與權利」的保護是屬於平民不可侵犯的權利，而當時所謂的「名譽」就是指女性在戰時不可遭受侵害。一九二九年《日內瓦公約》明確規定女性戰俘的「待遇應充分顧及其性別」。然而，一直要到一九四九年《日內瓦第四公約》針對性犯罪明確定義之後，「強姦、強迫為娼或任何形式的非禮之侵犯」才終於被規定為非法。[129]而在國際法之外，強姦在絕大多數軍事司法體系都被認為是一種犯罪。正如士兵不許掠奪敵國或盟邦，性掠奪也被視為一種讓軍隊蒙羞與破壞軍紀的犯罪。儘管如此，性犯罪依舊與掠奪一樣普遍，但嚴重程度卻更難衡量。性犯罪或其他可以定義為「性騷擾」形式的女性受害者，她們對於自己遭受的痛苦往往難以啟齒，或無法找到願意認真看待她們遭遇的管道。[130]當時社會並不鼓勵人們公開談論性犯罪，加上男性可以採取矢口否認的策略，更加強了這種羞恥文化。

「性」顯然是重大的戰時問題。數千萬名男性被迫離開家鄉好幾年，待在幾乎全是男性的組織裡，能夠返鄉與家人或伴侶團聚的機會隨著時間過去而愈來愈少。許多人長期承受巨大壓力與過高的敵對情緒，這些都增強了他們的性衝動與性挫折。軍方瞭解這些問題存在，但也深知若不管制性交的機會，或給予士兵適量的預防用品，很可能會有引發性病流行的危險。日本陸軍省認為開設軍中妓院對於士兵的心理衛生與戰鬥精神「特別有益」。陸軍省下達的訓令表示，提供性撫慰可以「提升士氣、維持紀律、防止犯罪與性病」。日軍在戰爭期間發放了超過三千兩百萬個保險套給士兵以防止疾病傳播，然而保險套的發放不定期，導致士兵必須洗淨再反覆使用。[131]希姆萊認為定期上妓院不僅可以提升德國士兵的效率，也能提振強制勞工與集中營囚犯的工作精神。德國在集中營設立了十座妓院營區，分別位於德國、奧地利與波蘭，專供擁有特權的囚犯使用。[132]希姆萊還認為此舉可以控制性病的傳布。為了確保士兵與親衛隊不會輕信虛假的預防偏方，希姆萊禁止其他坊間預防方式，只提供保險套供士兵免費使用。[133]德軍也針對性行為頒布指導方針，要求士兵「需自我約束與尊重女性」。另一方面，武裝部隊與親衛隊也設立負責治療性病的衛生所，這些設施的重點不在於指責士兵缺乏自制，而是要讓他們早日回到前線作戰。[134]

英國陸軍並未設立妓院，不過軍方也不禁止士兵上妓院，唯有開羅的紅燈區「貝爾卡」(Berka)除外，因為這裡性病盛行。英國陸軍醫療單位的態度是希望英國士兵能行為端正，不要上妓院，也不要進行任何性行為。軍官應該重視自己的榮譽，不應該尋芳問柳，如果這麼做就可能會被革職。中東司令部醫療長官科威爾少將（E. M. Cowell）表示，性自制「是對自己、對家人與對同袍的責任」。若要發洩精力可以透過劇烈運動，但對於無法抵抗誘惑的「愚蠢好色之徒」(引自一名資深性病醫生的說法)，軍方也會提供預防措施（肥皂、脫脂棉、抗菌乳霜）。如果士兵感染性病後痊癒，他們還必須配戴紅色領帶做為一種羞辱標記；如果士兵感染性病卻不通報，則會被扣薪或降級。在中東戰場，感染性病的比例隨時間而不同：一九四〇年每千人有三十四人感染性病，到了一九四二年下降到二十五人，但在戰爭結束時的義大利戰場，比例則提高到七十一人。這些比例相對偏低，顯示英國軍方要求士兵自制與選擇以運動來發洩精力的方式並非毫無效果。[135]

對於德軍與日軍來說，妓院構成了兩國戰時軍隊文化的核心特徵。早在一九三六年，德國軍事當局已經認定軍中妓院有「急迫的必要性」。一九三九年九月九日，德國內政部下令興建妓院營區，讓娼妓可以集中服務軍隊。這些娼妓必須定期接受身體檢查，而士兵前來買春的次數也限制在一個月平均五到六次。軍中妓院大部分分布在東線戰場，因為西歐的德軍士兵可以利用既有的紅燈區。被抓去服務軍隊的妓女實際遭到了監禁，拒絕到軍隊賣淫可能會被送進集中營，而一九三〇年代確實有妓女被以「反社會」的罪名送進集中營。為了達到一定的妓女員額，警察會把一些傳聞中生活不檢點與性生活淫亂的婦女與女孩列為強制賣淫的對象。隨著時間過去，這些軍中妓院開始出現大量來自東方占領區的女性，包括辛提人、羅姆人乃至於猶太女性，而後者似乎完全不受一九三五年《紐倫堡法案》禁止與猶太人發生性關係的規定影響。由於當時蘇聯社會賣淫並不常見，因此要找到蘇聯妓女並不容易，但這也表示許多「自願」進入妓院的蘇聯婦女完全是迫於飢餓與貧窮才出此下策。一名跟隨義大利軍隊前往蘇聯的義大利警察描述自己在妓院看到的悲慘景象。他去的那間妓院，妓女幾乎全是當地婦女：「骨瘦如柴，營養不良，笨拙不靈活的身體，身上只披著破布般的衣服，眼神充滿了恐懼，坐在冰冷汙穢的凹室。」有很高比例的年輕女孩被生活所逼，想到軍中妓院賣淫，這些女孩很多都還是處女，但通常會遭到軍方拒絕。德國的妓院組織者開始僱用波蘭女性，而義大利妓院的管理者則是從羅馬尼亞進口女孩。[136] 一九四三年到一九四四年，當德軍從原本占領的蘇聯領土撤退時，他們把焦土政策延伸到被迫賣淫的婦女身上。一九四三年十一月，德軍撤離基輔，臨走前殺死了上百名妓女，並且將她們的屍體丟入娘子谷。[137]

二戰時規模最大且最具壓迫性的軍中妓院是由日軍設立的。從一九三一年到一九三二年在滿洲與華北爆發衝突開始，一直到二戰結束為止，日軍建立了廣大的妓院網：包括常設的軍中妓院，隨著前線移動而臨時設立的性交易所，以及規模較小且通常未經授權的留置所，女性在留置所會遭到監禁與強姦。即便到了戰爭結束之際，日軍仍舊因為戰敗的恥辱而對強制賣淫的娼妓施加極度暴力，造成數千人死亡。這些妓院有些是由中國的通敵者經營，他們利用中國當地的娼妓或綁架婦女與女孩來滿足日本人的需求。這些妓院種類各自不同，但都用一個諷刺的名稱來概括，那就是「慰安所」，在裡面接客的就是所謂的「慰安婦」。「慰安」一詞暗示男性才是戰爭的受害者，遭到強制賣淫或性奴役的女性反而不是。日本的軍中妓院體系規模非常龐大。根據軍方估計，每七十萬名日本士兵大約需要兩萬名女性。平均一名女性每日「應該服務」的男性數量在三十到三十五名之間。[138]有些女性是日本警察從日本大量的娼妓人口中招募的；朝鮮娼妓無論願不願意，都會被徵召到軍中賣淫，另外還有數量不明的朝鮮女性被綁架或欺騙到軍中賣淫。根據估計，軍中娼妓的總數大約在八萬名到二十萬名之間，其中五分之四來自朝鮮。[139]日本娼妓獲得的條件最好，她們簽訂契約，可以收到小費；許多人進入專門服務軍官的慰安所，獲得的待遇也較佳。但她們不能自由離去，而且奇怪的是，跟軍隊一樣，她們如果擅離職守會遭到懲罰。

對於成千上萬被禁錮在非正式慰安所廣大網路裡的婦女及女孩來說，她們賣淫完全是出於被迫。在整個中國占領區，日後擴大到馬來亞、緬甸、荷屬東印度群島與菲律賓，許多女性遭到綁架，或被虛假的工作機會欺騙，或被自己的家人賣掉以滿足日軍與日俱增的性需求。有些被俘的歐洲婦女也被迫賣淫，如果不從就會被處死。這些女性受害者實際上淪為性玩物，日軍後勤單位甚至把她們歸類為「軍事補給物資」。在中國，大概有多達二十萬名婦女在慰安所遭受虐待，她們被當成囚犯，如果想逃跑，就會遭到嚴懲。在一些逃跑的例子中，有一名婦女的家人遭到斬首，除了做為對她的懲罰，也用來警告其他婦女。個別部隊在前線設立的慰安所幾乎不存在任何管理。有些留置所，或者有時被稱為「遊郭」，裡面拘留了一些婦女，這些婦女會遭到士兵的反覆強姦。一些俘存的中國女性提到自己每天都會遭到毒打，加上粗劣的食物，身體很快就吃不消。在日軍占領的海南島，有超過六十間慰安所為人數不多的占領軍服務。原本島上有三百名中國婦女遭受性奴役，等到戰爭結束時已經有兩百名婦女死亡。軍方幾乎不曾禁止士兵虐待婦女，因為就算這些婦女死了，也能再綁架一批來補充。婦女要是懷孕或染病，通常就會被殺害。在華中的一處「慰安所」，婦女因為被多次強姦而懷孕，最後她被脫光綁在木樁上，被先前虐待她的士兵拿來練習刺刀術。[140]無論如何能言善道或在語言上投機取巧，都無法掩蓋強迫婦女提供性服務造成婦女大量死亡的事實。這些女性遭到大量士兵強姦：任何被強迫賣淫的婦女，如果她在受虐一百天後依然能夠存活，那麼就表示她最多可能被強姦了三千次。

日本的「慰安」制度有許多令人感到殘酷的諷刺之處，其中一項就是軍方最初其實是希望「慰安」制度可以減少不受控制的強姦風險與防止疾病蔓延，同時可以向地方民眾確保日軍的綏靖不會造成無限制的性犯罪。結果實際上恰恰相反，日軍設立的「慰安所」，反而造成日軍隨機且普遍地強姦占領區的女性。強姦是戰時最讓女性感到痛苦的暴力形式，但除了強姦外，還有更多無須動用武力的性騷擾方式。女性囚犯經常被要求脫光衣服接受訊問，因此深感焦慮與屈辱。由男性進行貼身搜索也是在侵害女性身體的完整性，對女性的拷問也往往涉及對外陰部用刑或威脅進行強姦。[141]然而，無論一般男性如何看待對方對於性事的意願，強姦的定義始終相當明確：強姦就是在未取得女性同意下對其進行性侵害。儘管如此，二戰時期的司法單位在衡量強姦罪的輕重時卻存在有許多模糊空間，進而影響了許多男性主導的軍事體制對強姦的看法。小說家暨二戰退伍軍人沃頓

（William Wharton）日後回憶說，俄國士兵就像「獵捕鹿群或兔子一樣地」追捕女性，美國大兵則用香菸與食物來引誘走投無路的婦女，而這兩者之間其實並沒有太大的差異。美國大兵的行為「其實幾乎無異於強姦，只是沒有採取嚴重的暴力」。[142]當成千上萬名女性想藉由短期賣淫來度過艱困與飢餓的生活，這類情事不斷考驗著所謂「合意性交」的極限。

在男性主導的體制裡，強姦通常很難獲得通報，更難獲得適當的糾正。在蘇聯的德國軍事司法當局堅持，只有當婦女提出正式控訴且可以指認加害者時，才會對強姦進行調查。這項決定意謂著實際上絕大多數強姦案件都未曾通報也未經調查。[143]羞恥感或家人的反對也限制了受害者出面揭露暴行的意願，使得戰時在各戰場發生的強姦案件總數變得難以統計。據估計，德國婦女在一九四五年被蘇聯士兵強姦的數量大約在二十萬人到兩百萬人之間。目前的一項估計指出，駐歐美軍犯下的強姦案件大約是一萬八千件，然而這項數據是根據一九五〇年代以來的犯罪調查，顯示出只有百分之五的強姦案件會獲得通報，進而根據這一比例往回推算的結果，因此這一數字無法獲得驗證。[144]比較近期的估計是根據德國的非婚生子女數量紀錄，可以推算出在占領期間發生了十九萬起美軍強姦案。不過這些估計完全是統計上的推測。[145]實際上受到調查的美軍強姦案件只有九百零四件，顯然有更多並未登記在案。一九四六年，中國共產黨對其控制的四個省分進行法庭調查，發現日本占領軍犯下的強姦案件計有三十六萬三千件。更不用說成千上萬名遭到姦殺的女性，因而未能在戰後留下證據。[146]

即使強姦本身的定義很明確，但在戰爭時強姦卻以各種不同的形態出現，犯罪者也存在著各式各樣的動機。在有歷史紀錄的眾多強姦案件中，輪姦（或「結夥強姦」）相當普遍，有時只涉及二到三人，有時更多，他們通常會反覆虐待受害者。在新幾內亞戰役中，澳洲士兵發現一具巴布亞女性的屍體，她四肢攤開被綑綁在走廊上，旁邊還丟棄了七十個已經用過的保險套。[147]在中國戰場，日軍士兵普遍會進行輪姦，他們會在受害者的家裡連續數天強姦受害者。蘇聯士兵入侵德國後的前幾個星期，就在大馬路旁圍著德國婦女與女孩，將她們壓在地上強姦，每個人都急切地等著輪到自己。[148]有些強姦是一人犯案，這種人會找機會下手，就像和平時期的強姦犯一樣，但輪姦的目的不只是為了滿足性欲，也為了加強團體的向心力，重新鞏固被戰爭恐懼與危險削弱的男子氣概。如果有士兵不願加入同袍的行列，他可能會受到同儕壓力，使他寧可選擇參與而不願被人質疑男子氣概，或讓人覺得他譴責這類行為。戰後一名蘇聯軍官回憶自己是否要從一群受害者中挑出一名德國女孩時，內心感到十分焦慮，因為不這麼做的話就會被認為是性無能或者是懦夫。[149]輪姦通常會用酒類助興，因為酒精會讓人卸下最後一點心防，而且往往造成可怕的虐待景象。整個過程不僅參與者樂在其中，就連旁觀者也獲得滿足。例如一九四四年華沙起義期間，紅十字會護士遭到變態的迪勒萬格旅強姦與殺害。在輪姦之後，他們將赤裸的護士倒吊在希特勒廣場，射擊她們的腹部，在她們四周還圍了一群德國士兵、俄羅斯掠奪者與希特勒青年團目不轉睛地觀看。[150]

強姦長期在衝突中被當成一種用來展示男性權力的策略，可以用來支配或威脅敵人社群。要查明二戰期間發生的集體及系統性強姦背後的動機，並不是一件容易的事。其中一種動機是所謂「補償性的強姦」，也就是充滿挫折感與情緒緊繃的士兵把「性」看作可以搶奪的戰利品，將其視為男性在戰爭中獲得的補償。[151]另一種動機就是把強姦當成對付敵人的策略，利用強姦來表現對敵方的完全支配。在中國的日軍與在德國的蘇軍普遍會在受害者家人面前遂行強姦，將企圖阻止的男性槍斃或斬首，藉此凸顯敵方男性的無能與加害者的權力。一名受害者寫道，一九四五年在柏林發生的大規模強姦代表著「男性的挫敗」。這樣的支配顯然是一種無差別的欲望，因為無論什麼年齡或什麼狀況的女性都會慘遭毒手。[152]其他大規模強姦的例子，往往與連續數月的艱苦戰鬥後獲得解放及突然感受到勝利在望有關。法軍，特別是來自法國北非殖民地的軍隊，在義大利中部強姦義大利婦女，就是一種對德國防線崩潰產生的反應，彷彿突然發現自己有了可以掠奪與侵犯當地民眾的機會。部分殖民地軍隊認為這麼做是理所當然，因為他們在殖民地承受的暴力經驗就是如此。一九四五年，美軍在德國犯下的強姦案件突然急遽增加，同年稍晚在日本也發生同樣現象，這些都源自於勝利產生的欲望。在德國，據報美軍犯下五百五十二件強姦案，在法國與比利時則犯下一百八十一件。美軍征服沖繩後，據估計有一萬名女性被強姦、綁架，有些甚至被殺。[153]當日本本土被占領時，美軍與英軍也犯下不少輪姦案件，這些士兵認為日軍的性暴行早已罄竹難書，因此自己的行為只不過是以牙還牙。根據日本某個縣的紀錄，在盟軍占領後的最初十天便發生了一千三百三十六件強姦案。為了保護日本婦女不受侵害，日本當局於一九四五年八月底授權設立「慰安所」，另外取了個委婉的名稱，「特殊慰安施設協會」，提供兩萬名日本娼妓代替日本一般女性供盟軍士兵強姦。[154]在某個港口城市，娼妓們被告知她們必須滿足美國士兵的欲望來拯救大和民族：「這是來自神的旨意……妳們必須肩負起日本女性的命運。」[155]

強姦是犯罪，各國的軍事司法單位無疑都承認這一點。但強姦的非法地位，與各國軍隊是否認真看待這項罪名，兩者之間則存在著巨大落差。在歐洲戰場，總計有九百零四名美軍士兵被指控強姦，但最後只有四百六十一名被定罪。雖然性犯罪只占了美國軍事法庭案件的百分之三點二，但這些被定罪的人都受到了相對嚴苛的懲罰。為了產生嚇阻作用，被定罪的人當中有七十名遭到處決。而在遭定罪的人當中，有許多是非洲裔或西班牙裔士兵（占百分之七十二），顯示當局對性犯罪的懲治帶有濃厚的種族色彩。[156]在義大利，法國軍事當局為了壓制強姦潮而對北非部隊做出嚴懲，義大利當地社群普遍也指責這些「摩洛哥人」，儘管實際上法國白人士兵也涉入其中，有時還會跟北非同袍一同「結夥強姦」。這波性暴力浪潮主要興起於一九四四年五月到七月，地點集中在拉吉歐（Lazio）與托斯卡尼（Tuscany）兩個大區。根據義大利當局統計，從盟軍突破德軍古斯塔夫防線、攻陷羅馬與往佛羅倫斯推進，前後三個月的時間裡共發生了一千一百一十七件強姦或強姦未遂案。為了重建軍紀，當局起訴了這些士兵，結果只有一百五十六名被定罪（遠低於強姦案的數量），而且其中有一百四十四名士兵是來自摩洛哥、阿爾及利亞、突尼西亞與馬達加斯加的殖民地軍隊。義大利當局的報告顯示，同一個時間的美國士兵「只」犯下三十五件強姦案，大英帝國的部隊則是十八件，而且在這些案子中有四十件的加害人是黑人或印度人。相較於白人士兵，有色人種遭定罪的數量再次不成比例。[157]

德國軍方同樣也會把犯了強姦罪的士兵判刑，但德軍對性犯罪的關注並不是考慮到受害者，而是擔心這類案件影響軍隊榮譽感與破壞德軍的地方治理。德國軍方特別關切西線戰場發生的強姦事件，因為這一議題在西方更加引人關注，也更有可能引發地方民眾的抗爭——話雖如此，一名德國軍官曾對負責調查強姦案的法國官員說道：「我們是勝利者！你們被打敗了！……我們的士兵有權利找樂子。」[158]在法國，只有十六件強姦案被送上法庭審理，最終只有六人被判處勞役刑；在義大利，強姦成案的數量寥寥無幾，因為德軍在一九四三年九月強占義大利，不希望有案子引發民眾暴亂。[159]強姦在東線戰場較為普遍，因為這裡對前線士兵的監督較為困難，對蘇聯與波蘭婦女的態度也深受殖民野心的影響。德國士兵知道法律上有禁止種族汙染的規定，理應懂得節制，但事實上士兵們根本無視法律禁令。在種族汙染管制較為嚴格的德國本土，波蘭與俄羅斯戰俘或強制勞工如果被發現與德國人有性行為，將會被絞死或送進集中營。一九四三年一月，德國司法部頒布指導方針，警告德國婦女若與敵國戰俘發生性關係，就是「背叛前線將士，嚴重傷害國家榮譽」。德國婦女如果被發現違反禁令，將會失去公民權與面臨入獄的懲罰。[160]

然而，德國在東方占領的領土十分遼闊，士兵有更多機會進行性犯罪，輪姦也很少留下證據。德軍士兵與安全人員以搜索游擊隊為藉口，對逮捕與盤查的女性進行性騷擾，甚至肆無忌憚地進行性拷問。德國士兵尤其痛恨蘇聯的女狙擊手，也就是所謂的「霰彈槍妻子」(Flintenweiber)。這些女性一旦被抓，就會面臨性拷問、割去生殖器與強姦。有時候，她們的屍體會被擺放在大街上，身上只蓋了件生前穿的軍服外套，用來警告其他婦女不要在男人的世界裡挑戰男人。[161]德國軍事司法單位確實會針對一些強姦案件進行調查與懲罰，特別是涉及無端暴力或強姦殺人，有些案子的確會判處重刑。但絕大多數性犯罪的懲罰只有兩個月到兩年，而且絕大多數時間都待在懲戒營裡，如果表現良好還可以提前獲釋。畢竟對德軍來說，讓士兵回到前線比什麼都重要。強姦並未被當成「重大罪行」，德國人對蘇聯女性也普遍缺乏同情。德國人根據他們對俄羅斯社會的刻板印象，認為蘇聯女性在「性上面並不矜持」。從現存的案例紀錄可以看出，這些被定罪的人不只是因為強姦而被判刑，而是因為怠忽職守或反社會行為對軍隊造成不良的影響，進而不利於德軍對廣大東部地區的統治。這些「反社會」的士兵會被求處較重的刑責。[162]就跟所有戰場一樣，性犯罪遭到德國定罪的主要原因，仍舊在於它破壞了男性軍人在占領區的名聲，而不是加害者的道德敗壞或受害者遭受的恐怖對待。

我們可以從接下來的兩個例子，看出軍事當局對性暴力的容忍究竟有多麼普遍，因此沒有採取任何措施來予以禁止。首先是日本。強姦雖然違反了日本軍事法規，但它卻被歸類在行為規範的次要類別。在整個二戰期間，日本軍事法庭只對二十八名犯下強姦罪的士兵判刑，而日本國內的刑事法院也只判刑了四百九十五名士兵。[163]前線士兵在占領區對無力反抗的女性為所欲為。儘管數字尚未證實，但估計光是在南京就有兩萬名婦女遭到侵犯、肢解或殺害。當有人向日本軍官控訴南京的護士遭到集體強姦時，該名軍官居然強詞奪理地回覆，「被日本皇軍軍官強姦，她們應該感到榮耀」，他這麼說顯然不是在諷刺。[164]強姦在漫長的大東亞戰爭中成為日本軍事文化的顯著特徵，而日本大本營的觀點對此起到了推波助瀾的效果。大本營認為，就算是失控的暴行，性也有助於提振男性的戰鬥精神。日本武裝部隊明明擁有全世界規模最大的軍中妓院體系，卻還是持續在正規「慰安所」制度之外進行大規模強姦，顯示出當時的日本男性對於女性（特別是敵國女性）具有一種更深層的心態：他們並未把對方當成人類，只是用來滿足殘酷欲望的物件。對當時的日軍而言，強姦普遍到幾乎不被當成是一種傳統意義上的犯罪。日本士兵被灌輸了一套封閉的道德宇宙，在這個宇宙中，他們集體向天皇效忠，至於在封閉道德秩序以外的人類則完全沒有理由予以尊重。

第二個例子是蘇聯。不同於日本經驗，蘇軍的大規模強姦與極端性暴力大部分集中在戰爭的最後一年，也就是紅軍挾著即將戰勝的威勢深入東歐與德國境內之時。雖然蘇聯軍事法規明令禁止強姦，但蘇聯當局幾乎很少用這項罪名起訴犯罪的士兵。蘇聯獨裁政權對於性犯罪也是睜一隻眼閉一隻眼。一九四五年，南斯拉夫共產黨高層吉拉斯向史達林控訴紅軍士兵強姦南斯拉夫婦女，結果史達林的說法是，紅軍士兵在經歷這麼多可怕之事後，「找個女人樂一下有什麼大不了的。」[165]俄羅斯軍官科別列夫（Lev Kopelev）試圖阻止士兵強姦，結果卻被指控有「資產階級人文主義」傾向與「憐憫敵人」，最後被判處在勞動營服役十年。這裡也存在著一個封閉的道德宇宙，對敵人無情會受到讚揚，加害者可以免除罪責。就算軍事當局禁止強姦，也不是因為強姦是一種暴行，而是因為強姦可能造成軍紀敗壞或引發民眾敵對。[166]紅軍的政治宣傳也為即將到來的侵犯鋪路。詩人愛倫堡大聲疾呼，「粉碎德意志女人的種族傲慢！她們是合法的戰利品！」[167]事實上，紅軍士兵根本不需要這類激勵提醒。紅軍早在離開蘇聯邊境之前，就已在一路上強姦通敵者或非俄羅斯人。紅軍在一九四四年占領羅馬尼亞首都布加勒斯特，一九四五年初占領匈牙利首都布達佩斯，士兵們一邊搜刮酒類，一邊又在酒精助興下對這些城市施加性暴行。估計有五萬名匈牙利受害者遭到強姦，結果匈牙利共黨政權卻在戰爭結束的幾年後堅稱紅軍是模範解放者，所有的性行為都是你情我願。[168]紅軍經過東普魯士前往柏林途中，無論什麼年齡的女性都予以輪姦，如果有人抵抗就會遭到肢解與殺害。紅軍偶爾也會純粹為了玩樂而拷打及肢解受害者。一名退伍軍人回憶說：「女人已不夠，我們找到年紀很小的，大概十二三歲……她哭叫我們就打她，拿東西塞住她的嘴。對她來說很痛苦，我們卻過足了癮。」[169]藉由強姦，紅軍士兵不只把女人當成洩欲對象，而是在這些昔日侵略蘇聯的民族女性留下征服的印記。強姦可以粉碎德國虛假的種族優越主張。這類性暴力不僅難以控制，而且受害對象的範圍十分廣泛，就連女性難民也無法倖免，這些人因為遠離故鄉社群而更加脆弱。集中營的女囚也遭到毒手，一些猶太女性好不容易躲藏了數年逃過大屠殺，卻在重見天日後遭解放者強姦。

對猶太女性來說，戰爭使她們暴露在雙重危險之下，既是種族迫害的受害者也是性虐待的受害者。德國最初制定種族汙染法是為了禁止德國人與猶太人發生性關係，但實際上違反這項法律的士兵、親衛隊或警察卻很少遭到懲罰。華沙猶太社群領袖索斯基斯（Henryk Szoszkies）曾遇到德國軍官向他提出要求，表示要徵召年輕猶太女孩進軍中妓院：「不用管什麼種族法。戰爭就是戰爭，在這種情況下，理論是行不通的。」[170]由於性虐待猶太女性被視為違法，因此絕大多數證據都未能留下。東線的戰場環境更容易隱匿虐待的證據：既然猶太人最終都要送進滅絕營，許多婦女便可能先遭到侵犯後才遭到殺害。例如在基輔附近的娘子谷，就有人目睹兩名猶太女孩被七名士兵輪姦後殺害。[171]有時候，親衛隊軍官會留下幾個猶太婦女當小妾，之後這些婦女不是被殺就是被送進集中營。也有紀錄提到親衛隊與陸軍士兵會在猶太區四處尋找能夠施暴的猶太女孩，有些猶太女性會被送進軍中妓院強制賣淫，軍方則會故意隱匿她們的種族身分。即便是藏匿的猶太女性，也面臨著男性保護者的威脅。[172]

猶太人雖然受害，卻被界定在司法規範之外，即使遭到強姦與虐待，也沒有權利尋求賠償與救濟。猶太人的孤立與遭害處境，也使他們成為非德國人攻擊的目標，例如在猶太大屠殺期間，為德國人工作的烏克蘭民兵與守衛，又或者是波羅的海「解放區」的反猶太主義者，都曾對猶太人加害。羅馬尼亞重新占領比薩拉比亞與北布科維納之後，便對當地猶太社群展開大規模的性暴力，並且將羅馬尼亞猶太人流放到聶斯特河沿岸。羅馬尼亞士兵到猶太區的街上與市集閒逛，看到年輕女性就予以綁架帶回軍事基地。一九四二年夏天，一群女孩從別爾沙季猶太區（Bershad Ghetto）被抓走，被送進軍營讓「每個士兵」強姦，據說這些女孩最後遭強姦致死。[173]戰後許多關於猶太女性遭強姦的證詞都提到了集中營，孤立無援的猶太女性在此淪為隨機的性暴力受害者。在這個以種族做為性犯罪對象的昏暗世界裡，猶太女性往往只能被迫忍受自己的雙重受害者身分。

## 罪與罰

犯下戰爭罪的人，絕大多數都未遭受懲罰，罪行也未留下紀錄。即使有目擊者提供證詞，也是少數中的少數。當然，不是所有的軍事人員都犯下戰爭罪。根據粗略估計，太平洋戰場的美軍士兵犯下戰爭罪的比例頂多占百分之五。另一項戰時調查顯示，只有百分之十三的美國士兵承認親眼目睹戰爭罪行，百分之四十五則曾經聽說有人犯下戰爭罪。[174]但如果我們考慮當時全世界武裝部隊的總和有多麼龐大，即使只有百分之五的人犯過戰爭罪，也足以犯下大約五百萬起案件，包括非正規的戰場暴力、掠奪、強姦、大規模處決與謀殺。派駐到俄羅斯與亞洲戰場的警察與安全部隊，皆曾出現過定期犯下暴行的狀況，特別是這些人身負「瘋狂屠殺」俄羅斯與東歐猶太人的任務之餘，還要從事殘忍的鎮壓叛亂行動。無論他們殺戮的是猶太人還是游擊隊，都絕不會認為自己正在從事犯罪。

一般士兵對犯罪的態度也不盡相同，有些人強烈反對，有些人則憤世嫉俗地認為總體戰就是不可能避免犯罪，還有人拒絕接受過去所為要被定義為犯罪。許多回憶錄在提到戰時極端殘酷的暴行時，普遍都會把一切歸咎於戰時狀況扭曲了人性。小說家沃頓寫道：「當你鬆開約束人性的韁繩時，就會看到人類可以墮落到什麼程度。」[175]許多加害者試圖為自己的行為辯解，認為自己是受到抽象外在力量強迫，且任何人在這種情境下都無法做出合乎道德的選擇。參與過南京大屠殺的日本士兵東史郎後來出版了日記，提到有七千名中國戰俘被殺，他無法想像還有什麼比這個更「不人道或恐怖」。東史郎又說：「在戰場上，生命的價值不過是一抔白米。我們的生命被扔進一個名叫戰爭的大垃圾桶裡……。」[176]

德軍在謀殺東歐猶太人時，往往會在每個面對面屠殺猶太人的地點強調，必須讓所有環節井井有條，好讓殺戮維持協調一致。德軍甚至發布指示，要求各地的壕溝必須大小相同，好讓受害者能被順利掩埋，猶太人在等候處決時也必須依序排隊站好。[177]一名警察押送排成一列的里加猶太人前往處決地，被問到為什麼一路上要槍殺老人或體弱多病的人時，這位警察回道：「我們必須完全依照指示行事，必須嚴格遵守排程，必須在規定的時間內把犯人運送到指定地點，所以必須除掉可能拖累隊伍的人。」[178]秩序與命令使加害者產生了義務感，也讓他們覺得沒有必要尊重受害者的人格。當有人問為什麼要這麼做時，東線戰場一名警官回答說：「這種事總要有人做，命令就是命令。」[179]這種個人責任錯置的現象，也明顯出現在戰略轟炸的機組員身上。無論是德國、英國還是美國的轟炸機組員，都不認為自己是大規模殺戮平民的凶手（哪怕他們的行為確實造成這個結果），而是自認身為軍人的職責就是服從命令，把炸彈從基地帶到目標區，躲避防空砲火的威脅與敵機的攔截，最後投下炸彈再返回基地，如此而已。轟炸機機組人員的回憶錄，幾乎從未提到他們因為違反不能傷害平民的規定而感到愧疚，反而是表現出對其他機組人員的強烈道德承諾，把彼此從砲火下生還視為最重要的事。

無論犯行輕重，犯下這類行為的數百萬人大都不是虐待狂或心理病態，而是正常人。他們在自己家鄉生活時，從沒想過要去偷竊、強姦或殺人。然而，這些人又不完全是史家布朗寧筆下的「普通人」——這個詞出自他對東歐種族滅絕犯罪所寫的劃時代作品。因為這些人其實是士兵與安全人員，經過選拔與訓練，有能力殺敵或無情鎮壓叛軍，或服從命令滅絕一切可能對種族構成威脅的敵人。即便軍事組織通常會嘗試淘汰明顯精神不正常的人，但在數百萬名軍警人員中，總會有些人帶有心理病態的傾向，而且這一傾向並不會隨著回歸平民生活而消失。然而，即便是「正常人」也會在極端狀況下出現變化。他們發現原本在國內可以當做行為準則參考的道德指南，在戰場上往往並不適用。亞洲、太平洋或東歐的戰鬥宛如一片道德沙漠，加害者逐漸習慣極端暴力的扭曲世界。在這些地方，以往對於虐待或殺戮行為的正常道德限制遭到徹底翻轉，讓這類行為成為被肯定的目標，而從事這類行為的人甚至可以從某位史家所說的「處決觀光」中獲得快樂。[180]在異國環境裡，野蠻殘暴是個逐漸累積的過程，每一次未受懲罰的暴行都會不斷推升可允許行為的門檻。一名德國警察在結束東線戰場的殺人事業後寫信給妻子說：「他現在已經可以一邊吃三明治，一邊射殺猶太人。」

缺乏明確的道德指南，意謂著幾乎不會有加害者在犯罪當下或事後會表達悔意。許多暴行都是集體行為，因此責任可以分散給群體的每一個人，使個人免除平常狀況下會有的罪惡感。而在缺乏監督機制的戰場上，許多犯罪便會假正義之名出現。一名美軍潛艦艦長在戰後表示，當有人問他會否對自己任由敵人在海上載浮載沉而不伸手救援感到良心不安時，他回道：「完全不會，事實上，我認為殺死這些混蛋是我能享有的偉大特權。」[181]一九六〇年代，德國法庭蒐集了許多曾在東線殺害猶太人的安全警察證詞，這些人雖然在道德上感到不安，卻不是因為受害者而不安，而是對於自己讓同袍失望或自己未能履行職責而不安。[182]一九九〇年代，針對生還的英國皇家空軍轟炸機機組員廣泛蒐集的口頭證詞顯示，受訪者當中只有一個人對於自己的行為感到後悔，覺得自己對平民投擲炸彈的行為「就像恐怖分子」。[183]在這些對戰後反思的例子裡，幾乎沒有人認為自己的行為是犯罪。在戰爭時期，受害者群體反而背負了犯罪的惡名，成了受人憎恨的對象：叛亂被視為非法，因此嚴厲懲罰在道德上站得住腳；猶太人在納粹黨世界觀裡是企圖毀滅德意志民族的陰謀者，其罪行證明德國人的極端回應具有合理性；就連性犯罪也可以說成是女性應得的懲罰，而非男性無端施加的暴力。

犯罪與暴行的施加並沒有一種舉世皆然的模式。在西歐與北歐，犯罪與暴行的規模與強度較小，因為這兩個地區的國家結構與司法體系在納粹占領時期依然維持運作，犯罪也比較容易發現與舉報。二戰最殘暴的暴行幾乎都發生在東歐與亞洲戰場，這些地區的戰場犯罪、種族犯罪與性犯罪往往大量交疊，當地國家結構要不是軟弱無力，就是因為入侵與占領而遭到推翻。這些地方也出現大規模的平民流離失所，舉目所及全是難民或流放者，司法規範要不是難以維持，就是完全付之闕如。在這種非比尋常的狀況下，各地鄰里社群便很容易遭到蜂擁而至的敵軍侵害。而戰役規模的龐大，也使得憲兵與司法權威無法杜絕所有的犯罪事件。然而，真正導致亞洲與東歐戰場的軍隊與安全部隊犯下暴行的關鍵因素，其實並不是缺乏約束（這只是原因之一），而是政軍高層對暴力的積極指示、批准或縱容。德國的「犯罪命令」，日本的「三光政策」，史達林在一九四一年十一月指示紅軍效仿德國的「滅絕戰爭」來報復德軍暴力，這些都加速了當代戰爭慣例與戰爭法規的崩壞。一方的野蠻行徑，往往引發另一方的野蠻反制，而前線指揮官對於這些殘暴行徑通常不加干涉。美軍亞美利加師一名參加瓜達康納爾戰役的退伍軍人回憶說：「我不把敵軍士兵當人看，因為他們拷打……戰俘，肢解我軍的死者與傷者。我們認為他們是最低等的生物。」[184]在這幾個充滿暴行的戰場，受害者實際上已經遭到非人化。東史郎曾經形容中國戰俘就像「一群野獸」，實在「沒有辦法」把他們當人看。[185]海爾賽海軍上將認為日本人「就像動物一樣……逃進叢林，彷彿他們原本就在那裡成長。他們也像野獸，你唯一看到他們的時候，就是他們變成一具死屍的時候。」[186]就連戰略轟炸也會用委婉的修辭來描述人類目標。美國基督教會聯邦委員會總書記就曾問杜魯門總統，有什麼理由可以證明投下原子彈是正當的，而杜魯門做了一則著名回應：「當你必須對付一頭野獸時，你就把他當成野獸來對付。」[187]

當犯罪與暴行的加害者從戰爭中生還之後，絕大多數都能逃過懲罰。一九四五年盟軍勝利，任何對盟軍不利的指控都無法成立，只有少數士兵被捕、被判定犯下重罪並受到監禁。在蘇聯，司法單位對犯下戰爭罪的人不聞不問，反而起訴那些批評蘇聯罪行的人，或起訴從國外獲釋的蘇軍戰俘怯戰或通敵。對軸心國犯下戰爭罪與反人類罪的人，許多未能活到戰爭結束，這使得追查與起訴已知犯罪人的任務無以為繼。絕大多數在戰爭中生還的加害者，最後都重新融入公民社會，再次回到傳統的司法規範與道德約束的框架，把過去的掠奪、強姦或殺人記憶全拋諸腦後。聯邦德國司法單位花了二十年的時間，才開始逮捕與起訴數百名後備警察，這些人曾在波蘭與俄羅斯參與了猶太人大屠殺。但這些人最終被判處的短期刑期，卻與他們協助殺害無數男女老幼的事實不成比例。在日本，雖然當地警察單位必須協助盟軍追捕已經被戰勝國視為戰犯的日本士兵，但實際上這些士兵或水手卻很少因為他們在戰時犯下的罪行被起訴。一九四五年後，日本社會依然認為軍方是為了實現帝國理想，因此不能視其為犯罪。戰後一名軍官反對西方把他曾經參與過的屠殺稱為「暴行」，他宣稱道：「這些行為在和平時期確實是完全不可想像且毫無人性，但在戰場的奇特環境下這樣的事卻屢見不鮮。」[188]

戰勝的同盟國也想利用勝利來凸顯前敵國的邪惡。同盟國不去追究數百萬參與犯罪的士兵，而是將重點放在中高層將領上，要求他們對自己指揮的部隊在戰場上犯下的罪行負責。當時根據國際法起訴的不是抽象的國家或機構，而是有名有姓的個人，這是一種引人注目的創新做法。儘管如此，要構成戰爭罪與反人類罪並不是那麼容易，因為一九〇七年《海牙公約》並未明確定義犯罪行為的具體內容，只是規定有哪些戰時行為是簽署國必須共同避免。公約對戰俘待遇與掠奪設下的限制（第二十二條、第二十三條與第二十八條）是討論戰爭犯罪的起點，但為了審判德日主要戰犯而設立的國際軍事法庭還是得想辦法定義這些人的行為是犯罪。同盟國的法律學者認為，對於違反戰爭法規的行為已經存在普遍與習慣性的理解，因此傳統的軍事法庭不需要援引公約就能直接判定這些戰犯的行為是犯罪。[189]一九四四年由同盟國主要成員協議的《倫敦憲章》（London Charter）溯及既往地重新定義了公約第六條b項的戰爭罪，使國際軍事法庭有了起訴被告的依據。一般性的定義依然是「違反戰爭法規與慣例」，只是這項定義如今涵蓋了（但不限於）「殺害、奴役、虐待或流放」占領區民眾，殺害或虐待戰俘或「海上人員」，殺害人質，掠奪私人與公共財產，恣意破壞城市、鄉鎮或村落，以及其他非出於軍事必要而進行的破壞。這對同盟國而言是一項大膽的決定，因為蘇聯政府與蘇聯軍隊在戰場上的行為完全符合清單上列出的犯罪事項，而美國投擲原子彈一事更是遠遠超出法律規定的軍事必要。一九四六年，同盟國公布《遠東軍事法庭憲章》，為了規避複雜的定義問題，於是在第五條b項只規定了一般性原則：「傳統戰爭犯罪指違反戰爭法規與慣例之犯罪行為。」在這個階段，「反人類罪」這項概念涵蓋了所有種族迫害與政治迫害，以及「殺人、種族滅絕、奴役、流放」。無論是在歐洲法庭還是東京法庭，最終起訴書中都把反人類罪與傳統戰爭罪區分開來，以確保司法單位能對暴行的每個面向加以定罪。[190]

此後的亞洲與歐洲審判都陸續沿用這些定義，以起訴那些已知戰犯，包括曾經下令或組織犯下戰爭罪行的軍事將領、安全人員與警察。在亞洲，地方法庭在橫濱、馬尼拉、呂宋、南京、廣州等城市接連成立，總計起訴了五千六百人，其中四千四百人被定罪，九百二十人被處決。法國政府在西貢設立了常設軍事法庭，起訴在戰爭結束前六個月殺害法國軍人與平民的日本士兵，但法庭只受理法國國民被殺的案子，至於印度支那非白人人口長期遭受的普遍暴行則不在關注之列。經過四年時間，法國起訴了兩百三十名被告，其中六十三名被判死刑，但有三十七名缺席審判，顯示要追查與引渡被告有多麼困難。到了一九四〇年代晚期，法國政府對於追究戰爭罪已經失去興趣，反而徵召那些知名犯罪者來協助法國對抗越南獨立同盟會。[191]在歐洲起訴的戰犯人數與亞洲相當，同樣也在追查已知被告時碰上困難：有些人已經逃到歐洲以外，有些人則處在蘇聯占領的歐洲地區，後者的命運與行蹤往往不得而知。日後由美國的起訴委員會主持、在德國成立的國際軍事法庭，一共起訴了一百七十七名被告，其中一百四十二名被定罪，二十五名遭處決。其他歐洲國家也開設自己的軍事法庭，起訴對軍人或平民犯下戰爭罪行的戰犯。英國軍事法庭判決七百人有罪，處決兩百三十人；法國軍事法庭起訴兩千一百人，判決一千七百人有罪，處決一百零四人。從一九四七年到一九五三年間，所有起訴後被定罪的戰犯共有五千零二十五人，其中十分之一被判死刑。[192]在這個時期，死刑通常會減輕為有期徒刑，部分犯下重罪的人也能找到辦法逃避起訴或讓法庭從輕發落。下令屠殺佩列格魯茲內村民的費雪中尉最終在一九六四年被捕受審，但法院卻無視所有證據，認定費雪的殺人行為不符合聯邦德國刑法典所定義的謀殺，因為他的行為並非刻意殘酷，不屬於卑劣動機下的產物。法院表示，費雪並未顯露出「應受指責的特質，因此不能判定他是故意非法殺戮……。」[193]

相較之下，同盟國致力在國際法上定義戰爭罪，並且將其落實在《聯合國憲章》第六條。在條文中，所謂的「紐倫堡原則」取得了神聖不可侵犯的地位，定義了何謂反和平罪、戰爭罪與反人類罪。一九四六年十二月十四日，紐倫堡原則獲得聯合國大會支持。同月，聯合國大會第九十六之一號決議，將種族滅絕定義為國際法上的犯罪行為，並在兩年後通過《種族滅絕公約》。一九四九年，新版《日內瓦公約》獲得通過，其中包括《第三公約》「關於戰俘待遇的公約」與《第四公約》「關於戰時保護平民的公約」。一九七七年，通過附加議定書，這是首次針對未來轟炸的可能受害者做出更明確保護。根據一九四九年《第四公約》，婦女地位首次獲得國際承認，侮辱「婦女的名譽」終於被認定為非法；但即便該條款包括了強姦，實質上仍歸類為道德侵犯，並未認定為極端的身體與心理暴力。直到一九七七年，《日內瓦公約》的第一與第二附加議定書才以「侵害個人尊嚴」取代「名譽」，包括強姦、強制賣淫與任何其他形式的非禮攻擊。[194]往後各國日漸重視婦女遭受暴力的問題，最終在一九九三年催生了《聯合國消除對婦女的暴力行為宣言》，然而這份聯合國宣言卻不具法律約束力。直到一九九〇年代，性虐待才在審理前南斯拉夫與盧安達的特別法院中首次以戰爭罪的名義起訴。

我們確實有理由懷疑，如果當初二戰前的各國能更堅定支持戰爭法規，或者對國際人道法律有更多的共識，是否就能減少二戰時期的犯罪與暴行。答案應該是不太可能，畢竟就連二戰後通過的這一系列國際法規，也未能真正阻止這類戰爭暴行的持續發生。就算二戰各國都知道既有的《日內瓦公約》或《海牙公約》的內容，這些公約本身仍不具法律強制力。當一名受傷的日本士兵在沖繩被俘虜時，他告知俘虜他的人，根據《日內瓦公約》，他有權被送到醫院接受治療。「去你的，蠢貨。」對方這麼回答後將他當場槍斃。[195]二戰隨處可見犯罪行為，反映出戰爭的規模之大、殺戮之殘暴與雙方拼戰到底的決心有多麼強烈。更重要的是，二戰反映出不同形式的衝突與暴力的多樣性，從野蠻的戰場遭遇戰到反游擊戰、內戰、殖民地平叛、種族滅絕與性犯罪，每一種衝突形式都產生了特定的暴行。而無論是哪一種，都會有不幸的受害者出現。

一九五五年四月，印尼總理尼赫魯在印尼舉辦的亞非萬隆會議上向代表們致詞。萬隆會議是首次以亞非國家為主體的大型國際會議，與會國家要不是剛從歐洲與日本帝國主義統治下獨立，就是即將擺脫殖民母國獲得自由。在尼赫魯身旁的分別是迦納（黃金海岸）代表克恩克魯瑪（Kwame Nkrumah）、坦加尼喀代表尼耶雷雷（Julius Nyerere）與獨立埃及的領導人納瑟（Gamal Abdel Nasser）。圖源：*UtCon Collection/Alamy*

EPILOGUE

終　章

# 從殖民帝國到民族國家：新全球時代的誕生

「舊秩序正在崩潰，新秩序正取而代之。舊社會的基礎即將粉碎，過去騎在別人頭上作威作福的人已無法再任意妄為。全世界被踐踏的民族將從悲慘與墮落中奮起反擊……帝國主義不會自己憑空消失。」

——奧卡福（Amanke Okafor），《奈及利亞：為什麼我們要為自由而戰》（*Nigeria: Why We Fight for Freedom*, 1949）[1]

戰爭結束四年後，遭受英國安全局嚴密監控的奈及利亞法律系學生暨共產黨員奧卡福在倫敦出版了一本小冊子，呼籲非洲人應該在戰後擺脫歐洲人的殖民統治及爭取獨立。[2]美國民權運動人士暨歌手羅伯遜為奧卡福的小冊子寫序，支持非洲發起獨立運動，「掙脫殖民主義的枷鎖」。一九四五年，義大利帝國、大日本帝國與德意志第三帝國的戰敗與崩解，激起了廣大民眾的反帝國主義浪潮，此時身為戰勝國的英國與法國及被解放的比利時與荷蘭的殖民帝國便成了眾矢之的。儘管戰勝國仍決心維持海外帝國，並且如戰後工黨大臣勞倫斯勳爵（Lord Pethwick-Lawrence）所言，繼續統治仍生活在「原始文明狀態的臣民」，但第二次世界大戰最重要的地緣政治後果，就是戰後不到二十年的時間，全歐洲的殖民帝國毫無例外地崩潰，取而代之的是由民族國家所建立的世界。一九六〇年，英國剩下的最大殖民地奈及利亞獲准獨立，奧卡福說：「非洲人從此恢復尊嚴。」[3]

緊接而來的戰後歷史，籠罩在巨大的人道主義危機之下，這場危機不僅起因於二戰，也源自於戰後由西方支配的新全球經濟與國家合作體系的建立與發展，更重要的是受到昔日並肩作戰的盟邦因對立而引發的冷戰影響。長久以來，帝國主義的終結一直未受到應有的關注，但正是因為帝國的崩潰（無論新帝國還是舊帝國），才引發了人道主義危機、新國際主義與冷戰的興起。軸心帝國戰敗消失之後，原本軸心國想取代的舊帝國很快也陷入垂死掙扎的局面。亞洲、中東與非洲的地緣政治結構因為歐洲強權與日本的退出而出現劇烈變化，原有的局勢被新的政治地理樣貌取代，延續至今。

## 帝國的終結

一九四五年，德國與日本戰敗投降，義大利則是早在一九四三年就已投降。從一九三一年入侵滿洲至軸心國投降，這段長達十四年以暴力打造帝國的嘗試就此劃下句點。德義日三國內原本支持新帝國主義的人士，在戰敗後便徹底斷念，未再嘗試重起爐灶，連原先用來推動新帝國主義的激進民族主義理念也一併放棄。三個軸心帝國的毀滅，暴露出帝國主義造成的巨大人命傷亡，德日義三國在其短暫擁有的殖民地或帝國領土上損失了大量人口，付出了慘重代價。一九四二年一月後，摧毀新帝國就成了「聯合國」的核心目標。聯合國這個名稱是羅斯福總統在邱吉爾於一九四一年十二月末訪問華府時想出來的，不久就成為同盟國全體成員的代稱。[4]在討論軸心國投降問題時，同盟國主張德國（及其歐洲盟邦羅馬尼亞、保加利亞與匈牙利）必須放棄所有占領領土，義大利必須放棄非洲殖民地與在歐洲取得的領土，日本則必須放棄所有的殖民地、託管地以及在東亞與太平洋地區的保護國。德義日三國必須限縮在由戰勝國劃定的民族疆界裡，成為「民族國家」而非「民族帝國」。

德國重建民族國家的過程最為激進。同盟國不僅決心將德國限縮在一九一九年《凡爾賽條約》劃定的領土之內，而且在雅爾達會議與史達林協商之後，決定由蘇聯保留一九三九年九月併吞的波蘭東部領土，波蘭則割取德國東部的廣大領土做為補償。美國、英國與蘇聯也達成協議，將剩餘的德國領土由三國分區占領與成立軍政府，這使得新德意志民族國家陷入前途未卜的局面。在一九四四年法國臨時政府的抗議下，法國也分得德國南部的一小塊領土。倫敦當局甚至建議，德國可以暫時成為英國的自治領，讓德國能夠學習民主過程。[5]最終，占領國對於德國未來的統一方式無法達成共識，於是在一九四九年將德國一分為二：分別是蘇聯占領區的德意志民主共和國（東德），以及美英法占領區合併而成的德意志聯邦共和國（西德）。日本的情況較為單純。日本只由駐日盟軍最高統帥麥克阿瑟將軍率軍占領。朝鮮、臺灣、滿洲與戰前國聯的託管島嶼都不再是日本領土。琉球群島的最大島嶼沖繩交由美軍管理到一九七二年。美蘇達成協議，以北緯三十八度線為界，將朝鮮一分為二，這也是一九〇四年日本與俄國首次劃分勢力範圍的界線。蘇軍占領朝鮮半島北部，美軍占領朝鮮半島南部。臺灣與滿洲交由蔣介石的國民政府管理，但蘇聯在滿洲仍享有利權，太平洋島嶼則成為聯合國託管領土並且交由美國管理。

義大利的處置較為棘手，因為從一九四三年九月之後，義大利就轉而與盟軍並肩作戰。

一九四五年五月，義大利再度統一，但疆域退回到一九一九年的疆界。二戰結束時，英軍與狄托的南斯拉夫游擊隊一度為了亞得里亞海港口的里雅斯特的歸屬問題發生軍事對峙，但最終該港還是再次劃歸義大利所有。第二次軍事對峙發生在阿爾卑斯山西部的瓦萊達奧斯塔（Val d'Aosta），義軍成功阻止法軍併吞義大利領土。[6]義大利的前殖民地全在英軍的掌握之下，其中衣索比亞已經在一九四一年復國，皇帝塞拉西順利復辟。當時在羅馬有一群民族主義遊說團體，希望能拿回部分甚或全部的義大利前殖民地，藉此在嶄新的帝國世界裡維持威望。然而，一九四五年的局勢已經與一九一九年大不相同。戰後的反殖民浪潮意謂著國際間不可能再有任何國家支持義大利拿回殖民地。一九四七年二月義大利簽署和約，約中第二十三條已明確排除義大利重建帝國的可能。但這仍無法化解前戰時盟邦的歧見，因為各國對於義大利的前殖民地依然抱持不同的看法。在一九四五年七月的波茨坦會議上，蘇聯政府要求至少要託管一部分義大利領土。英國與美國則不希望蘇聯在非洲取得據點，因此堅拒蘇聯介入，英美的態度使得雙方在戰後合作的可能性變得更加渺茫。另一方面，美國也不希望英國鞏固在非洲的帝國，因此拒絕英國的提案，不讓英國取得非洲之角與未來的利比亞，如此英國便無法維繫在當地的勢力。[7]最終，由於未能達成可接受的妥協方案，同盟國只好把這項議題提交聯合國解決。一九四九年五月，聯合國大會拒絕義大利外交人員推翻和約規定，也拒絕讓英國依照自身利益重組前義大利的殖民地。利比亞獲得獨立，厄利垂亞最終與衣索比亞共組聯邦。一九五〇年十二月，聯合國終於同意將索馬利亞交由義大利託管，然而索馬利亞卻是義大利最貧窮與面積最小的前殖民地。義大利為了經營託管領土而辛苦籌資與招募人員，又要面對有組織的索馬利亞民族主義，最後義大利官員決定讓這塊託管地獨立。義大利帝國主義僅剩的最後一點餘燼，終於在一九六〇年六月三十日熄滅。[8]

軸心帝國的滅亡，導致大批仍居住在前帝國境內的義大利人、德國人與日本人離境，有些是出於自願，但絕大多數是被迫離開。這些人大部分都不是最近才到當地，而是很久之前就已經定居殖民地，許多可以追溯到一九三〇年代的武力擴張之前（有些德國人更是可以追溯到幾百年前），但此時他們卻成為帝國野心的代罪羔羊，遭受無情的懲罰。[9]許多義大利移民早在一九四五年之前就已經返回義大利，包括在衣索比亞的五萬人、在義屬索馬利蘭的四千餘人、在厄利垂亞的三萬七千人，以及在利比亞東部的四萬五千人左右，因此到了一九四〇年代晚期，總計返回義大利的移民已經超過二十萬。另外還有二十五萬人逃離或被逐出義大利在伊斯特里亞（Istria）與達爾馬提亞短暫建立的歐洲帝國領土。這些殖民者很難重新融入義大利社會，許多只能居住在難民營裡，而這些難民營直到一九五〇年代初才逐漸搬空。[10]儘管如此，義大利移民的數量與動輒數百萬人的日本與德國移民相比只能說是小規模，而且德日移民往往是被完全驅離移居的家園，孑然一身地返回祖國。

當戰爭於一九四五年八月結束時，在中國、東南亞與太平洋地區仍散布著約六百九十萬名日本軍民。盟軍計畫遣返軍人，卻沒有針對平民訂定明確政策。美國率先主張遣返日本民眾，一方面是為了保護平民不受暴力傷害，另一方面也為了顯示日本帝國已經徹底滅亡。[11]許多民眾已經在殖民地安家立業，一旦被下令必須離去，意謂著將失去所有財產。除了這些人之外，還有最近才剛移民滿洲與華北的民眾，或者是過去負責管理帝國的官員與商人。

每個被遣返或驅逐出境的人，都有著大不相同的經驗。在滿洲，絕大多數是婦女與小孩，他們幾乎得不到任何幫助，還要遭受蘇軍騷擾或侵犯，既沒有交通工具，也缺乏食物。他們的處境最為艱困，被遺棄九個多月，身處於充滿敵意的人群與占領軍中。當紅軍抵達時，二十二萬三千名屯墾的農民開始往東逃亡，但許多人，或許應該說是絕大多數人，身上的財物與糧食都被偷走，導致有無數民眾淪為乞丐或小偷。只有十四萬人平安返回日本，七萬八千五百人死於暴力、疾病或飢餓。[12]至於留在滿洲的日本民眾，得要等到一九四六年夏天才獲得有組織的遣返。超過一百萬名平民被運回日本，暫時棲身在收容營。在美軍與中國軍隊控制的地區，由於美軍提供了運輸船隻，因此相較於滿洲，遣返計畫開始得比較早，也比較沒那麼艱困。儘管如此，強制移民還是免不了家園與財物的損失。一九四五年九月十七日，也就是日本投降後不久，美軍便宣布強制遣返朝鮮半島南部的日軍與日本民眾，同月美軍運輸船便開始駛往日本。但因為有許多日本民眾選擇留下，於是美軍於一九四六年三月再次下令所有日本人必須在四月開始遣返，違者將受到懲罰。美國軍政府規定每個民眾只能攜帶少量的金錢與財物。在臺灣的國民政府也下達類似的命令，於一九四六年三月宣布將進行強制遣返，預定在四月底完成所有遣返工作。短短幾個星期內，四十四萬七千名日本人放棄自己在殖民地的一切，被運回日本。他們必須花上一段時間在日本本土的遣返中心進行調適，才能重新返回民間生活。本土的日本人在自己與被遣返者之間立起一道無形的牆，因為只要一看到遣返者，就立即想到失敗的帝國計畫與為此付出的慘重代價。[13]

在中國大陸，日本民眾的遣返工作始於一九四五年十一月，主要是利用美國的運輸船載運，絕大多數都在隔年夏天完成；相較之下，大量的日本軍隊則在中國政府要求下留在中國，負責在上海與北京維持公共秩序，甚至與叛亂的中國共產黨交戰。遣返工作最緩慢的是蒙巴頓勳爵的東南亞戰區司令部，該部故意讓日本軍民生活在惡劣環境。英國當局把戰俘重新定義為「投降的軍事人員」，藉此規避《日內瓦公約》的規定。日軍戰俘被當成強制勞工，甚至在一九四六年夏天，當大量日本軍隊終於要被遣返回國時（同樣還是藉助於美軍的運輸船），英國依然在當地留下了十萬名日軍，讓他們繼續擔任勞工直到一九四九年初，此舉顯然違反了公約規定。[14] 日本民眾的狀況也好不到哪裡去。許多人被送進管理不善的營區，必須辛苦地勞動。日本一名派駐印尼的官員回憶在英國囚犯營裡每天都過得精疲力竭，半裸的犯人必須在大太陽底下拿著鋼刷清掃空軍基地跑道，但只能得到少許的水與食物。之後他被轉移到新加坡附近的加朗島，島上有個孤立的營區，幾乎沒有遮蔭，飲用水缺乏，每日只配給不到半杯的白米。直到紅十字會前來檢查，狀況才稍微改善。[15]

新帝國中規模最大的遣返者與難民遷徙，來自於德意志第三帝國。隨著新帝國的疆域逐漸擴張到中歐、東歐與東南歐，原本不住在德國境內的德裔人口發現自己在不知不覺中成為新帝國的子民，有些德裔人口居住的地區因為《凡爾賽條約》而割讓給外國，但德國在一九三九年後又重新奪回這些地區，直到一九四五年又再度失去。被占領的德國領土上，流離失所的民眾數量估計在一千兩百萬到一千四百萬人之間（歷史紀錄無法得出更精確數字）；這些民眾主要來自捷克斯洛伐克與波蘭，這些「收復的領土」原本位於德國東部，但現在又轉移給了波蘭。不少人從羅馬尼亞、南斯拉夫與匈牙利被逐出回到德國，此外還有數量不明的蘇聯窩瓦德意志人，他們設法跟著撤退的德軍往西逃亡。蘇軍流放了羅馬尼亞與匈牙利的十四萬名德國人，但方向不是往西，而是往東運送到蘇聯內陸的集中營。[16]被驅逐的人絕大多數是老弱婦孺，身體健壯的男人則被當局留下來擔任工人，協助當地的經濟重建。儘管同盟國在波茨坦會議上表示驅逐行動必須「有序而人道」，但德國戰敗之後，報復浪潮隨即無差別地降臨在各地居於少數的德裔人口身上，不僅毫無秩序，而且缺乏人道精神。被驅逐者的估計死亡數量差別很大，少則五十萬人，多則兩百萬人，但毫無疑問的是，有數十萬人因為飢餓、寒冷、疾病與故意殺害而死。[17]戰爭結束後的六個月是所謂的「瘋狂驅逐期」，德裔社群被迫徒步越過邊界回到已經被盟軍分占的德國，或者是擠在不衛生的火車車廂，在缺乏食物或衣物的狀況下，忍受漫長而令人衰弱的返德旅程。在首波報復潮中，軍警紛紛以過去德國人將猶太人流放到東方的方式來對付德國人。一九四五年六月發生的暴行，便是捷克士兵在上莫斯泰尼采（Horní Moštěnice）逼迫兩百六十五名蘇台德區德國人下火車。這群人包括一百二十名婦女與七十四名孩童，他們被迫在火車站後面挖掘巨大墓穴，然後每個人都被從後方開了一槍，屍體被推入坑裡。[18]很多時候，被驅逐者只有幾小時時間可以收拾行李，有時甚至只有幾分鐘，他們幾乎無法帶走任何東西。運貨車廂被擠得滿滿的，被驅逐者只能彼此緊挨站立。火車上既沒有水，也沒有食物。每到一座車站，死者就會被抬出去。有些人起初會被關在臨時營區，男人必須強制勞動，營區條件就跟集中營一樣——食物匱乏，滿是蝨子、斑疹傷寒與粗暴對待。

對同盟國來說，戰後隨即出現的驅逐潮造成相當棘手的問題，特別是在分區占領下，既有的德國人口已經出現糧食與住房不足的問題。負責收容的單位有時還會拒絕民眾入境。美國官員擔心，驅逐遣返是否助長了「可怕而不人道之事」。英國官員向倫敦回報每天目擊的暴行，但外交部不願譴責捷克人或波蘭人，以免被譏笑為「對德國人軟弱」。[19]同盟國最終同意維護後續驅逐的秩序。一九四五年十月，同盟國設立了聯合遣返執行處，負責將被驅逐者送回德國及將「流離失所者」送回原國的後勤，總計遣送人數達到六百萬人以上。十一月，盟國管制理事會宣布達成協議，把被驅逐者分配到各盟國占領區（蘇區兩百七十五萬人，美區兩百二十五萬人，英區一百五十萬人，法區十五萬人），同盟國也將在未來一年內督導整個驅逐過程。儘管同盟國針對遭驅逐之德裔人口的待遇與轉移建立了各項規定，但整體情況依然惡劣，而且這些德裔人口回到德國之後，狀況也不見得好轉。同盟國沒有料到會有大量德裔人口從東歐與中歐返回德國，只好將這些人安置在臨時營區甚或原本的集中營：糧食有限，缺乏照料，就業前景也十分黯淡。到了一九四五年底，蘇聯占領區已有六百二十五座營區，西方占領區則有數千座營區。與日本一樣，被驅逐者要重新融入德國社會需要一段漫長而辛苦的過程，許多德國本土居民不信任這些新來者，也反對花錢收容他們。[20]

當被驅逐的德裔人口從原本的新帝國疆域返回德國時，還有數百萬因戰爭而流離失所的男女老幼（可能是難民、孤兒、強制勞工或囚犯）正朝著相反的方向走去。這些人要不是從德國返回自己的故鄉，就是到海外尋找新家園。這些人是新帝國建立下的受害者，數量達到數千萬人，被迫流離失所的規模可說是史無前例。東亞最大規模的流離失所發生在中國。根據國民政府的估計，到了戰爭結束時已有四千兩百萬人「遠走他鄉」（依照官方說法）。戰後對於中國難民人口的估計（也包括那些遷徙超過一次的人），顯示有九千五百萬人（占中國人口的四分之一）曾在戰爭時期流離失所。

在中國北部與東部被日軍占領的省分，有百分之三十五到四十四的人口離開家鄉。戰後絕大多數人盡一切努力返鄉，但通常需要花費數月的時間，而且只有不到兩百萬名民眾獲得政府幫助。有些人放棄，永遠不再返鄉。成功返鄉的難民發現家族已經離散，家園與財物也被留在故鄉的人侵占，這個結果往往讓離鄉者對於當初未逃離日本入侵的鄰里鄉親產生怨恨，於是私底下認為這些人其實是通敵者。[21]英美占領當局的責任之一，就是協助強制勞工、被動員來協助日軍的殖民地部隊，以及無數被迫賣淫的「慰安婦」，協助這些人返鄉。英美也確實於一九四五年透過遣返計畫，對這些人的國籍進行粗略分類之後，將他們運送回國。

在歐洲戰場，戰時同盟國早在戰爭結束前就已經發現，新德意志帝國剝削奴工、進行種族流放與實施各種恐怖行動，可能引發非常嚴重的流離失所問題。從這點來看，流離失所者並非為了逃離德國新秩序而淪為難民，他們絕大多數是被德國政府強行帶離故鄉去服務德國戰爭機器，或者用來填補集中營的空缺。有些人來自被占領的東方地區，他們自動自發地支援德國戰爭機器，卻在德國戰敗後受困於異鄉而無法返家。一九四三年，也就是聯合國正式成立的前兩年，正在籌建階段的聯合國成立了善後救濟總署，試圖預先針對德國及其盟邦戰敗後造成的問題提出解決方案。羅斯福總統表示，善後救濟總署的宗旨是協助「德國與日本野蠻主義下的受害者」。[22]從一九四五年到一九四七年，善後救濟總署在亞洲與歐洲十六個國家發放糧食，總支出達一百億美元。在西歐，總署派出小組進行協助，每個小組有十三人，分別負責醫療、福利、宗教與組織工作，小組中超過半數來自歐陸，以協助解決可能發生的語言問題。在蘇聯占領區，總署與波蘭、捷克斯洛伐克、烏克蘭與白俄羅斯的地方當局合作，但貨物必須送到港口或邊界，再由當地政府而非總署來進行發放。[23]到了一九四五年夏天，已有三百二十二個總署小組在德國的西方占領區設立兩百二十七個中心，在奧地利則有二十五個。到了一九四七年，義大利、奧地利與德國總計已有七百六十二個中心，負責處理流離失所的問題。[24]

流離失所的非德裔人口總數約有一千四百萬人，但要得到精確的數字同樣不可能。紅軍占領區的數字無法確定，因為善後救濟總署在蘇區無法直接從事救濟工作。戰爭結束後的數個星期，數百萬人在美軍動用卡車與火車幫助下動身返鄉。德國境內有著一百二十萬名法國流放者與囚犯，到了一九四五年六月只剩下四萬零五百五十人還留在德國。到了七月，已經有三百二十萬名流離失所者返歸故鄉，剩下一百八十萬人留在善後救濟總署開設的中心。最初的狀況可能比較混亂，因為流離失所者吃住都只能在臨時搭建的營房。儘管糧食優先分配給流離失所者，但整體來說糧食依然缺乏，到了一九四七年，收容營區仍住著超過五十萬名流離失所者，每人每天攝取的熱量不到一千六百大卡，遠低於維持健康所需的量。[25]

西方盟國原本以為，所有的流離失所者在經歷過戰爭的苦難之後都會想返回家鄉。但實際上，遣返問題並不總是那麼單純。流離失所的猶太人被給予了「聯合國國民」這一特殊身分，藉此保護他們不被送回曾遭受迫害的地方。[26]最大的問題在於東歐，多達數百萬東歐人不願意回到共產黨統治的地區生活。到了一九四五年九月，已有大約兩百萬名蘇聯公民被從歐洲各地遣返回國。然而，西方盟國並不瞭解遣返對這些人究竟意謂著什麼。蘇聯當局認為這些人曾經接觸過法西斯主義，懷疑他們受到汙染。內務人民委員部或軍方的反間諜部皆針對返國民眾進行篩檢，有些人獲准返家，有些人被流放到蘇聯的偏遠地區，還有無數人被直接送進蘇聯的集中營與勞動營。戰後被遣返回蘇聯的軍民總計有五百五十萬名，其中三百萬人遭到蘇聯懲罰，大約兩百四十萬人獲允許返家，結果這批人中又有六十三萬八千人遭到事後逮捕。[27] 蘇聯官員與軍官會到西方的流離失所者營區巡視，試圖找出他們認為該遣返的蘇聯公民。西方單位起初與蘇聯合作，強行將不願返國的流放者送回蘇聯（唯一例外是波羅的海國家的公民，因為這些國家的獨立地位是在一九三九年到一九四一年因為蘇聯侵占而遭到破壞）。數千名曾經與狄托游擊隊作戰或支持保皇派的南斯拉夫人，就此遭英軍強制遣返，這些人回國之後隨即遭到當局屠殺或監禁。[28]

到了一九四五年十月，已經有足夠證據顯示許多流離失所者返回蘇聯之後遭到有系統的虐待。盟軍最高司令艾森豪因此正式下令，來自共產黨統治地區的流離失所者可以自由選擇是否返回家園。此舉引發蘇聯當局的嚴正抗議，但這項決議依舊在一九四六年二月於聯合國大會通過。蘇聯代表維辛斯基抱怨說：「你們所謂的寬容，歷史上正好有個知名詞彙可以形容，那就是慕尼黑！」[29] 儘管有這項決議，往後兩年，善後救濟總署與接續的國際難民組織仍致力說服俄羅斯人、波蘭人與南斯拉夫人返鄉。不過最終仍有四十五萬名蘇聯軍民堅決不要返國。西方國家考慮到戰後勞工短缺，於是允許這些流離失所者移民。在英國，在西方打仗的十一萬五千名波蘭退伍軍人獲准留下。一九五一年底，加拿大收留了十五萬七千人，澳洲也收留了十八萬兩千人。在跨黨派遊說團體「流離失所者公民委員會」施壓下，杜魯門總統允諾於一九四八年六月與一九五〇年六月授權兩項法案，允許四十萬名流離失所者移民美國。到了一九五二年，只剩下十五萬兩千名無法獨力謀生的流離失所者尚未找到去處，其中絕大多數是老人、肢體殘障者或罹患慢性肺結核病的患者。一九五七年，聯邦德國政府關閉了最後幾間流離失所者中心。[30]

## 用鮮血換取獨立

聯合國最初在處理軸心帝國遺留下來的問題時，就已經預示了「尊重民族自決原則」這項承諾，該承諾後來也成為《聯合國憲章》第一條的一部分，並在一九四五年六月獲得通過。聯合國的這一立場其實不僅針對曾經消滅許多民族國家的軸心帝國，也是在暗示其他老牌殖民帝國必須認識到德義日殖民帝國的毀滅，只是在為接下來更龐大的全球計畫揭開序幕：終結所有的領土型帝國。羅斯福總統的共和黨對手威爾基（Wendell Willkie）在一九四二年巡迴世界時表示：「殖民時代已經過去……這場戰爭必將終結民族帝國對抗民族帝國的時代。」當時幾乎沒有美國人反對他的說法。[31]一九四五年二月，《美國信使》（*American Mercury*）雜誌社論提到，「帝國主義就是帝國主義，無論新舊。為了維持舊暴政而必須日常動用暴力，這就跟新的侵略行為一樣不可饒恕。」[32]

當二戰於一九四五年結束時，民族國家與帝國之間的關係已經與一九一九年第一次世界大戰結束時有了根本上的不同。一九一九年時，民眾大聲疾呼要求民族自決，結果卻在帝國強權的抵抗下無疾而終。一九四五年，四大戰勝國中有三個（美國、蘇聯與中國）反對殖民帝國繼續存在。英國與法國自認是聯合國創始成員國，又是安全理事會常任理事國，兩國因此相信這個新國際組織能夠協助自己延續帝國，讓帝國在歷經多年戰爭危機後重獲生機。然而英法很快就發現自己錯了，二戰成了歐洲帝國的分水嶺。反殖民主義者表示，這場對抗軸心國的戰爭不僅是為了解放歐洲國家，更是為了確保各民族的政治獨立。奈及利亞民族主義者阿齊基韋（Nnamdi Azikiwe，後來成為奈及利亞獨立後第一任總統）援引一九四一年《大西洋憲章》與威爾遜總統的十四點原則，於一九四三年起草了《自由憲章》，內容包括生命權、言論與結社自由，還有自決權。阿齊基韋表示，《大西洋憲章》與十四點原則都肯定「所有民族有權選擇自己願意在其統治下生活的政府形式」。[33]伊拉克首相賽義德（Nuri al-Sa'id）寫信給邱吉爾，信中提到希望「《大西洋憲章》的起草者能想辦法讓聯合國支持阿拉伯人〔獨立〕……。」[34]結果聯合國直到一九五〇年十二月才定義民族「自決」是實質權利，而且要等到一九六〇年才在壓倒性多數下通過一五一四號決議「關於准許殖民地民族與國家獨立之宣言」，此後民族自決權才具有法律拘束力。英國殖民地部很快就發現，這項決議將會成為「聯合國的神聖文本」。[35]

這不是歐洲帝國想要的結果。它們以為一九四五年會與一九一九年非常類似，也就是民族自決可以用在於歐洲重建、解放那些遭軸心新帝國吞併的國家（儘管民族自決在蘇聯支配的東歐地區以相當不同的面貌出現），但絕不會適用在既有的舊帝國領土。二戰結束後，舊帝國的當務之急就是重建和平時期的經濟，同時利用帝國來重振戰爭時喪失的政治信任度與道德權威。美國戰略情報局在給華府的一份報告中警告，於一九四五年七月取代戰時聯合政府的英國工黨政府，「就跟邱吉爾領導的上一屆保守黨政府一樣抱持帝國心態。」[36]新任英國首相艾德禮（Clement Attlee）認為，「輕易交出」殖民地是一件「既不可取，又不實際」的事。一九四七年十一月與十二月，擔任大英帝國參謀總長的蒙哥馬利前往非洲訪問，他在向政府報告時提到非洲人仍然「完全未開化」。他也支持藉由海外帝國來「讓英國存續」。[37]一九四四年，戴高樂將軍在法屬剛果的布拉柴維爾會議上，呼籲法屬殖民地與法國擴大整合，但戴高樂排除了「任何自治的想法，也反對殖民地脫離法蘭西帝國自行發展」。[38]荷蘭政府重返低地後，便立刻著手重建以帝國為基礎的新荷蘭聯邦（荷蘭人曾在德國占領的東方領土進行殖民屯墾，但隨著德國戰敗，藉由依附德國來發展殖民帝國的方案也化為泡影）。[39]英國、法國、荷蘭與比利時等國都瞭解，想要在戰後新秩序獲得尊重，就必須一方面致力於帝國的經濟與社會發展（這些帝國在戰間期也曾做過相同的嘗試），另一方面避免做出獨立的承諾。

對英國及法國而言，二戰後的權力平衡變化實在難以忍受。二戰爆發前，英法兩國靠著海外帝國而穩坐全球兩大強權，因此兩國也期盼戰後能藉由帝國來恢復以往的大國地位。在創建聯合國的「聯合國組織會議」上，英國代表甚至宣稱，由於大英帝國是「捍衛自由的龐大組織」，因此應當於戰後維繫下去。[40]英法政府擔心，美國可能會在一九四五年五月的聯合國組織會議上堅持所有殖民地都應成為託管領土，接受國際監督。在這場於舊金山召開的會議中，英法成功在《聯合國憲章》增列第二條第七項，也就是確認殖民統治是不受外力干涉的國內事務，這讓英法得以再次發展帝國、保持既有的全球地位。英國外交大臣貝文是堅定的帝國捍衛者，他希望藉由帝國在美蘇之間建立「第三勢力」，並且採納英國外交部於一九四五年五月提出的「三方體系」概念，確保歐洲戰勝國能與美蘇平起平坐。[41]貝文反對印度獨立，希望將大英帝國擴展到利比亞，而且厭惡聯合國的託管制度。英國迫切希望能拓展「國協」（Commonwealth）的理念，也就是一群獨立國家的鬆散結合（定義也相對鬆散），在英國帶領下成為全球第三勢力。（一九四九年，原本加在國協前面的「大英」二字被取消，以避免被指控為新殖民主義。）[42]貝文還採納了英國外交部的另一項概念，也就是英國、法國、比利時等帝國應該共組一個橫跨歐洲與非洲的陣營。他在一九四八年一月向英國內閣表示，這個計畫能讓英國「在面對西半球〔指美國〕與蘇聯陣營時立於不敗之地」。[43]英國財政大臣道爾頓認為，只要憑藉非洲的資源，「就可以讓美國仰賴我們」。[44]然而這項計畫並未如願推動，因為法國政府對此興趣缺缺。法國想為自己的帝國制定一套新的憲政架構，例如讓殖民地臣民成為法國公民，給予有限的地方自治，藉此讓殖民地與宗主國有著更緊密的連結。一九四六年公民投票之後，法蘭西聯邦成立，但人們很快就發現聯邦成立的目的其實是要確保殖民關係的長久存續，殖民地臣民無法享有與法國公民一樣的投票權、公民權、福利制度或經濟機會。法蘭西聯邦無意讓殖民地獲得民族獨立，只想把帝國綁得更緊密。[45]

重振帝國的計畫，絕大多數只是一廂情願。英國、法國與低地國面臨嚴峻的經濟復甦問題。戰爭幾乎讓英國陷入破產，法國經濟則因為多年的占領而一蹶不振。依靠美國的經濟援助已不可避免，而仰賴帝國來重振經濟的願望也在一九四四年美國堅持訂定《布列敦森林協定》（Bretton Woods agreement）下破滅。帝國貿易體系就此終止，貨幣區域也被廢除，取而代之的是全球自由貿易體系。一九四七年提出的歐洲復興計畫，一般稱為「馬歇爾計畫」，使歐洲帝國更加仰賴美國。

當英國反對美國無限制開採牙買加的鋁礬土時，美國便於一九四九年限制馬歇爾計畫貸款以迫使英國屈服。[46]由此可見帝國雖然是市場與原料的來源，但其代價也十分高昂。為了避免殖民色彩過於濃厚，英國與法國各自都提出了經濟發展計畫：英國在一九四五年推出《英國殖民地發展與福利法》，法國則於隔年提出「經濟與社會發展基金」——雖然法國將大部分資金用來推動海外帝國的經濟發展計畫，但主要用意還是提升本土民眾的生活水準，而非幫助殖民地臣民。英國政府使用的發展資金其實來自於戰爭期間凍結在倫敦的殖民地存款，因此才得以不動用本土納稅人的錢。

此時歐洲帝國尚未發現帝國存續將成為聯合國爭論的焦點，更將使戰時的盟邦陷入冷戰。一九四六年後，蘇聯決定重啟從德蘇戰爭爆發後便暫時擱置的反帝國主義鬥爭。一九四七年，日丹諾夫（Andrei Zhdanov）在對歐洲共產黨組織代表（共產黨與工人黨情報局）演說時表示，蘇聯認為當前世界分成「兩大陣營」：反民主的帝國主義陣營及民主的反帝國主義陣營。蘇聯的目標是對抗「新的戰爭與帝國擴張」。[47]英國殖民地部為此開始監控蘇聯「支持殖民地人民」的活動，一九四八年，貝文下令要所有外交人員「反制蘇聯對殖民主義的攻擊」。[48]一九四七年四月，一名法國內政部官員警告美國大使，蘇聯共產主義的主要目標之一便是「分化現有的殖民屬地」，使殖民國家衰弱，最終讓殖民國家淪為「共產主義可以輕易支配」的獵物。[49]聯合國的蘇聯代表強力批判殖民主義並要求民族自決，一九六〇年更是大力宣傳蘇聯總理赫魯雪夫提出的一五一四號決議。但在蘇聯影響力之外，聯合國大會的整體氣氛原本就已對帝國的存續抱持敵意，一九四八年通過的《人權宣言》就是例證，日後的反殖民戰爭經常援引《人權宣言》做為反抗理由。一名英國官員在一九四七年觀察到，自從兩年前聯合國成立之後，「世人的注意力就一直集中在殖民議題。」十年後，英國一份討論聯合國工作的報告才正確地指出，「相較於國際聯盟，聯合國對於西歐的利益可謂毫無助益……。」[50]

然而，真正造成舊帝國崩潰的主因，還是源自於二戰所激起的民族主義與反殖民主義情感。即使沒有二戰，自治與獨立的呼聲也將與一九一九年一樣挑戰帝國體制，但這些舊帝國之所以會在一九四五年後如此快速地終結，則有賴於二戰時全世界對傳統帝國的敵視及戰時動員建立的反帝國網路。這一變化具體表現在一九四五年十月於曼徹斯特成立的泛非洲會議，來自六十個國家與反殖民主義運動的代表齊聚一堂，催生出擺脫殖民統治與終結種族歧視的要求。殖民地民眾在二戰時期組織工會或勞動隊，這些團體構成了日後殖民地進行組織抗議的基礎，而這些抗爭又經常與馬克思主義運動有所連結。馬克思主義者往往以經濟權利的角度來看待對抗帝國的鬥爭，出身自千里達的帕德莫爾（George Padmore）就是其中之一。[51]牙買加人民民族黨創立者曼利（Norman Manley），與在紐約市哈林區創立的牙買加進步同盟合作，呼籲非裔美國工人不僅要為自己的權利鬥爭，還要為「全世界少數族群與殖民地群體」奮鬥。[52]這類組織網路甚至延伸到帝國最偏遠的角落。一九四五年，來自所羅門群島勞動隊中士菲菲伊（Jonathan Fifi'i）在與美國黑人士兵並肩作戰之後，決定在戰時曾成為激烈戰場的瓜達康納爾島發起一場民族政治運動。他日後回憶說：「我們感到憤怒，因為英國人把我們當成垃圾看待。」菲菲伊以《聯合國憲章》為依據，與其他人共同發起了「兄弟手足規則」（Maasina Ruru）運動，希望建立另一種部族權威體制，拒絕納稅，並且杯葛英國的「原住民議會」。英國當局對所羅門群島發動「除蝨作戰」(Operation De-Louse)進行鎮壓，數千人以煽動叛亂的罪名被捕入獄，一直被關押到一九五〇年代初期。[53]

然而，反殖民帝國的民族主義浪潮顯然已不可逆轉，而舊帝國的回應則是矛盾與前後不一：面對突如其來的叛亂先是慌張地做出妥協，回過神來後又施以極度的暴力。帝國危機的來臨並非如地震般不可預測，但其效應卻像震波一樣向外擴散。從一九四六年到一九五四年的短短八年間，歐洲強權的亞洲帝國倏然崩潰，數百年帝國基業就此煙消雲散。對英國來說，位於亞洲的帝國疆域至關重要。從印度經緬甸直到馬來亞與新加坡，是英國殖民地最廣大也最富庶的區域，也是英國維持亞洲勢力與全球地位不可或缺的一部分。英國對印度的統治曾因為一九四二年的「退出印度運動」而出現危機。雖然運動遭到鎮壓，但二戰本身卻已讓廣大印度民眾認為，在負擔了戰爭義務與犧牲之後，印度理應獲得「自由」(azadi)與「自治」(swaraj)。一名印度士兵在一九四六年表示：「我們之所以忍受戰爭的苦難……是因為我們可能獲得自由。」一九四五年二戰結束後，超過一百萬名印度士兵在復員後返回飽受戰爭紛擾的村落與城鎮。[54]原本在一九三〇年代只有少數政治菁英支持從英國統治下獨立，到了戰後卻獲得了民眾的大規模支持。全印穆斯林聯盟在一九二〇年代晚期只擁有不過一千名成員，到了一九四六年卻成長為擁有兩百萬名成員的大黨。一九四〇年，全印穆斯林聯盟通過了《拉合爾決議》(Lahore Resolution)，公開表示將建立一個穆斯林主權國家「巴基斯坦」。[55]在印度，印度國大黨在戰爭結束時成功整合印度的民族主義力量，同時得到了廣大農村與城市人口的支持。一九四五年六月十四日，印度國大黨領袖終於獲釋出獄，繼續投入終結英國殖民統治的運動。他們也發現運動的性質出現了變化。獲釋的印度國大黨主席尼赫魯警告新任工黨政府貿易局主席克里普斯，印度獨立已不可避免，因為「民眾愈來愈急切……你們不能再搪塞下去。」[56]

艾德禮政府的態度仍不明確，唯一確定的是他們即將面臨一場極其嚴重的危機。糧食短缺，勞工抗爭蜂起，加上一九四六年春天駐紮在孟買的印度水兵發起大規模譁變，這一切都被大眾媒體與印度當地政治人物連結上廣泛的印度爭取獨立議題。印度殖民政府以印度國民軍在二戰時與日本軍隊合作為由，將國民軍的部分成員送上法庭。結果這項弄巧成拙的決定引發全印度輿論譁然，激起了暴力抗爭。印度次大陸掀起了敵視殖民政府的熱潮，而英國在當地的兵力早已不足以穩定局勢。一九四六年，英國在整個印度大概只有九萬七千名兵力，當地的大批軍警全由印度人擔任。一九四六年春天舉行的印度大選，印度民眾壓倒性地投下希望改變的一票。真納（Muhammad Jinnah）的穆斯林聯盟在所有穆斯林占多數的省分獲勝，其餘省分則由國大黨奪下。印度人就此統治了所有省分，英國駐印度總督魏菲爾元帥語帶悲觀地向倫敦回報這一政治變局。到了一九四六年夏天，印度幾乎已經快完全脫離英國控制。倫敦當局無法完全掌握印度局勢的危險程度，最終決定由印度事務大臣勞倫斯勳爵率領內閣代表團前往印度，試圖進行憲政協商，將印度改革成一個由英國王室領導的獨立印度自治領。一九四六年六月，代表團終於提出一個複雜的聯邦構想，設立一個負責國防與外交政策的中央全印政府，各省（有些省穆斯林占多數，有些省印度教徒占多數）則組成聯邦政府，負責大部分國內事務。制憲議會由選舉產生，並且成立印度臨時政府。這項提案很快就遭到否決：印度國大黨擔心英國要讓印度「巴爾幹化」，全印穆斯林聯盟則堅決從印度分裂出去，另行成立巴基斯坦國。英國發現自己已無力控制印度境內與日俱增的暴力事件，只能盡速由印度人接管地方政府。

一九四六年八月中旬，真納在加爾各答發起「直接行動日」(Direct Action Day)，藉由大規模暴動來回應英國的提案，進而引發穆斯林與印度教徒之間的嚴重衝突。這場暴力事件重演了一年多前在印度北部旁遮普與孟加拉發生的宗教衝突，差別只在於它的規模更大，傷亡也更慘重。敵對雙方都把加爾各答當成戰場，拿起現成的武器互相殘殺，綁架與強姦婦女，燒毀店鋪與房屋，連建築物裡的居民也一同葬身火海。直到六天後，英國駐印總督才下令調集英國人、印度人與廓爾喀人的部隊平定亂事。官方公布的死亡人數介於四千人到一萬五千人之間，超過十萬人受傷。隨後成立的加爾各答暴亂調查委員會並未得出任何結論，而英國在兵力有限的狀況下，也無力阻止更進一步的暴力發生。[57]一九四六年冬天，殺戮持續升級，部分是因為英國在內閣代表團提案失敗後毫無作為引發的不確定感，部分則是因為印度教徒與穆斯林都擔心未來國土一旦分裂，自己會在新國家裡淪為少數。這起事件凸顯英國政府已無能解決發生在印度的危機。

一九四七年三月，蒙巴頓勳爵接替魏菲爾擔任印度總督，倫敦當局給予他的任務就是找出一切可行辦法讓英國能從印度脫身。蒙巴頓勳爵認為英屬印度分裂已成定局，於是在英國內閣接受這個現實之後，於一九四七年六月三日在廣播中宣布，印度次大陸將分割成兩個具有主權的英國自治領：印度與巴基斯坦，一個印度教國家與一個穆斯林國家。這項決議也匆促施行。獨立日定在一九四七年八月十五日，而在宣布之後，英國軍隊與官員便立刻收拾行囊準備離開。由於疆域劃分也是在極短的時間內決定，因此數百萬名穆斯林、印度教徒與少數族群錫克教徒（錫克教徒的意見完全遭英國忽略）很快就發現自己實際上已經捲入一場內戰之中。這場內戰的死亡數字無法精確估算，但一般認為介於五十萬到兩百萬人之間，另有三百萬名難民越過宗教疆界線。未來兩國得要花上很長的時間，才能化解英國突然放棄印度造成的慘重後果。一九四九年，印度與巴基斯坦改制為共和國，雙雙拒絕在英國王室領導下維持自治領地位。

印度與巴基斯坦的獨立，毫無疑問象徵著大英帝國的終結。一九四八年，錫蘭（斯里蘭卡）成為第一個獲准獨立的英國皇家殖民地。當印度陷入獨立的動盪時期，緬甸民族主義者也藉由過去在日本統治下獲得的短暫「獨立」經驗，發起了驅逐英國人運動。二戰時，緬甸國民軍在翁山將軍（緬甸人以「波」尊稱）的帶領下，從支持日軍轉變為與盟軍並肩作戰。國民軍預期英國人在戰後終將放棄在緬甸的糟糕統治。翁山領導緬甸的主要民族主義政黨，政黨名稱別具一格，叫做「反法西斯人民自由同盟」。在該政黨支持下，帶有準軍事性質的人民志願組織隨之成立，除了高喊民族主義口號動員鄉村民眾，也大量囤積戰時英軍與日軍留下來的武器。印度發生的事件激勵了緬甸的民族主義者。到了一九四六年，緬甸廣大的鄉村地區也跟印度一樣幾乎完全脫離英國的控制。同年秋天的罷工潮也差點癱瘓了整個緬甸，全國性的武裝暴動迫在眉睫。蒙哥馬利告訴參謀首長會議，英國沒有足夠的人力控制緬甸，因為英國已經無法調動印度軍隊鎮壓反英暴亂。一九四六年十二月二十日，艾德禮在國會宣布將「加快緬甸獨立的進程」，但他仍希望緬甸繼續待在國協裡，與英國維持緊密的貿易與國防關係。[58]一九四七年一月，翁山將軍訪問倫敦並與英國達成協議，確定緬甸將於一九四八年一月獨立。一九四七年七月，翁山遭腐敗的右翼政治人物吳蘇派遣的武裝民兵刺殺身亡。吳蘇希望與英國維持緊密的關係，但他也因為暗殺事件而被判有罪而處以絞刑。一九四八年一月四日，緬甸成為獨立共和國，並未加入國協。緬甸獨立之後，原本不穩定的民族主義、共產主義與分離主義三方關係，開始陷入長期的武裝對峙。與印度一樣，英國也在衝突爆發前撤離緬甸，避免英軍捲入這場暴力衝突。[59]

東南亞的狀況不同於印度與緬甸。英屬馬來亞、法屬印度支那與荷屬東印度都曾在戰時被日軍占領，戰後又再度受到帝國殖民暴力的壓迫。與印度與緬甸的例子相反，英國、法國與荷蘭在一九四五年後都派出大量軍隊重新占領了東南亞的殖民地，防止當地的民族主義運動終結殖民統治。對於英國、法國與荷蘭這三個歐洲帝國來說，東南亞的經濟資源極其重要，特別是這些資源可以產生國內急需的美元收益。此外，對於共產主義蔓延的恐懼（共產主義在軸心國倒臺後成為新的全球敵人），或多或少能解釋這些帝國為什麼最終採取如此暴力的鎮壓手段。最重要的是，叛亂團體對於重新歸來的殖民者施展的暴力攻擊，刺激了殖民者發動殘暴戰爭以重建對當地的控制。這些戰爭在各方面都像極了軸心國在歐洲與亞洲戰場發動的平叛戰爭。在印尼，日本在投降前夕開始大力支持當地的獨立運動，甚至允許民族主義領袖蘇卡諾（Sukarno）與哈達（Muhammad Hatta）獨立。印尼於是在一九四五年八月十七日宣布獨立。與緬甸和印度一樣，印尼在戰時出現了廣泛的民粹主義運動，這些運動致力於「自由獨立」（merdeka）的理想，希望爭取自由，擺脫殖民者的壓迫。「青年誓言運動」（pemuda）創造出支持激進起義的爪哇年輕世代，他們訴諸暴力反對荷蘭殖民者回歸。充滿領袖魅力的青年誓言領袖邦托莫（Bung Tomo）在廣播中表示：「我們極端主義者寧可讓印尼被鮮血淹沒沉入海底，也不願再次遭到殖民！」[60]儘管如此，同盟國仍認為必須讓荷蘭恢復一定程度的統治。一九四五年九月，大英帝國部隊抵達爪哇島與蘇門答臘島，隔年春天，第一批荷蘭部隊也跟著抵達。英國指揮官發現，返回印尼的荷蘭官員堅持恢復對印尼的控制。這些荷蘭官員在戰爭期間置身事外地待在澳洲的哥倫比亞營，坐等重回舊殖民地進行統治，完全未能察覺當地的民心變化。一九四五年十月，當短視的副總督范莫克（Hubertus van Mook）抵達印尼任職時，看到了一些告示，上面寫著他看不懂的文字。他的副官臉色凝重地告訴他，上面寫的是「殺死范莫克」。[61]

英軍在印尼一直待到一九四六年十一月，並且捲入了荷蘭軍警與印尼叛軍之間的紛爭。荷蘭不接受印尼共和政府，荷蘭軍警於是對印尼民眾毫不客氣地施以暴力。印尼叛軍雖然缺乏組織，卻持續造成荷蘭人傷亡。然而這一切都無法阻止「青年誓言」認定英國人也是印尼人追求獨立的障礙。大英帝國部隊在撤離印尼之前，於一九四五年十一月與印尼民族主義部隊在港口城市泗水交戰。青年誓言的民兵從即將離去的日軍手中奪得重武器，不僅攻下泗水，還殺害英軍指揮官，並且對困守城中的荷蘭與歐亞混血兒進行血腥屠殺，割下他們頭顱、四肢與生殖器。[62]儘管如此，英軍的反擊也完全超出合理範圍。在皇家海軍輪番砲轟之後，兩萬四千名大軍、二十四輛戰車與二十架飛機發動報復攻擊，將泗水夷為平地，估計殺死了約一萬五千名印尼人，絕大多數是在雙方交火時喪生，此外英軍也有六百人陣亡。這場毀滅行動並未取得預期效果——雖然荷蘭與叛亂分子協商停火，並且提議給予印尼共和國半獨立的地位，但協商依舊在一九四七年夏天破裂。

荷蘭強硬派堅持做出軍事回應。從一九四五年到一九四九年，荷蘭總共派出十六萬名軍隊與三萬名武裝警察前往印尼，此外也派出由威斯特林（Raymond Westerling）率領的「突擊部隊」對民族主義反抗軍施加恐怖手段。[63]荷蘭人在二戰時對軸心國的武裝反抗，似乎未能連結上他們對印尼人的野蠻鎮壓，那些支持鎮壓的政治人物似乎忘了自己當初也曾是反抗者。[64]當時荷蘭流行一句話，「丟了東印度，國家無活路」，這句話使得荷蘭民眾支持一場違反傳統交戰規則的戰爭。為了避免被指控犯下戰爭罪，荷蘭軍隊把這場戰役稱為「治安行動」。未經審判的拘禁，訊問時進行刑求，恣意殺戮，這些作為構成了這場反暴亂行動。一名荷蘭士兵寫道：「你必須心如鐵石，不能被苦難與悲慘影響。」從荷蘭抵達當地的士兵必須謹記的一句話是：「在你中槍前先開槍，不要相信深色皮膚的人！」[65]在持續四年的衝突中，估計有十萬到十五萬名印尼人被殺，有些人是在交火時喪生，有些人則是族群暴力下的受害者。這場戰爭到最後犧牲了太多生命與耗費了太多物資，使得荷蘭政府難以向日漸不滿的民眾解釋。一九四九年十二月二十七日，荷蘭與印尼簽訂協定，約定兩國成為一個新「國協」的對等夥伴國，荷蘭女王朱麗安娜（Queen Juliana）便正式將權力移交給印尼總統蘇卡諾。[66]然而這份協定很快就被撕毀，因為荷蘭堅持保有剩餘的殖民地西新幾內亞，好對國內失望的殖民遊說團體有所交代。荷蘭計畫讓西新幾內亞成為模範殖民地，卻未能實現，而印尼政府對西新幾內亞的主權主張，幾乎讓兩國陷入戰爭。最後荷蘭決定放棄這塊領土，將其交給聯合國處理。聯合國最終於一九六三年將西新幾內亞移交給印尼。[67]

在越南，蒙巴頓勳爵的東南亞戰區司令部也成了衝突的第一線，當時大英帝國部隊占領北緯十六度以南的越南地區，以北則由中國國民政府占領。越南與印尼的狀況一樣，日本投降使由共產黨領導的越南獨立同盟會（簡稱「越盟」）及越南民族主義者利用這個機會盡速尋求獨立。共產黨領導人胡志明於八月底抵達河內，他在九月二日，也就是日本正式投降當天，引用了聯合國的民族自決與平等原則，向情緒激動的群眾宣布越南民主共和國獨立。[68]胡志明在越南全境仍遭殖民當局占領之下，成立了臨時政府。幾天後，英國格雷西將軍（Douglas Gracey）接下了越南南部的指揮權，後來又將指揮權交給率領遠征軍前來的法國將軍勒克萊爾。勒克萊爾直白表示，他此行的目的是要重建「白種人在亞洲的未來」。[69]這群剛從納粹統治下解放的法軍士兵，抵達越南後的第一件事就是絞死「人民委員會」成員（那是越盟在西貢的代表組織）。隨著缺乏武裝的越盟開始朝西貢進軍，英軍也祭出猛烈手段，不僅宣布戒嚴，還下令軍隊對任何「武裝的安南人」格殺勿論。[70]但英軍鎮壓的殘暴程度，還遠遠比不上法屬印度支那總督達尚禮海軍上將（Georges-Thierry d'Argenlieu）率領的法國殖民地部隊。達尚禮是個狂熱的天主教徒，曾經擔任過修士，希望越南人接受基督教文明。達尚禮違背巴黎方面的指示，自行建立一個分離的「交趾支那共和國」（日後南越的核心），並且在越南南方以高壓手段樹立法國權威。一九四六年十月，越盟在越南北部的河內召開國民大會，選舉胡志明擔任國家主席。當法國顯然要越南成為法蘭西聯邦的一部分而非獨立國家時，越盟與法國的戰爭就此爆發。儘管雙方曾斷斷續續試圖協商，但這場戰爭最終還是持續了八年之久。

在美國的增援下，法國與越盟游擊隊進行了一場曠日費時的戰爭。一九四九年，法國當局決定讓已經退位的保大皇帝阮福晪（日本人曾於一九四五年短暫扶植他）擔任國家元首，並且讓越南加入法蘭西聯邦，希望能藉由這些舉措展示法方願意協商的態度。由保大皇帝領導的越南臨時中央政府於一九四九年七月二日正式成立，儘管越南的實質掌控權仍在法國手中。然而，保大皇帝成為國家元首一事對於這場戰爭幾乎沒有造成任何影響，因為越盟並不接受越南不完整的獨立地位。到了一九五〇年代初，越南已有十五萬名法軍與殖民地部隊，其中新招募的越南新兵大約十萬，由法軍訓練及指揮，以便投入這場他們眼中的內戰。[71]駐紮在越南中部與北部地區的法軍經常受到游擊隊騷擾，因為以共產黨為核心的越盟控制了廣大鄉村地區。越盟獲得已經在內戰中擊敗蔣介石的毛澤東政權援助，與此同時蘇聯也開始支持越盟（史達林原本在一九五〇年之前都拒絕承認越南民主共和國）。戰事發展至此，冷戰的對抗格局已然形成。[72]越南由兩個政權分治，一個以南方的西貢為中心，另一個則是胡志明支配的越南中部與北部。一九五四年初，法軍指揮官納瓦爾將軍（Henri Navarre）計畫與越盟軍隊決戰。他想引誘北越軍隊前往鄰近越南北部與寮國邊境的小村落奠邊府，在此地一舉殲滅敵軍。法軍於是將奠邊府周遭地區改建成大型堡壘，還另外空降一萬三千兩百名士兵以強化當地兵力。納瓦爾希望吸引越盟從防禦工事的正面發動猛攻，藉此消耗北越軍力。

納瓦爾預料這場戰爭將決定法國在越南的未來，事後證明他的觀點完全正確。在中共提供重武器的支援下，越盟指揮官武元甲率領十萬名士兵與輔助部隊駐紮在奠邊府周邊的山岳地帶。一九五四年三月，武元甲決定採取包圍而非正面進攻法軍基地的策略。越盟用重砲摧毀法軍的臨時跑道，使法軍無法得到空運補給，接著越盟開始各個擊破法軍主要堡壘外圍的小型火砲陣地。隨著越盟持續砲擊，缺乏食物、軍火與醫療物資的法國守軍士氣愈發消沉。五月六日到七日晚間，法軍投降。法國戰敗使法國的殖民地美夢破滅。第二天，英國與蘇聯在日內瓦召開高峰會進行協商，試圖解決越南危機。該峰會協議將越南一分為二：法國放棄印度支那，北越、南越、寮國與柬埔寨則成為四個主權獨立的新國家。法國與越盟的戰爭帶來了慘重傷亡，不過雙方的傷亡數字卻相當懸殊。這場獨立戰爭中奪走約五十萬條越南人命，而法國與殖民地部隊則有四萬六千人死亡——幾乎相當於法國在一九四〇年戰敗的死亡人數。[73]

當法國在越南發動全面戰爭之際，英國也在馬來亞與新加坡重新加強殖民統治。馬來亞並未像印尼與越南那樣發生大規模亂事，而人們經常將此歸功於英國致力於贏得「民心」，而非發動殘酷而失敗的平叛戰役。但實際上，馬來亞境內的小規模暴動反而引發從一九四八年到一九五〇年代晚期的長年血腥戰爭，而這也是亞洲最後一場殖民戰爭。日本占領馬來亞期間，反對殖民統治的條件逐漸成熟。馬來半島擁有大量的華裔人口，約占總人口的百分之三十八，這些華裔人口加入馬來亞人民抗日軍與馬來亞共產黨，成為反對日本占領的重要力量。抗日軍在戰爭結束後解散，但戰時的激進主義並未因此消失，反而因為日本占領時期在資源上的錯置引發戰後缺糧與失業問題，進一步助長了激進思想。戰爭結束後的兩年間，英國軍政府與之後重建的殖民文官政權始終未能改善馬來亞的生活狀況，民眾因此不斷發動罷工與抗爭。二戰也讓殖民政權的回歸面臨合法性危機，民眾也對英國重建殖民政權後仍繼續在商業上剝削馬來半島感到憤怒。馬來亞共產黨、馬來國民黨，以及參考印尼「青年誓言」建立的覺醒青年團，都以「用鮮血換取獨立」(merdeka dengan darah）為口號，要求終結帝國統治。一九四七年，英國當局就以「用鮮血換取獨立」這句口號為由，將覺醒青年團的領袖博斯達曼（Ahmad Boestamam）定罪。[74]英國當局在馬來亞從事政治與族群分化，使民眾無法團結一致進行暴動。一九四七年，英國創立馬來亞聯邦，這一體制對於占多數的馬來人有利。然而，此時馬來半島部分地區的秩序已明顯崩壞。一九四八年，殖民政權對新聞自由與政黨結社自由的限制愈來愈多，導致衝突的規模愈來愈大。一九四八年六月，馬來亞總督宣布進入「緊急狀態」，這是根據一九三九年英國在二戰剛開始時通過的《緊急權力法》（Emergency Powers Act）採取的法律措施，該法允許馬來亞（與之後的肯亞、賽普勒斯與阿曼）殖民政府可以未經審判逕行逮捕、將嫌疑犯關進拘禁營、在訊問時進行刑求、實施宵禁、將「煽動文學」入罪，甚至當場殺死通緝的嫌疑犯。一九四八年七月，武裝警察突襲一間獨棟小屋，造成數人死亡，這是警方加強查緝力道以來首次造成的傷亡案件。其中一名死者是前抗日游擊隊隊長，就在三年前，他還曾率領馬來亞游擊隊前往倫敦參加勝利遊行。[75]

緊急狀態維持了十年，這段期間，英國與馬來亞安全部隊使用了一切手段鎮壓反抗勢力。馬來亞民族解放軍採取積極暴動的策略，其人數從未超過七八千人，但他們獲得如何爭取廣大民眾的支持。馬來亞民族解放軍雖然並非全數都是華人，但與過去對抗日軍時一樣，絕大多數戰士都由華人組成。馬來亞民族解放軍也並非全是共產黨員，但英國當局卻深信解放軍完全由共產黨員組成，因此解放軍的叛亂也被連結到冷戰格局，顯示出帝國對共產主義的憂慮。與印尼的狀況一樣，殖民政權對叛軍的反擊完全超出了合理範圍。儘管上級三令五申只能使用「最低程度的武力」，而野戰手冊也提到只能使用最小且必要的武力，但所有命令與規定都可以擴大詮釋。英國戰爭大臣在國會報告時提到，必要的武力「就是相當龐大的武力」，[76]包括使用正規軍的海軍艦砲朝陸地上可能的游擊隊營地進行岸轟。一九五五年的「拿騷作戰」（Operation Nassau）進行了八個月，海軍幾乎每晚都會進行岸轟。[77]一九五二年，英國的軍事行動達到巔峰，一共派出了四萬名英軍、六萬七千名警察與二十五萬名武裝馬來亞國土防衛隊，其中國土防衛隊絕大多數出自敵視華人與共產主義的馬來人族群，這些部隊都是用來實施緊急狀態的各項措施。在一個人口只有六百萬的殖民地，這樣的維安層級實在高得離譜。[78]

當局對待叛軍完全不考慮合法性問題。為了讓鎮壓合乎正當性，英國殖民地部用「土匪」一詞取代「叛軍」，就像二戰時德國人在歐洲鎮壓游擊隊使用的伎倆一樣。一九四九年，當時擔任馬來亞總督的葛尼爵士（Sir Henry Gurney）私下坦承，「警察與陸軍每天都在違法。」[79]直到一九五二年，殖民地部才終於禁止反游擊行動時為了確認而將敵人頭顱割下帶回的行為，同年也停止使用「土匪」一詞，改成冷戰時期常用的「ＣＴ」（communist terrorist的縮寫，即共產黨恐怖分子）。緊急狀態下的法規賦予「合理武力」法律依據，讓軍警單位在所謂的「自由射擊區」可以任意射殺嫌犯而不會被究責，還可以未經審判直接將嫌犯關進拘禁營。緊急法規第十七條C項授權政府流放民眾，當局因此獲准將兩萬名華人流放到中國大陸。[80]為了防止各地居民支援叛軍，英國最後授權執行強制移居計畫。大約有五十萬名華人從森林邊緣被搬遷到「新村」，新村的四周圍上鐵絲網，設置槍塔，出入口有衛兵把守。村民必須交代游擊隊的去處，不願坦承將會遭受懲罰，例如減少糧食配給、強制商店歇業與宵禁。到了一九五四年，殖民政府已經設置了四百八十座新村，此外還移居了六十萬名勞工以便監視控制。三年後，超過三分之二的叛軍死亡，共產主義的威脅也被認定完全終結。一九五七年，馬來亞獲准獨立，阿布都拉曼（Tunku Abdul Rahman）在一九五五年首次全國大選中獲得馬來人壓倒性的支持成為馬來亞首相。

二戰結束後，東南亞又經歷了十年的戰時暴力與壓迫，最終導致帝國終結。帝國面對戰時失去的領土，不確定該如何重新進行殖民。此後殖民地風起雲湧的獨立浪潮，雖然有帝國默許的因素，但更多是各民族努力爭取的結果。歐洲殖民帝國在亞洲各地的崩潰，最終被視為值得慶賀的歷史里程碑。最能體現這點的，就是一九五五年四月十八日到二十四日在印尼城市萬隆舉辦的亞非國家會議。包括中共在內，出席的二十九個國家總共代表了十五億人，超過當時全球人口的半數。萬隆會議的結論是，透過一連串獨立運動，已可清楚看出整個世界正走向拒絕「西方主義」的道路。最後，會議公報呼籲終結所有既存的殖民主義與停止一切建立新殖民主義的嘗試。籌辦者認為這場會議象徵戰後秩序正在不斷變遷。會議的組織者印尼總統蘇卡諾讚揚「世界的歷史展開了新頁」，亞洲與非洲國家終於能在擁有「自由、主權與獨立」的前提下一起開會商討。

相較之下，非洲的殖民地、保護國與託管領土的自由仍有待爭取。在第一波去殖民化的浪潮之後，非洲成了世界上唯一一個帝國強權仍穩固遂行殖民統治的地區。這些帝國相信非洲情勢相對穩定，尤其是等戰爭的破壞過去之後。相較於難以對付的亞洲民族主義，非洲的民族主義運動則發展落後。法國、英國與比利時雖然口頭上表示會發展非洲領土，使其成為「自由主義式帝國」的模範，但許多歐洲人仍舊認為，對於這些還沒有能力管理自己的民族來說，民族自決依然是個遙遠的目標。一九五四年，英國殖民地大臣霍普金森（Henry Hopkinson）表示，有些領地「無法期望能獲得完全獨立」。[81] 英國史家沃森（Hugh Seton-Watson）感嘆，讓非洲人獲得民主，只會讓「文明悲劇性地衰頹」並且「倒退回到野蠻時代」，歐洲人將被「山羊、猴子與叢林取代」。[82] 儘管如此，人們仍期盼帝國強權能尊重《聯合國憲章》的精神，「承擔義務……確保依賴的民族能取得進步」，包括朝自治邁進。一旦亞洲殖民地獲得獨立，那麼拒絕讓非洲殖民地與保護國自決，在政治上將變得難以自圓其說。聯合國的「託管領土」更是如此，其中絕大多數都位於非洲。受託管理這些領土的國家，過去也曾受託管理相同的地區，只是當時是受國聯託管。這一回，這些管理國必須接受聯合國非自治領土資訊特別委員會與託管理事會的監督。託管理事會由八個負責管理託管領土的成員國組成，此外還從聯合國大會挑選八個成員國加入。特別委員會成為殖民者與批評者之間的戰場，因為許多成員國來自剛獨立的託管領土。英國與法國拒絕在年度託管報告提供政治與憲政議題的資訊，因為兩國認為這些資訊屬於內政，外國不得干涉。直到一九五一年，聯合國才通過決議要求負責管理託管領土的國家必須針對人權問題提供額外資訊。此時歐洲帝國終於發現自己對待非洲民族的方式將會受到外界檢視，這項現實最終導致了各個帝國在一九五〇年代晚期與一九六〇年代初期先後放棄了殖民地。[83]

即使受到外界檢視，託管領土依然免不了遭受政治壓迫。在法屬喀麥隆，喀麥隆人民聯盟（一九四八年成立的獨立運動組織，主張民族自決是明文規定的人權）遭到法國殖民政府的無情取締。一九五五年，該聯盟被認定為共產組織而遭到禁止，成為託管領土第一個被禁止的政黨。人民聯盟主席逃往鄰近的英屬喀麥隆託管領土，但依然遭到法國緝捕與刺殺。繼法國之後，英國也對喀麥隆人民聯盟發布禁令，並在一九五七年六月將其餘聯盟領導人流放到蘇丹。根據紐約的人權監督組織國際人權聯盟估計，法國與英國至少違反了聯合國《人權宣言》中的五項主要條文。光是一九五六年，喀麥隆就有四萬五千份關於人權侵害的請願書送到聯合國。[84]

少了託管理事會的監督，殖民統治很可能像東南亞一樣嚴酷。在肯亞，基庫尤人（Kikuyu）因為遭到白人移民社群搶奪土地與剝削而發起暴動，肯亞當局於是在一九五二年十月宣布進入緊急狀態。這些暴動組織者被稱為「茅茅」（Mau Mau，根據傳統部族權威，該詞意指「貪婪的食客」），而他們隨後組織了土地自由軍，部分領導人還曾在緬甸與英軍一起對抗日本人。土地自由軍的一名領導人說道：「我們無法接受歐洲人比非洲人優越的說法。」[85]他們成群攜帶各式各樣新舊不一的武器，隨機殺害白人農民家庭。[86]當局對於這場暴亂的反應，也是歷年來英國鎮壓暴亂最極端的一次。即使有部分基庫尤人在各地負責鎮壓暴亂的國土防衛隊服務（讓茅茅運動演變成一場殖民地內戰），效忠於殖民政權，但當局仍認為「全體基庫尤人」都必須為這場暴亂付出代價。[87]與馬來亞一樣，英國也在肯亞實施「新村制度」並且逼迫一百萬名基庫尤人移居新村。英國也把監禁中心設在偏遠地區，巔峰期曾經關押了七萬名犯人，這些犯人必須從事艱苦勞役與不斷遭受暴力對待，而虐待他們的主要是為殖民當局服務的肯亞人。[88]超過一千名茅茅領袖被絞死，一萬一千零五十三人（官方數字）在自由射擊區與安全掃蕩區被殺。當局會篩選出一些被拘禁者，讓他們從那些發過誓的茅茅成員套出口供，但所謂的「篩選」其實是刑求、毆打與威脅閹割，以及綁著手臂吊著或倒吊。當局默認虐囚的存在，直到以虐囚聞名的霍拉營終於在一九五九年傳出有十一名犯人被毆打致死的消息，當局才改變態度。[89]經過數年鎮壓，基庫尤叛軍逐漸臣服，甘耶達（Jomo Kenyatta）領導的溫和民族主義人士與政府進行協商，承諾將尊重白人移民的權利以換取獨立，最終肯亞於一九六三年獲得獨立。此時英國與法國政府也瞭解到獨立是不可抗拒的時代潮流。一九五九年到一九六一年間，一共有二十三個非洲國家獲得獨立。

然而，在這股看似和平的獨立風潮下，卻上演了一齣最暴力的帝國終結戲碼。一九五〇年代，法國政府已經放棄建立法蘭西聯邦的想法，轉而希望與前殖民地共組法蘭西共同體：這些前殖民地將以名義上獨立的國家身分與法國合作，建立緊密關係。根據這套架構，法國的前殖民地將舉行公民投票，於是到了一九六二年，幾乎所有的法屬非洲殖民地都獲得獨立。唯一的例外是北非的阿爾及利亞。阿爾及利亞不是殖民地，而是法國直屬的一部分，但當地阿拉伯人與柏柏人受到的差別待遇卻又讓人覺得這裡就是殖民地。阿爾及利亞被劃分成幾個省分，居住在當地的法國移民擁有選舉權。二戰期間，阿爾及利亞效忠於維琪政權，直到一九四二年十一月被盟軍占領為止，才有數千名阿爾及利亞人加入自由法國軍隊。一九四五年，在歐洲慶祝勝利日當天，塞提夫省（Sétif）的法國移民（又稱「黑腳」，這個稱呼源自於歐洲人穿的鞋子）與阿拉伯示威者發生了暴力衝突，後續鎮壓造成約三千名阿爾及利亞暴動者死亡。這起事件開啟了漫長的阿爾及利亞獨立戰爭，持續到一九六二年才結束。[90]

即使實際上阿爾及利亞的原住民社會與宗主國根本少有往來，但由於阿爾及利亞被巴黎政界視為法國的一部分，阿爾及利亞民族主義因此被視為法國國內的重大威脅。一九五五年一月，阿爾及利亞總督蘇斯特爾（Jacques Soustelle）宣示，阿爾及利亞與法國不可分離：「法國不會離開阿爾及利亞，就像法國不會離開普羅旺斯與布列塔尼一樣。」[91]就在幾個月前，阿爾及利亞民族解放陣線（該組織領導分子有些曾參加過塞提夫暴動，而且在牢裡待了很長一段時間）開始發起零星的恐怖主義攻擊，攻擊對象包括政府、法國移民與阿爾及利亞「通敵者」。與肯亞一樣，大批法國移民社群希望獲得有效的保護，法國為此再次進行暴力鎮壓。熟悉的反暴亂景象隨後出現：任意拘禁、自由射擊區、殺害手無寸鐵的嫌犯，拷問游擊隊員與可能的共犯。這類做法缺乏實質效果，結果就是民族解放陣線的人數與戰力不減反增。解放陣線強迫地方社群提供協助，或將這些人擺在交火的前線位置充當砲灰。到了一九五六年，阿爾及利亞已經駐紮四十五萬名法國軍隊，其中絕大多數都是徵召兵。在這場阿爾及利亞戰爭中，法國服役的士兵曾一度達到兩百五十萬人，由此可以看出法國為了鎮壓這場暴亂所動員的兵力規模。法軍戰死的人數有一萬八千人，阿爾及利亞人的死亡人數則估計達到五十萬，死因包括戰死、復仇殺戮、饑荒與疾病。[92]

法國決定仿效東南亞的遷村移居計畫，結果對阿爾及利亞社會造成毀滅性的影響。在阿爾及利亞獨立戰爭期間，地方行政長官帕彭（Maurice Papon）推動了「重新遷徙計畫」，要讓叛軍無法得到鄉村人口的支援（帕彭最著名的事蹟之一就是曾在二戰時期協助納粹將法國猶太人送進集中營）。帕彭逼迫阿爾及利亞民眾遷徙到簡陋的現代村落居住，徹底破壞阿爾及利亞的傳統村落或游牧生活。法軍對這些傳統村落實施焦土政策，同時也設置自由射擊區，凡是踏進這塊區域者都格殺勿論。到了一九六一年，法國政府已經在阿爾及利亞設立了兩千三百八十個重新遷徙中心。官方數字顯示有一百九十萬人移居，但最近的一項估計則認為實際高達兩百三十萬人，占鄉村人口的三分之一。大約四十萬名居住在撒哈拉沙漠邊緣的牧民遭強行遷徙，並因此失去了九成的牲口。這場大規模的強迫遷徙破壞了阿爾及利亞的農業。於是從一九五四年到一九六〇年，小麥與大麥的產量減少了四分之三，成千上萬的民眾面臨饑荒威脅。阿爾及利亞還有百分之七十五的森林地帶被凝固汽油彈摧毀。[93]法國採取孤立與大量部署兵力的策略，最終削弱了民族解放陣線的軍事基礎。民族解放陣線原本在一九五八年擁有大約五萬名兵力，而在法軍、六萬名親法阿爾及利亞民兵與屯墾居民自衛隊的追擊下，到了一九五九年只剩下原有兵力的一半。[94]然而到了這個時期，平叛行動的棘手程度與高昂代價已經導致法國第四共和倒臺，戰時領袖戴高樂重新接掌政權。戴高樂知道法國民眾已經受夠了這場不可能打贏的戰爭，更遑論這場無意義的戰爭完全牴觸了當前去殖民化的世界潮流。一九五九年九月十六日，戴高樂宣布他將尋求停火、授權大赦、舉辦阿爾及利亞大選與開啟自決程序。堅持反對停火的移民社群發動了一波暴力行動，而支持祕密軍事組織進行殘暴反游擊戰的法軍將領們也於一九六〇年到一九六一年發動了一場失敗政變。一九六二年七月，阿爾及利亞獨立，民族解放陣線領袖貝拉（Ahmed Ben Bella）成為阿爾及利亞總理。值得一提的是，貝拉當年在二戰時曾經加入自由法國並投入義大利戰場，還曾因為卡西諾山戰役而獲頒勳章。

與軸心帝國的終結一樣，舊帝國緩慢的崩潰過程也引發了新一波的移民潮，英國、法國、荷蘭與比利時的殖民者、官員與警察開始尋找新的家園。「黑腳」離開阿爾及利亞，一百三十八萬人移居法國，五萬人移居西班牙。三十萬名荷蘭人離開印尼。當比屬剛果終於在一九六〇年獨立時，也有九萬名比利時人放棄原本的家園。根據估計，經歷二戰與二戰後漫長的殖民地暴力騷亂之後，大約有五百四十萬到六百八十萬人從前帝國領土返回歐洲。對於被殖民者來說，歐洲帝國的最後一搏為所有暴亂地區帶來慘重傷亡，或因為戰爭，或因為族群與宗教衝突，或因為飢餓與疾病，結果就是從印尼到阿爾及利亞有多達一百萬人口死亡（雖然絕大多數的統計僅止於推測）。此外，強制勞動、未經審判予以監禁、強制移居、流放與驅逐，這些都讓各地社群流離失所，也動輒出現嚴重的權力濫用。這就是西方國家首次進行的「反恐戰爭」，違反的不只是聯合國《人權宣言》，連紐倫堡審判德國戰犯後定下的重要原則也被破壞殆盡。濫用權力者普遍未受懲處，也未公諸於世。「二戰結束後的殖民地戰爭」為新領土型帝國主義譜下一段混亂而暴力的終曲。這類型的帝國主義開始於一八七〇年代，於一九四〇年代達到巔峰，最後在一九六〇年代徹底崩潰瓦解。

## 民族國家的世界

亞洲與非洲帝國的終結，使聯合國的性質出現變化。當聯合國的概念在一九四二年出現時，羅斯福與邱吉爾都已經把「民族國家」視為該組織的關鍵字，即便當時英國與法國仍是帝國。羅斯福與邱吉爾當時考慮的只有歐洲、美洲與紐澳的國家，但隨著往後二十年的去殖民化運動，亞洲、非洲與中東所謂「第三世界」的獨立國家已經在聯合國裡形成壓倒性的多數。歐洲帝國最初在劃定疆界時鮮少考慮文化或族群差異，這導致一九四五年後殖民地只能被迫在殖民強權劃定的疆界裡尋求獨立。雖然有些人試圖超越民族的束縛，提出聯邦或共同體的概念，特別是在法語非洲，但這類想法最終不敵民族認同的強大誘惑力。[95]在一九四五年的聯合國組織會議上，已經有五十一個國家出席。想加入聯合國的國家必須對軸心國宣戰，宣戰時間不得晚於一九四五年三月八日。但出席組織會議的國家，有不少也在同盟國內部造成爭論，例如烏克蘭與白俄羅斯嚴格來說不算國家，印度則尚未獨立，波蘭雖然是第一個與軸心國作戰的國家，但波蘭加入聯合國一事卻成為冷戰的爭論焦點。到了一九五五年萬隆會議召開時，已經有七十六個國家加入聯合國，包括奧地利、匈牙利、羅馬尼亞與義大利等前軸心國。到了阿爾及利亞與肯亞分別於一九六二年與一九六三年獨立時，聯合國已經有一百一十二個成員國，除了葡屬安哥拉與莫三比克尚未獨立之外，所有主要前殖民地都加入了聯合國（兩國最終也分別於一九七五年與一九七六年獨立）。日本於一九五六年獲准加入聯合國，西德與東德則一直要到一九七三年才加入聯合國。聯合國組織雖然經常被質疑是否有能力確保和平與提倡人權，但不可否認的是，聯合國清楚見證了從全球帝國到民族國家的世界轉變。

一九四五年在舊金山召開的聯合國組織會議中，也出現了埃及、伊拉克、伊朗、敘利亞與黎巴嫩等中東主權國家的身影。這些國家的出席掩蓋了一項現實，即它們在一九四五年時依然在大英帝國部隊與官員的占領之下。這項二戰遺緒持續威脅著這些國家的主權。根據一九四一年秋天達成的協議，伊朗仍有一半國土被蘇聯占領。由於保住中東在二戰期間的英國大戰略裡占據核心地位，這五國名義上的獨立地位也遭到英軍的嚴重破壞。巴勒斯坦與外約旦此時仍屬於國聯的託管領土，一度與已經成立的聯合國短暫共存。儘管中東在二戰前屬於英法的勢力範圍，但情勢到了一九四五年已相當明顯，那就是英法不可能維持對中東的支配。一九四一年，英軍擊敗維琪政權在中東的勢力，敘利亞與黎巴嫩於是趁機宣布獨立，而兩國的獨立地位在一九四四年獲得蘇聯與美國承認。二戰結束後，戴高樂的自由法國一度想恢復法國對敘利亞的支配，法國在敘利亞的駐軍便在一九四五年五月以報復當地反殖民遊行為由對大馬士革市中心進行砲轟。英軍指揮官出面干預，宣布戒嚴，要求法軍不許離開軍營。英國與美國都不希望看到法國在中東重新立足，因此兩國都願意支持敘利亞與黎巴嫩獨立。一九四五年六月二十一日，敘利亞與黎巴嫩政府共同主張法國無權管理託管地，兩國的獨立地位因此獲得確立。一九四六年夏天，最後一支盟軍部隊離開敘利亞。[96]英國在外約旦的國聯託管地也在與阿布杜拉國王（King Abdullah）達成協議後迅速結束託管，根據協議，英國可以繼續在當地駐軍，甚至可能支持國王的個人野心，併吞鄰近領土建立「大敘利亞」，然而美國國務院公開反對約旦擴張，因此這項計畫只能作罷。一九四六年三月，外約旦成為獨立國家，考慮到外約旦依然與英國利益密切相關，美國與蘇聯並未立即承認這個新國家，直到約旦在一九四九年取代外約旦在聯合國的席位之後，美蘇才正式承認約旦的獨立地位。[97]

法國被逐出中東之後，英國對中東的主要關切依然承襲了二戰時期的重點：阻止蘇聯滲透中東，維護英國在伊拉克與伊朗的石油利益，在戰略上繼續控制蘇伊士運河以維持與帝國東方領土的連結。伊朗的局勢最為危險，英國十分憂心蘇聯勢力會入侵伊朗與威脅伊朗石油供給。英國在戰時曾與蘇聯達成協議，雙方約定在戰爭結束的六個月後必須將軍隊撤出伊朗。一九四六年三月，英軍撤離，但蘇軍卻文風不動。蘇聯政府試圖施壓民族主義分子蓋瓦姆（Ahmad Qavam）領導的伊朗政府，要求取得伊朗北部的石油利權，並且讓居住在伊朗北部的亞塞拜然人建立自治區。一九四六年五月，蓋瓦姆答應蘇聯的要求簽訂條約，蘇聯於是撤軍，但不久伊朗政府就在英美的強大壓力下拒絕履行條約。史達林再次讓步，因為此時他正專注於東歐的政治重建，不希望在伊朗與英美發生衝突。[98]儘管如此，共產黨的威脅並未解除，不僅伊朗人民黨開始崛起，伊朗國內還掀起了罷工與人民抗爭熱潮。英國外交部與英伊石油公司派駐伊朗的人員進行了反共宣傳戰，賄賂伊朗官員與報紙編輯。一九四六年七月，伊朗人民黨發動大罷工，阿巴丹油田陷入癱瘓，英國外交大臣貝文派軍進駐英國位於伊朗巴斯拉的基地進行威嚇。儘管罷工失敗，但蓋瓦姆政府的態度卻在八月間轉趨強硬，拒絕英國干預伊朗事務。[99]三年後的一九五一年三月，伊朗新任首相摩薩台（Mohammad Mosaddeq）在伊朗國會支持下將英伊石油公司收歸國有。繼任已故貝文而成為英國新任外交大臣的莫里森，想要派遣七萬名部隊前往伊朗保護英國的石油利益，但美國卻要求英國謹慎行事。美國國務卿艾奇遜（Dean Acheson）批評英國的舉動「簡直是瘋了」。英國於是在一九五一年十月被逐出伊朗。埃及一份報紙表示：「英國在中東已經完全失去威望。」[100]但這項說法言之過早。一九五三年，英國軍情六處與美國中情局密切合作，在德黑蘭發動政變，推翻摩薩台政權。石油於是持續流入設在伊朗的英美公司，直到一九七九年伊斯蘭革命為止。[101]

伊拉克也成為英國用來圍堵蘇聯威脅的前線。英國在伊拉克擁有空軍基地，隨時可以對蘇聯發起軍事行動。伊拉克雖然名義上已經獨立，但從一九四一年發動叛亂遭到鎮壓後直到二戰結束為止，一直形同英國的託管地。二戰結束後，伊拉克雖然恢復了名義上的獨立地位，但受到英國恩庇的伊拉克政治人物卻依然接受英國對伊拉克的支配。英國外交大臣貝文一直想透過簽訂條約的方式在中東建立帝國，而伊拉克就是個典型案例。雖然英國行政官員與絕大多數大英帝國部隊已於一九四七年撤出伊拉克，但用來取代一九三〇年獨立條約的新約卻在樸茨茅斯港的英國戰鬥艦勝利號（*Victory*）上簽訂，這是一個充滿象徵性的帝國主義場景。《樸茨茅斯條約》（與一九〇六年為了結束日俄戰爭而於美國緬因州樸茨茅斯簽訂的同名條約不同）於一九四八年一月簽訂，英國因此得以維持在伊拉克的軍事特權。但就跟在其他地區一樣，英國低估了伊拉克國內的反帝國主義情緒。在爆發大規模的反英暴亂之後，伊拉克攝政阿布杜勒（Abd al-Ilah）拒絕履行《樸茨茅斯條約》，英國在伊拉克的利益因此嚴重受損。一九四八年，伊拉克脫離英鎊區，四年後又與英國協商取得英國石油利權的一半收益。一九五五年，伊拉克將兩座英國空軍基地收歸國有（也就是英國原本打算在蘇聯威脅伊拉克時用來轟炸蘇聯的基地）。一九五八年，一場軍事政變徹底結束了伊拉克與英國的殘餘連結。[102]

英國在中東地區的利益中，沒有比蘇伊士運河更重要的存在。該運河是英國人的命脈，英國早在二戰初期就已嚴密防守此地。英國參謀首長會議認為蘇伊士運河是連接英國與亞洲帝國領的交通要道，即使在印度與巴基斯坦獨立之後，蘇伊士運河仍可充當對抗共產主義的前線基地，英軍可以從這裡投射空軍與陸軍，因應蘇聯可能的威脅。英國對於蘇伊士運河的軍事價值極其重視，因此首要之務就是排解阿拉伯人與猶太人的多年衝突以維持巴勒斯坦託管地的穩定局面，以及與埃及政府訂定協議。英國與埃及國王與埃及政府的關係早在二戰時期就已不太順利，等到盟軍勝利之後，雙方關係更是迅速惡化，因為此時美國已取代英國成為埃及的主要投資與商業援助來源。[103]埃及國王法魯克希望終止一九三六年的《共同防禦條約》，因為根據這份條約，大英帝國部隊在戰爭期間可以在埃及境內作戰。一九四五年，英國控制的蘇伊士運河區是全世界最大的軍事基地，有十座機場與駐紮二十萬大軍的三十四座軍營。[104]隨著戰後復員，英國駐軍數量開始明顯減少，到了一九四六年，大英帝國部隊從埃及各地撤離，只剩下運河區仍控制在英國手中。但埃及政府堅持英軍必須全數撤離，並且單方面廢除了一九三六年的《共同防禦條約》，此舉反而讓英國將運河區的駐軍增加到八萬四千人。運河區難以防範埃及穆斯林兄弟會等非正規軍的持續攻擊，而英軍的猛烈反擊也遭到美國政府的譴責。

一九五二年，法魯克國王在一場軍事政變中遭到推翻，英國仍持續與後續的埃及政府協商，希望能維持當地駐軍，避免發生邱吉爾所說的「在世人面前遭受長期羞辱的失敗」(他此時二度擔任首相)。[105]儘管如此，邱吉爾最終還是同意於兩年後關閉運河區的軍事基地。一九五五年十月，英軍全數撤離。然而事情還沒完。一九五六年七月，納瑟上校（Gamal Abdel Nasser）領導的埃及政府將蘇伊士運河收歸國有，引發英法帝國在中東的最後一搏。英法與以色列政府合作奪取運河區，但這項決定卻證明是一場災難。戰爭於十月二十四日爆發，但到了十一月六日，英法卻不得不在國內輿論與聯合國譴責等各方壓力下同意停火與撤兵。[106]前自治領紛紛譴責英國的行動，大英國協頓時面臨崩潰的危機。加拿大總理如此抱怨：「那種感覺就像是發現自己叔叔因為犯下強姦罪而被逮捕一樣。」[107]蘇伊士運河危機讓英國徹底斷絕了繼續涉入中東事務的念頭，同時也成為舊帝國最後一次軟弱無力的抵抗。

由於占領埃及引發的各項問題，英國政府從一九四五年開始便嘗試以巴勒斯坦託管地做為替代的戰略基地。與埃及不同的是，英國可以直接控制這個地區而不用仰賴條約。但若從現實層面來看，這項戰略只能說是一種幻想。二戰結束後，巴勒斯坦逐漸成為長期軍事危機的焦點，不僅阿拉伯人重提建立獨立巴勒斯坦國的主張，猶太人也希望在猶太故土建立屬於猶太民族的國家。如何處置巴勒斯坦的問題早在戰爭結束前就已經浮現，只是一直遭到擱置延宕。英國傾向於避免做出可能令阿拉伯人不悅的決定，因為英國希望維持在中東的影響力，而這點必須仰賴阿拉伯人支持，因此英國不可能答應猶太人建國的要求。英國的政策依然受到一九三九年白皮書的影響，也就是限制猶太人移民巴勒斯坦的名額，否認猶太人的自治權。儘管如此，二戰期間，猶太事務局做為居住在巴勒斯坦託管地近六十五萬名猶太人的代表機構，依然持續為成立國家的可能性進行準備。猶太事務局局長古里昂（David Ben-Gurion）表示：「猶太人必須表現出他們在巴勒斯坦建國的樣子，而且必須維持這個樣子直到巴勒斯坦真的出現猶太國為止。」[108]猶太事務局有一個猶太「議會」，一個行政機構與非法的準軍事單位「哈加拿」（Haganah），該單位至少有能力動員四萬名戰士。一九四二年五月，猶太復國主義者在紐約一間飯店起草《巴爾的摩宣言》，要求在巴勒斯坦建立猶太國並由猶太人來控制移民人數。美國的支持不僅來自於無數猶太裔美國人慷慨提供資金給猶太事務局，也來自於美國的領導階層。一九四四年十月，羅斯福總統呼籲「全面開放巴勒斯坦，讓猶太人可以無限制移民當地」，這項政策不僅在當時遭受英國的大力反對，即使到了戰後，英國也堅持反對立場。[109] 猶太民族主義運動的激進分子認為相較於德國人，英國人才是猶太人建國的真正敵人。二戰期間，有兩個組織開始對英國採取恐怖攻擊，一個是以色列民族軍事組織（Irgun Zvai Leumi），日後的以色列總理比金（Menachem Begin）是其中一名領導者；另一個是以色列自由戰士（Lohamei Herut Israel），更常見的名稱是根據其領導人斯特恩（Abraham Stern）命名的斯特恩幫（Stern gang）。哈加拿表面上反對暴力行動，私底下卻支持恐怖分子的目標。一九四四年十一月，英國代理中東大臣莫因勳爵（Lord Moyne）在埃及被以色列自由戰士行刺身亡，就連支持猶太復國主義的邱吉爾也深感震驚，甚至因此重新考慮是否對猶太人「維持一貫的支持」。[110]

英國人一般來說比較同情阿拉伯人。一九四五年三月，埃及、敘利亞、黎巴嫩、伊拉克與沙烏地阿拉伯成立了「阿拉伯國家聯盟」，聯盟的優先目標之一就是為所有阿拉伯國家爭取主權，包括未來的巴勒斯坦。[111] 英國再次允許巴勒斯坦託管地組織政黨之後，有六個阿拉伯政黨組織隨後成立。巴勒斯坦阿拉伯黨也是其中之一，其領導人胡塞尼（Jamal al-Husayni）提出的要求便是建立一個獨立的巴勒斯坦國。二戰結束後的幾個月，在英國准許下，幾個阿拉伯民兵團體「拿迦達」（al-Najjda，字面意思是「隨時援助」）偽裝成運動俱樂部人員出現在巴勒斯坦。他們其實是在當地從事準軍事訓練，為即將發生的危機做準備。一九四六年二月，阿拉伯國家聯盟鼓勵巴勒斯坦民族主義者團結起來，聽從高級委員會的指揮，而高級委員會當時是由大穆夫侯賽尼率領的阿拉伯高級執行機構主導。聖戰軍與以敘利亞為根據地的解救軍等準軍事組織開始出現，後者主要由流亡的巴勒斯坦人與敘利亞志願者組成。聖戰軍與解救軍都致力於用暴力消除猶太國帶來的威脅，但這兩個組織訓練不足、武器不夠精良，難以掀起大規模的衝突。[112]面對即將爆發的內戰，英國政府的反應是在巴勒斯坦駐紮十萬名士兵，還有兩萬名武裝警察從旁輔助。由於情勢變得十分凶險，英國勤務人員開始減少在街上露面的機會，躲藏在被戲稱為「貝文格勒」的英軍武裝基地（得名於派英軍前來此地的外交大臣貝文）。

猶太人發動的恐怖攻擊規模愈來愈大。光是一九四五年十月的某個晚上，猶太人就對當地的鐵路網發動一百五十起攻擊。一九四六年六月，英國總督被授予裁量權以因應猶太人暴力造成的緊急狀態。帝國參謀總長蒙哥馬利一度失言，表示猶太人「必須被徹底擊敗，完全粉碎他們的非法組織」。[113]一九四六年夏天，英國探員已經查出猶太事務局與恐怖行動直接相關。英國占領軍於是在六月二十九日發起「阿加莎作戰」（Operation Agatha），突襲猶太事務局總部，逮捕兩千七百名嫌犯。進行突襲的英國士兵對於恐怖主義感到挫敗，高喊「我們需要毒氣室」，並且在突襲的建築物牆上潦草地寫上「猶太人去死」。為了反擊，比金下令用炸彈襲擊位於耶路撒冷大衛王酒店的英軍總部，七月二十二日發生的這起爆炸事件，導致困在酒店內的九十一人死亡，其中有二十八人是英國人。爆炸案是個轉捩點，導致英國民眾把占領的代價與犧牲拋諸腦後，只期望駐紮在巴勒斯坦的英軍能在公眾的充分監督下毫不留情地進行鎮壓掃蕩。幾個月後，巴勒斯坦宣布戒嚴，但兩個星期後又因為政治風險過高而暫停實施。

儘管如此，英國當局並未鬆懈，依然針對想規避嚴格禁令偷渡到巴勒斯坦的猶太移民進行嚴厲盤查。美國猶太復國主義者慷慨解囊包下班赫克特號（*Ben Hecht*）等幾艘船載運猶太人偷渡到巴勒斯坦，這幾艘船卻在巴勒斯坦領海遭英軍攔截，船員遭囚，難民則送到賽普勒斯營區。貝文的祕密指令取了一個恰如其分的代號叫「阻礙作戰」（Operation Embarrass），英國特工奉命破壞在歐洲港口停靠的猶太難民船隻，手段包括汙染食物或飲水，以及使用吸附水雷。最著名的事件便是出埃及一九四七號（*Exodus 1947*），該船載運的都是身體比較虛弱的老人、懷孕婦女與兒童。這艘船在滿載民眾的狀況下，遭英軍兩艘驅逐艦碰撞而受毀（由於該船未成功碰觸水雷，因此驅逐艦不得不上前截停）。出埃及一九四七號被拖到巴勒斯坦港口，乘客被迫下船，隨即又被送上三艘遣返船將他們載運到漢堡，最後在手持軟管、催淚瓦斯與警棍的英國軍警逼迫下，這群精疲力盡而衰弱的猶太人只能下船，最後被送回德國營區。[114]出埃及一九四七號事件引發了公關災難。一名殖民地部官員表示：「我們不願面對的現實是，在這起緊急拘留事件中，我們的所作所為跟納粹沒什麼兩樣……。」[115]

猶太移民爭議最終促使英國結束對巴勒斯坦託管地的統治。美國因為猶太移民爭議而不願支持英國對巴勒斯坦危機的處置方式，英國的國際聲譽也因為難民船事件而一落千丈。一九四五年夏天，德國西部與奧地利原本只有兩萬七千名流離失所的猶太人，但不久波蘭與蘇聯政府又從東歐送來大量「無法遣返」的猶太人，表面上是基於人道理由，實際上卻是因為在戰後反猶太主義的氣候下，將這些猶太人留在國內不利於整合與同化。到了一九四六年夏天，估計已經有二十五萬名流離失所的猶太人，其中絕大多數居住在對猶太人較為同情的美國營區裡。這些被營區收容的猶太人，絕大多數都想前往英國的巴勒斯坦託管地。聯合國善後救濟總署曾對一萬九千名流離失所的猶太人進行問卷調查，結果發現有一萬八千七百人表示他們屬意的新家園是巴勒斯坦。一名年邁的猶太人在一九四五年解釋說：「我們在別人的土地上工作與掙扎求生，這樣的日子實在太久太苦。我們必須擁有自己的土地。」[116]美國總統杜魯門派跨政府難民委員會代表哈里森（Earl Harrison）前去歐洲調查猶太人的困境。哈里森的報告揭露了猶太人令人震驚的實際情況，報告也明確支持猶太人有遷徙到巴勒斯坦的權利。杜魯門總統於是要求艾德禮接納十萬名猶太難民，但英國政府卻藉故推託。外交大臣貝文想提出一個剛好能「安撫猶太人情緒」的難民人數，但讓大量猶太人進入巴勒斯坦將會加劇危機且讓英國與阿拉伯人漸行漸遠。[117]杜魯門總統的提議是政治上的一著險棋，一方面藉此討好美國為數甚多的猶太選民，同時又能避免讓美國自己來收容大量的猶太難民。儘管如此，美國輿論確實普遍對於英國的立場感到不滿，期望英國政府能對猶太人的遷徙意願給予更充分與更人道的回應。歐洲難民組織起初把流離失所的猶太人定義為無國家之人，之後則改為「非領土型民族」，實際上給予了猶太人民族地位。一九四六年十月四日，杜魯門要求建立一個「可行的猶太國」以滿足猶太人建國的需求。對英國政府來說，巴勒斯坦的棘手衝突就跟印度危機一樣，不可能只從單方面加以解決。一九四七年二月，貝文提出巴勒斯坦兩國分治方案，希望英國以受託管理者的身分至少再統治當地五年。然而，這項方案遭到阿拉伯人與猶太人的雙重反對，英國只得將這個問題交由聯合國處理。貝文最後冷冷地留下一句：「巴勒斯坦遲早是要分治的。」[118]

結果，聯合國巴勒斯坦問題特別調查委員會也得出了相似的結論，認為巴勒斯坦問題的唯一解決辦法就是猶太國家與阿拉伯國家分治。特別調查委員會的報告獲得美國與蘇聯的強力支持，並且在美國施壓拉丁美洲與西歐的狀況下，於一九四七年十一月二十九日在聯合國大會上戲劇性地投票通過。英國在投票時棄權，同時拒絕實施特別委員會起草的分治條款，更宣布將於一九四八年五月十五日單方面從巴勒斯坦託管地撤離。英國依然在巴勒斯坦駐軍，只是活動範圍限制在營區之內。當猶太人與阿拉伯人開始爭奪特別委員會在分治地圖上為雙方劃定的區域時，內戰隨之爆發。解救軍從敘利亞基地滲透到巴勒斯坦境內，追隨解救軍的還有來自波士尼亞、德國、英國與土耳其的反猶志願軍。約旦國王阿布杜拉的阿拉伯軍團接受英國軍官訓練，此時也跨越約旦河進入西岸，防守耶路撒冷抵抗猶太人的攻擊。猶太事務局命令哈加拿採取攻勢，此時的哈加拿約有三萬五千名到四萬名武裝部隊，包括五千名二戰時期猶太旅的退伍軍人。經過一連串小規模但血腥的戰鬥之後，哈加拿控制了分治地區而且開始攻擊阿拉伯人的定居地帶，藉此取得更多領土。[119]與對手阿拉伯人相比，猶太人的武器裝備較精良、紀律較嚴明而且領導統御素質較高。一九四八年五月十四日，也就是英國撤離的前一天，當猶太事務局局長古里昂宣布以色列建國時，這個分治的國家已做好充足準備，隨時可以發起軍事行動。阿拉伯國家聯盟接著對以色列宣戰，想除掉這個新來者，但阿拉伯軍隊裝備不佳且無法協同作戰。聯合國數度要求短暫停火均遭到忽視。到了一九四九年，巴勒斯坦的阿拉伯難民已經達到六十五萬人，超過當地阿拉伯人口的一半。分治的阿拉伯國家就此胎死腹中。約旦接管了絕大多數巴勒斯坦難民所在的約旦河西岸，埃及則接管了加薩走廊。在聯合國斡旋下，各方終於在一九四九年達成一系列停火協議。同年五月十一日，以色列加入聯合國。從一九四八年到一九五一年，總計有三十三萬一千五百九十四名歐洲猶太人移居以色列。[120]

聯合國成立的最初數十年，有一個大國一直未能加入，那就是中華人民共和國。一九四九年十月，毛澤東率領人民解放軍打贏內戰，成立中華人民共和國。同年，蔣介石與殘餘的國民黨軍民逃到臺灣，此後中國在聯合國的席位一直由臺灣方面代表。無論從短期還是長期來看，在一九四五年後形塑戰後全球新秩序的所有動盪中，最引人注目的事件莫過於中國共產黨將抗日戰爭以來衝突不斷且四分五裂的中國打造成一個民族國家。抗日戰爭結束時，蔣介石與毛澤東都認為自己可以利用戰時的混亂與失序來重建新秩序。一九四五年八月底，毛澤東與周恩來前往重慶與蔣介石進行會談。在長達六個星期的協商中，雙方對於合作建立新中國交換意見，然而這場會談反而暴露出雙方對中國未來的願景存在著巨大差異。毛澤東拒絕裁減共產黨軍隊，而共產黨軍隊不久更名為人民解放軍，毛澤東也反對讓共軍聽從蔣介石的指揮。中共不願放棄對華北五省的控制，這是他們在戰爭最後一年取得的勢力範圍。[121]雖然史達林已經警告毛澤東要避免內戰，以免造成中國分裂，但毛澤東不願放棄人數超過百萬的大軍指揮權，內戰因此勢不可免。就在重慶會談進行的同時，國民黨與共產黨軍隊已經在長江流域與華北各省爆發戰鬥，共產黨軍隊也在占領滿洲的紅軍注視下進駐滿洲。

隨著蘇軍在二戰後占領滿洲，以及美國軍事顧問與武器裝備進駐中國南方，中國的未來走向引發國際關注。蔣介石的戰時西方盟邦，對於中國在新世界秩序裡居於何種地位一事意見分歧。羅斯福堅持中國要成為維護戰後安全的「四警察」，而中國也於一九四六年成為聯合國安全理事會成員。[122]但對邱吉爾來說，中國的強權地位不過是「裝模作樣」。儘管一九四三年英國在蔣介石的堅持下勉為其難地放棄在中國的特權，中國也因此廢除了「不平等條約」與取消西方在中國主要貿易口岸的治外法權，但戰後英國官員依然不改對中國的態度，以為英國仍有機會重建在中國的「非正式帝國」。[123]英國內閣遠東委員會建議「盡可能恢復先前對中國的影響力」，尤其是經濟利權。英國的意圖充分表現在一九四五年九月皇家海軍重新占領香港的行動上：英國此舉違反了與蔣介石政府的協議，未優先禮讓中國軍隊收復香港。美國反對這項既成事實並且盡一切努力確保英國不會嘗試恢復過去的地位。一九四四年末，羅斯福派特使赫爾利將軍（Patrick Hurley）前往中國，明確指示他「留意歐洲帝國主義」。[124]美國龐大的軍事與商業實力使英國不敢輕舉妄動，不過對英國而言，真正的障礙還是蔣介石。蔣介石的國民政府堅持立場，因為對他而言，歐洲與日本過去建立的舊秩序早已不復存在。

一九四五年後，英國希望中國陷入衰弱分裂，這樣英國就可以延續過去的做法榨取中國各地方的利權。美國政府的立場剛好相反。馬歇爾將軍繼赫爾利之後擔任特使，他的說法完全反映了美方的態度，那就是希望建立一個「強大、民主、統一」的中國。[125]英國對中國的影響力逐漸減弱且不受歡迎，反觀美國則對戰後的中國廣泛介入。從一九四五年到一九四八年，美國對華援助達到八億美元，超過戰時對華援助的總額。美國軍事顧問為國民政府訓練十六個師，之後又對二十個師進行基本訓練，蔣介石的軍事裝備也有八成來自美援。[126]美國政策的援助對象是蔣介石而非共產黨，但美國的援助是有條件的，那就是中國領導人必須盡快讓中國走向美國式民主——這項要求顯示美國對自己結盟四年的盟友中國依然一無所知。一九四五年十二月，杜魯門派馬歇爾到重慶調停，希望國民黨與共產黨能「透過和平與民主的方式」進行合作。[127]馬歇爾成立了「三人小組」，由馬歇爾、周恩來與張群組成，三人共同商討試圖達成第二次停戰協議。一九四六年一月，三人小組就國共停火、共組聯合政府與整軍計畫達成協議。蔣介石著手進行民主化工作，毛澤東則寫下了「中國民主必須遵循美國路線」這樣令人期待的紀錄。[128]馬歇爾對結果感到欣慰：「了不起的成就，我們居然能完成這項不可能的任務……在我們抵達之後，事情終於有轉圜的機會。」馬歇爾顯然過於樂觀。一九四六年一月底，蔣介石在日記裡提到馬歇爾不瞭解中國的政治，他寫道：「美國民族天真而易信人……遂為共黨所乘。」事實上，毛澤東真正的看法是，與帝國主義者訂定的一切協議全是廢紙。毛澤東曾對軍隊將領說道：「所有的勝負都要在戰場上解決。」[129]

正當馬歇爾以為自己促成了穩固的協議時，國共內戰卻在華北與滿洲爆發，一月中生效的停火協議頃刻間成了廢紙。重慶會談並未討論滿洲問題，但滿洲卻成了國共內戰的主戰場。對蔣介石來說，控制滿洲是最優先的事項，特別是做為抗戰開端的九一八事變就是於一九一八年在此地爆發，而國民政府當初的舉措失當才導致滿洲淪陷。一九四五年八月，蔣介石與史達林達成協議，蘇聯同意把紅軍占領的滿洲歸還中國。八月十四日，中蘇訂定友好同盟條約，約定由蘇聯控制滿洲的大連、旅順兩座港口，但蘇聯必須給予蔣介石「士氣、軍事與各項有形援助」以協助其統一中國及建立無可質疑的統治地位。[130]中國共產黨並未受邀參與這場協商，也無法確定史達林的真正意圖。日本投降後的幾個月內，超過五十萬名中共部隊在林彪帶領下進入滿洲，在農村施行土地改革與培養黨員幹部。中共想進入滿洲城市卻被紅軍拒於門外，因為史達林已經承諾將滿洲交給蔣介石政府。從一九四五年底開始，美國海軍協助運送二十二萬八千名國軍部隊與裝備到滿洲，包括蔣介石的精銳部隊新一軍與新六軍。往後幾個月，蔣介石的軍隊有七成抵達滿洲。[131]一九四六年三月與四月，蘇聯軍隊開始撤出滿洲，此時國共衝突也逐步擴大。共軍在三月被逐出瀋陽，卻在四月殲滅了長春的國軍守軍。國共停火協議如毛澤東與蔣介石預期的失敗。往後幾個月，感到幻滅的馬歇爾將軍終於說服杜魯門總統對蔣介石的軍隊實施武器禁運，導致國軍使用的美械軍火缺乏彈藥與零件。國共內戰自此完全成為中國人自身的戰爭，無論美國或蘇聯都作壁上觀。

這場攸關中國未來的內戰，起初的發展讓人無法預料到最終結果。停火破裂後的十八個月間，國軍奪回了共產黨在長城以南占領的城市、村鎮與農村地區。到了一九四六年底，共產黨已經失去一百六十五座城市與十七萬四千平方公里的領土。一九四七年三月，國軍將領胡宗南大舉進攻陝西，攻下中共首都延安。由於潛伏在胡宗南司令部的中共間諜預先提出警告，毛澤東與其他中共高層得以在胡宗南大軍抵達前撤出延安，往延安北部與東部躲避。毛澤東留下一小支部隊象徵性地防守延安，但很快就遭到消滅。然而，胡宗南得到的只是一座空城。國民政府高層與新聞媒體都把攻占延安宣傳成歷史性大捷，甚至認為這是國共內戰最大的戰果。[132]然而，這場勝利只是假象，儘管中國共產黨在這十八個月內遭受了重大損失，但華北與滿洲的農村地區依然在中共掌握之下。與對抗日軍時一樣，共產黨的策略是建立與保護根據地，並且採取朱德提出的「麻雀戰」，化整為零對落單的敵軍進行猝不及防的突襲，再迅速退回周邊地區。共產黨高喊「農村包圍城市」的口號，透過在農村掀起社會革命，最終為共產主義在中國的勝利打下基礎。[133]

與國民黨提出的各項主張相比，共產黨提出的未來願景對戰後的中國民眾更具吸引力。戰爭造成巨大的破壞，整個中國社會顛沛流離，百姓陷入赤貧；家庭的離散使維繫家庭生活與上下尊卑關係的傳統儒家價值崩壞，日本占領與國民政府的作戰不力，也讓民眾對國民黨政權喪失信心。秩序蕩然無存對於年輕人的影響特別大，年輕人因此尋求從傳統的社會關係中解放。這也是為什麼共產黨招募的黨員與人民解放軍超過半數在二十歲以下。對於中國絕大多數農民來說，國共內戰是一場糟糕的經驗。在湖南省，有兩百萬到三百萬人死於一九四四年到一九四五年的饑荒；但到了一九四六年，居然又餓死了四百萬人。中國各地的村落莫不受到地主、黑市商人與土匪的剝削與蹂躪。在共產黨支配的地區，農民至少會受到保護，而且施行土地改革。一九四六年五月四日，中共發布《關於土地問題的指示》，要求沒收地主土地來分配給農民。抗戰時期暫時擱置的階級鬥爭，此時成為共產黨的核心訴求。在華北地區，中共推動所謂的「訴苦挖根」運動，讓農民與工人大聲說出壓迫者的名字。這場運動的目標是要讓農村窮人覺醒，讓他們瞭解自己陷入貧困的原因，並且將矛頭對準階級敵人。中共派出受過訓練的「苦根」到農村裡，偽裝出悲傷的神情，言語中流露出千篇一律的憤怒。[134]對剝削者的報復相當嚴厲，通常最終都會予以處決，與日本通敵者或國民黨員則會遭受任意的暴力懲罰。共產黨利用民眾對蔣介石與國民黨政權的敵視，指責他們讓中國陷入戰亂，無法帶領中國走出新的未來。

對蔣介石與國民黨而言，戰後局勢讓抗戰時期已經出現的財政與社會危機更加惡化。國共內戰加劇了原已嚴重的通貨膨脹，軍費竟然耗費了將近三分之二的國家開支。中國法幣與美元的兌換率，從一九四六年六月的一美元兌換兩千六百五十五法幣，到一年後貶值為三萬六千八百二十六法幣，一九四八年一月更重貶到十八萬法幣。惡性通貨膨脹影響了國民黨轄下城市地區的消費者與儲蓄者，但對於共產黨轄下自給自足的農村地區則影響較少。當蔣介石堅持日本占領區發行的通貨必須以一比兩百的比率兌換成法幣時，數千名曾為日本占領者工作或因為黑市交易致富的民眾其財富一夜蒸發。[135]通敵者或被判定為通敵者的人，被迫搬出自己的家，財產也被國民黨官員沒收，許多舊商業與官僚菁英頓時一無所有，而負責接收的國民黨官員則一躍成為新的菁英。抗日戰爭時期，層出不窮的腐敗與犯罪損害了戰爭投入，而這些現象到了戰後依然持續，民眾爭相取得各種利益，或者僅為了生存而不擇手段。聯合國善後救濟總署在中國的分支機構發現中國貪汙腐敗盛行，救濟物資被掠奪或倒賣給私人企業，而非提供給急需的貧困難民。[136]儘管打贏了抗日戰爭，但持續多年的戰爭卻讓民心疲弊，蔣介石政權也因此喪失人民的支持。一九四八年二月，蔣介石在日記裡寫道：「民心動搖已極。」[137]

蔣介石面臨的最大難題在於，他必須徹底消滅共產黨的反抗勢力，才能鞏固在華北與滿洲的戰果。對蔣介石而言，滿洲是戰略首選，因為以滿洲為戰場可以確保史達林遵守中國對滿洲擁有主權的承諾，還可以仰賴美國訓練的美械軍隊來殲滅共產黨軍隊。然而，滿洲的後勤補給僅靠一條鐵路支持，而單一補給線很容易被敵人切斷。另一方面，美國的武器禁運也對這項策略影響甚鉅，因為一旦缺乏彈藥，美械將完全失去優勢。馬歇爾將軍對自己最後僅淪為「傳達訊息」的角色感到沮喪，最後於一九四七年一月結束特使工作，返回美國擔任國務卿。[138] 美國政府開始對直接支援蔣介石政府抱持保守態度，因為這項軍事援助很可能變成無底洞。一九四八年九月，美國再次支援軍事物資，但為時已晚。[139]

由於廣大的農村地區遍布共產黨軍隊，國民黨軍隊只能集中在主要城市，無法順利返回南方。時間一長，北方的嚴寒氣候與嚴酷的生活條件便開始影響軍隊士氣，原本掌握的勝局也一點一滴流失。在一九四六年與一九四七年遭國軍擊敗後，中共便進行重新整頓，招募更多貧困與失望的城市青年，並且在蘇聯援助下重建人民解放軍。共軍在一九四六年撤退到滿洲與蘇聯邊境，蘇聯便經由邊界將武器源源不斷地交給共軍。到了一九四七年秋天，滿洲的人民解放軍再度擴充到一百萬人。一九四七年十二月，在零下三十五度的低溫下，四十萬名共軍開始進攻滿洲的城市地區，他們越過冰凍的松花江面，圍困大城市瀋陽。長達十個月的圍城，二十萬名國軍與四百萬名城市居民逐漸缺乏糧食與燃料。共軍切斷主要的鐵路補給線，使滿洲斷絕所有可能的支援而完全陷入孤立。為了彌補空中力量的不足，共軍使用了四倍於國軍的火砲，而蘇聯的技術顧問也協助將共軍的游擊隊改造成懂得進行大規模會戰的現代陸軍。[140] 一九四八年五月，林彪圍困瀋陽北方的大城長春。當國軍將領拒絕投降時，林彪便下令部隊要讓長春變成一座「死城」。[141] 從五月到十月，共軍持續圍困長春，並且在城市周邊圍起了一圈由鐵絲網、碉堡與壕溝構成的防禦工事。有些城市居民耐不住飢餓出城逃生，卻卡在城市與共軍防線之間的無人地帶，既不能通過共軍防線，國軍又不准他們回城。在夏日高溫下，堆積如山的屍體開始膨脹發臭，估計城裡城外總共有十六萬人死亡。當蔣介石命令國軍將領鄭洞國率軍突圍時，他底下的部隊竟有半數譁變。一九四八年十月十六日，長春開城投降。[142]

長春陷落之後，錦州很快也被攻下，然後是瀋陽。十一月一日，瀋陽在進入艱困的白刃戰後宣布投降。在一連串城市戰之後，蔣介石的精銳部隊喪失大半，估計損失達到一百五十萬人。共軍每贏得一場戰役，就會引發敵方陣營大量倒戈，許多中國菁英（所謂的「風派」）為了想從共產黨秩序中獲得更多好處而投共。國軍在滿洲的失敗不可避免地引發骨牌效應，使其他地區的戰事也跟著急轉直下。往後共軍的推進路徑像極了十年前日軍推進的模式。北京被圍困了四十天，最終在一九四九年一月二十二日投降，繳械的二十四萬名國軍部隊被編入人民解放軍。倉促完成的毛澤東肖像懸掛在天安門廣場，取代原有的蔣介石肖像。北京陷落，加上各地戰事失利，蔣介石因此於一月二十一日下野，由李宗仁擔任「代總統」，負起幾乎不可能成功的結束內戰協商工作。該年四月，毛澤東要求無條件投降，遭李宗仁拒絕。蔣介石在日記上抱怨，國共內戰的失敗源自於國民黨一直未能建立有效的「制度與組織」，軍隊也未能有效改革。[143] 此時，共軍開始在華北地區朝四面八方擴張。國共內戰規模最大的一場戰役便發生在徐州這個鐵路樞紐城市。將近兩百萬大軍爭搶這座通往南方的門戶，但國軍再度失利。四月二十三日，國民政府首都南京陷落，之後是武漢，一九四九年五月上海失守。雖然五月初蔣介石曾在共軍抵達前來到上海，宣稱上海將成為中國的史達林格勒，但實際上這座城市只做了零星抵抗。英國駐華公使藍來訥（Lionel Lamb）向倫敦回報時表示，南方民眾認為「中央政府垮臺已是必然結果」。[144] 一百萬共軍加上成千上萬的國民黨降軍此時位於長江北岸，隨時準備渡江南下。

史達林曾經在幾個月前再次介入，他要求毛澤東不要渡江，等待蘇聯調停。史達林希望一個南北分裂的中國，就像朝鮮一樣。他可能擔心一個統一的共產中國很可能對蘇聯形成尾大不掉的局面，也可能因為侵犯了與美國協議的勢力範圍而惹惱美國。中國歷史上不乏南北分裂的局面，而英美政府也在思考，如果蔣介石有能力鞏固南方，那麼兩個中國也並非不可接受。[145] 雖然共軍經過數個月的艱苦作戰已經疲憊不堪，而南方民眾是否支持共產黨也猶屬未知，毛澤東最後還是拒絕史達林的建議，下令共軍渡江。到了十月，共軍已拿下南方主要港口城市廣州。蔣介石再次逃往重慶，然而與當年對日抗戰的經驗不同，人民解放軍最終攻占了這座前陪都。一九四九年十二月九日，蔣介石飛往臺灣。戰鬥一直持續到一九五〇年，因為還有少數地區的國軍仍拒絕投降，但一個統一的新中國已經成為現實。九月，毛澤東在人民政治協商會議上（該組織原是蔣介石創立來回應馬歇爾建立美國式民主的要求）以勝利的姿態表示，美國帝國主義所援助的國民黨政府已經終結：「我們的民族將再也不是一個被人侮辱的民族了，我們已經站起來了。」[146]

一九四九年十月一日，抵達北京的毛澤東對聚集在天安門廣場的熱情群眾宣布，中華人民共和國正式成立。年輕的醫生李志綏後來成為毛澤東的私人醫生，他在回憶錄裡提到，那天他的「內心充滿了希望，一想到中國人所受的剝削和痛苦以及外國的侵略都將從此結束，我就感到非常高興」。[147] 國共內戰已經接近尾聲，但建立共產社會的任務卻持續為那些無法通過共產黨「好階級」測試者帶來苦難，這些人將被歸類為「中產階級」或「壞階級」。諷刺的是，違逆美國意願最早於一九五〇年一月六日承認新中國的西方大國，就是英國這個中國超過百年的帝國主義仇敵。此時的英國依然汲汲營營於尋求在中國貿易的機會。聯合國還要再等二十年才會承認中國的新現狀。一九七一年七月，阿爾巴尼亞提案，聯合國大會於是在同年十月十五日投票通過中華人民共和國為中國在聯合國的唯一合法代表。蔣介石的中華民國代表主張，國民政府對贏得二戰做出的貢獻已足夠做為中華民國擁有會員國資格的合法依據。然而這一理由遭到大會否決，中華民國代表也遭大會驅逐。十一月，毛澤東的中華人民共和國正式取代了中華民國在聯合國大會與安理會的席位。

## 新帝國取代舊帝國？

二戰創造出兩個超級強權，美國與蘇聯。兩國都捲入了帝國終結後全球秩序的重建，成為這場冷戰的兩大競爭對手——在很大程度上，冷戰正是帝國終結的產物。一九四五年後不久，就有人開始思考美蘇這兩大超級強權是否可能接續已經終結的帝國秩序，成為新的「帝國」。往後數十年間，這兩個聯邦制國家就在冷戰的背景下主導著全球秩序，而「蘇維埃帝國」與「美利堅帝國」確實也成為描述這兩個霸權的常見詞彙。一九五五年，在萬隆舉辦的亞非國家會議上，許多國家擔心舊殖民主義的結束可能導致新帝國形式的出現。伊拉克代表阿卜杜赫（Djalal Abdoh）警告出席的各國領袖，當心共產主義侵略者「用新的形式將殖民主義改頭換面」，最終顛覆我們得來不易的「人民主權與自由」。[148]另一方面，支持馬克思主義的人則認為，一九四五年後美國崛起成為全球強權，其實就是換了一張臉的帝國。蘇聯指控美國的所作所為證明它是一個宰制世界的帝國主義國家，而這種說法也成為共產主義國家的核心論述，一路持續到一九九〇年蘇聯崩潰為止。美國的自由派人士批判帝國，他們也同樣以「帝國」一詞來形容美國長期介入越南的後殖民戰爭。一九九〇年後，隨著蘇聯垮臺，「帝國」一詞也愈來愈常用來形容美國的單極霸權。[149]

蘇聯與美國在戰後成為全球霸權，其基礎無疑源自於兩國在二戰時期建立的強大軍事力，以及兩國都擁有政治野心，想將自身影響力投射到全球各地。但與此同時，美國與蘇聯也都是反殖民國家，不僅在戰時如此，到了戰後也依然堅持反殖民立場。史達林譴責殖民主義，他在一九四三年十一月的德黑蘭會議上同意羅斯福的觀點，認為戰後所有殖民地都應該交由國際託管。冷戰開始之後，蘇聯領導人認為殖民地託管還不夠，還應該讓所有殖民地自決。從一九四〇年代末以降，「社會主義」與「帝國主義」的兩極對抗就成為蘇聯戰略計畫與思維的核心支柱。[150]一九六〇年十一月，聯合國大會陷入爭吵。蘇聯代表瓦列里安（Valerian Zorin）抨擊殖民主義是「人類生活最可恥的現象」，他要求讓所有殖民地人民在一年內獲得獨立。英國代表指責蘇聯代表不斷重複「煩人的列寧主義口號」，強調蘇聯的加盟共和國根本連民族自決的地位都沒有。儘管如此，蘇聯依然認真對待反殖民主義的意識形態，並且採取務實的策略，好在機會來臨時介入殖民地的解放鬥爭。[151]

美國的戰時領袖反對殖民主義，不只是基於羅斯福主張的自由派理想主義，也基於務實的想法。美國希望破除戰前帝國主義經濟產生的特殊貿易優惠，以此來建立自由開放的全球經濟。一九四三年，羅斯福派往中東的特使赫爾利將軍抱怨英國拿美國的援助「不是為了根據《大西洋憲章》與四大自由來建立一個美麗新世界，而是為了大英帝國的征服、帝國主義統治與貿易壟斷」。[152]一九四四年布列敦森林經濟高峰會之後成立的國際貨幣基金組織與世界銀行，以及一九四七年成立的《關稅暨貿易總協定》（General Agreement on Tariffs and Trade），都是美國為了打破一九四五年以前帝國體制在貿易和貨幣方面的封閉限制而推動的重要計畫。美國的經濟野心也與去殖民化緊密交織。美國在一九四二年成立了國務院屬地委員會，探討殖民屬地在戰後脫離殖民母國封閉統治的可能性。同年十一月，委員會提出了「國際託管制度」的概念，日後成為聯合國託管理事會遵行的制度。[153]羅斯福始終大力提倡終結傳統的殖民主義，認為所有屬地都應該接受託管，且在盟邦英國的反對下依舊盤算著如何在未來終結傳統的帝國制度。到了二戰結束時，華府已經為屬地構思了某種託管形式，一方面鼓勵屬地自決，另一方面也給予屬地國際經濟援助。

英法的強力反對，導致普世託管制度在聯合國組織會議上遭到揚棄，但羅斯福的繼任者杜魯門同樣對於恢復舊帝國毫無興趣。這點可以從英國想在中國與伊朗建立非正式帝國，而杜魯門政府對此表現出敵視的態度看出。不過，美國對於歐洲盟邦恢復殖民地之事，態度就顯得比較模稜兩可。由於擔憂蘇聯的共產主義，美國領導人不再繼續堅持普世託管制度是走向獨立的捷徑。在加勒比地區，儘管一九四八年成立的「美洲國家組織」大力遊說，希望終結新世界的殖民主義，美國卻擔心若過度逼迫英國去殖民化，可能會威脅到自己的南側，因此美國只能支持英國防範共產主義者煽動獨立造成的「敵人滲透」。[154]在印度支那，羅斯福雖然極不願意讓當地再度淪為法國的殖民地，但在一九四五年後，由於擔心少了美國的支持越南將成為共產主義國家，美國於是只能接受法國的殖民地主張。至於比較不用擔心共產主義威脅的印尼，杜魯門總統就有了比較充分的操作空間。他於是鼓勵荷蘭提供當地人民自治的機會並且停止鎮壓暴動，否則就要對荷蘭進行制裁。

美國政策對於反殖民的重視，也反映在一九四五年美國屬地去殖民化的過程，這些屬地在二戰期間遭受戰爭破壞與陷入貧困，使當地人民強烈反抗美國統治，同時也憎恨與美國合作的人。一九四六年，美國依照戰前（一九三四年）承諾允許菲律賓獨立，但菲律賓社會的內部衝突引發了內戰。菲律賓內戰最終於一九五四年結束，由民族主義勝出掌權。坎波斯（Pedro Albizu Campos）領導的波多黎各民族主義運動發起了暴力抗爭，包括開槍射擊美國眾議院與計畫行刺杜魯門總統。[155]一九五二年，波多黎各成為美國的「自治領」，此後由美國提供發展資金以滿足波多黎各民眾的各項激進要求。一九五四年，民主黨贏得夏威夷屬地選舉，夏威夷群島在一九五九年從保護國升格為美國聯邦的一個州。古巴是美國於一八九八年擊敗西班牙後取得的屬地，名義上是獨立國家，但實際上緊密依附於美國。一九五九年的古巴革命使卡斯楚（Fidel Castro）掌權，導致兩國超過五十年的時間無法建立正常關係。由於深信這是共產黨「敵人」對加勒比地區的「滲透」，艾森豪政府採取了孤立或去除卡斯楚政權的政策。古巴就此與莫斯科當局建立了短暫但卻緊密合作的關係，此前兩國從未出現過如此密切的連結。[156]

把蘇聯與美國稱為「帝國」，其中的意義顯然不像字面表示的那樣簡單。帝國這個詞彙的運用十分彈性，從古典時代到二十一世紀，各式各樣的歷史案例都可以使用帝國一詞來加以描述。然而，帝國的定義在一九四五年確實出現了改變，那就是「領土型帝國的終結」。領土型帝國原本是帝國諸多定義中較為明確的一種，這種帝國會直接征服領土並使原住民人口喪失主權地位，變成殖民地、保護國、託管領土、特殊居留地或共管領土。德國、義大利與日本的戰時帝國，就跟英法等舊帝國一樣具有領土型帝國的性質，部分舊帝國的歷史甚至可以追溯到四百年前。美蘇兩大超級強權確實建立了霸權，但其地位並非以這種領土型帝國為基礎。一九四五年後，領土型帝國的正當性被徹底終結，再也未能恢復。前帝國強權未能恢復過去的領土型帝國，只能轉而推行新殖民主義。結果就是前帝國殖民地在獨立很長一段時間之後，依然與前殖民母國維持著文化、經濟與國防上的利益關係。

認為蘇聯是帝國的說法，主要建立在蘇聯與中東歐地區的權力關係上，而這兩個地區都是蘇聯在一九四四年到一九四五年從德意志帝國解放出來的國家。蘇聯軍隊與安全部隊長期鎮壓烏克蘭、波蘭、捷克斯洛伐克與波羅的海國家的民族運動，這些國家的民眾並不想接受共產黨的統治。早在一九四四年蘇聯軍隊收復白俄羅斯與烏克蘭領土時，蘇聯就已經開始鎮壓這些地方的民族主義反抗。等到蘇聯正式兼併愛沙尼亞、拉脫維亞與立陶宛時，反抗與鎮壓也延燒到這些波羅的海國家。隨著蘇聯占領波蘭，波蘭救國軍的民族主義者也起而反抗共產黨統治。紅軍與內政人民委員部安全部隊的反應，顯示出與過去殖民國家在鎮壓殖民地暴動時相同的態度：他們不在乎自己進行的反游擊戰是否具有正當性。叛軍開始採取野蠻的暴力行動，威脅當地民眾提供消極或積極的支援。烏克蘭民族主義者組織甚至宣稱，他們一點也不關心自己要解放的民眾死活。該組織的主戰派領袖表示：「不是威嚇，而是毀滅，我們不應該在乎民眾咒罵我們採取殘酷的做法。」[157] 烏克蘭西部（原本屬於波蘭領土，後來被併入蘇聯）的解放戰爭讓雙方都付出慘重代價。從一九四四年到一九四六年，烏克蘭游擊隊的反抗導致兩萬六千名蘇聯警察、士兵、官員與平民死亡。與此同時，大約有十萬名叛亂分子於一九四五年到一九四六年遭到殺害，這在烏克蘭西部地區是很高的傷亡比例。叛亂直到一九五〇年代初最後一批游擊隊被追捕殲滅後才結束。而在立陶宛，一九四四年到一九五三年間有兩萬名立陶宛游擊隊被殺，到了最後一年只剩下一百八十八人仍繼續抵抗。[158] 蘇聯與帝國主義國家在鎮壓叛亂時只有一項主要差異，那就是蘇聯採取了大規模流放叛亂分子及其家人到偏遠地區的策略。這種大規模流放不僅可以清除當地的民族主義反抗者，也能藉由「去除階級敵人」的名義對東歐進行社會重建（這些「階級敵人」包括富農、地主、教士、民族主義政治人物與可能的德國通敵者）。一九四五年到一九五二年間，立陶宛有十萬零八千三百六十二人被流放，烏克蘭西部則有二十萬零三千六百六十二名「土匪共犯」與富農被流放到蘇聯的「特殊居留地」。[159] 拉脫維亞也有四萬三千名民族主義者、被俘的游擊隊員、富農及其家人在一九四九年三月被大規模流放到西伯利亞，此外還有十五萬人因「政治犯罪」（當然是根據蘇聯占領者的定義）而遭受懲罰。[160]

除了流放階級敵人與「土匪」（蘇聯普遍用這個詞來稱呼那些爭取解放的游擊隊），蘇聯當局也在被征服地區採取了大規模族群重建計畫，試圖降低戰後因族群衝突產生抵抗分子的可能性（族群衝突也是一九一九年後東歐新國家屢次出現衝突的原因）。到了一九四五年十一月，蘇聯已將一百萬名波蘭人從烏克蘭與白俄羅斯遣送至新波蘭，五十一萬八千名白俄羅斯人與烏克蘭人則從波蘭遣送至蘇聯。烏克蘭從捷克斯洛伐克取得外喀爾巴阡地區之後，蘇聯與捷克訂定協議，將該區的三萬五千名捷克人與斯洛伐克人遣返回捷克斯洛伐克。[161] 這些族群與社會重建計畫，目的是為了在蘇聯軍隊解放的東歐與東南歐地區實施人民民主制度。史達林最初的想法不是為了實施共產主義的統治，而是為了進行更廣泛的聯盟，讓東歐社會與經濟能朝向社會主義路線進行改革，自然而然地支持共產主義。一九四六年七月，史達林對捷克共產黨領袖哥特瓦爾德（Klement Gottwald）說：「二戰擊敗希特勒的納粹德國之後……摧毀了這些地方的統治階級……群眾意識因而抬頭。」[162]然而，多重的社會主義路線實際上難以實現，也與史達林建立親蘇國家來屏障蘇聯，使蘇聯安全不受先前敵人威脅的想法相衝突。[163]共產黨逐漸主導了保加利亞、羅馬尼亞、波蘭與匈牙利的新政權。一九四七年，冷戰形成，蘇聯高層愈來愈擔心西方干預的可能，而這種擔憂也體現在史達林對馬歇爾計畫的疑慮上，當時捷克斯洛伐克曾急欲參加這項計畫。共產陣營拒絕加入這項計畫，認為該計畫是在「鞏固帝國主義，準備進行新一場帝國主義戰爭」。[164]一九四八年二月，捷克聯合政府的貝奈斯總統（President Beneš）遭到推翻，強硬派共黨政權成立。一九四九年，當德國蘇占區成立德意志民主共和國時，所有的東歐國家都已成為親蘇聯的衛星國，而且都由當地共產黨領導。

這是否表示蘇聯已經建立了一個帝國？有幾項論點可以清楚地反駁這種說法。首先，波羅的海國家是以聯邦社會主義共和國而非殖民地的身分被強制併入蘇聯。東歐國家過去在德意志第三帝國時期屬於德國殖民計畫的一部分，此時卻恢復成為主權國家，這些國家的人口都被當成主權國家的公民而非殖民地臣民，不過他們仍缺乏傳統的公民權利。根據一九四六年二月史達林在演說中的說法，他的目標是「恢復民主自由」（當然共產黨對這些詞有自己的一套定義）。在東歐國家推行的「人民民主」有部分確實要由地方共產黨員推動，也就是承認地方民眾有權決定自己的未來。[165]在萬隆會議上，印度總理尼赫魯雖然討厭共產主義，卻為共產主義陣營辯護：「如果我們已經承認對方的主權，那麼這就不是殖民主義。」儘管共產東歐施行的政治制度並不是採用西方式的民主制度，而且經常侵犯人權，但這種政治制度依然不能與總督統治的臣民同日而語。此外，雖然共產主義經濟發展數字經常令人感到懷疑，但不可否認東歐的新國家確實經歷了一段產業與都市化快速發展的時期，而且也引進了社會福利政策。

除此之外，蘇聯的野心也並非毫無限制。一九四五年，史達林拒絕協助希臘共產黨。一九四八年三月，狄托的南斯拉夫與史達林決裂，並於六月被逐出共產黨與工人黨情報局（共產國際的繼承者）。一九六一年，阿爾巴尼亞指控蘇聯偏離了反帝國主義路線，也被逐出共產黨與工人黨情報局。史達林尊重芬蘭的獨立地位，並且堅持義大利與法國的大型共產主義政黨應該進行合作以恢復傳統的西方民主制度。史達林對歐洲以外地區興趣缺缺，也不願捲入當地的去殖民化戰爭。史達林同意將蘇聯占領的滿洲歸還給蔣介石而非毛澤東。史達林在胡志明的越南民主共和國成立的五年後才給予承認，而且幾乎未曾給予胡志明任何援助，這點與毛澤東的中國不同。史達林在伊朗避免與英國對立。史達林在一九五〇年曾鼓動北韓測試美國的決心，但不願直接介入隨後的韓戰，反倒是共產中國加入了這場衝突。在南亞、中東與非洲，儘管西方一直擔心蘇聯介入，但實際上蘇聯幾乎未曾幫助過當地的民族主義與解放運動。蘇聯的情報機構國家安全委員會（ＫＧＢ），直到一九六〇年才在撒哈拉以南的非洲開設分支機構，而當時的去殖民化與獨立風潮也已經走到了尾聲。[166]

認為美國是帝國的說法也同樣問題重重。美國新建立的權力是透過政治壓力、經濟威脅、全球情報蒐集與派駐全球的軍力來展現，但美國並非領土型帝國。在被美軍占領的德國、義大利與日本，美國設立的軍政府主要是協助恢復政府公務，提供資本進行重建計畫，讓過去的敵國建立民主議會制度，再使其重新獲得完整的主權地位。美國確實持續在這些國家派駐空軍與地面部隊，但美國同樣也有在英國設立基地與派駐軍隊，除非我們進行粗糙類比，否則也很難以此做為帝國主義的證據。儘管如此，美國仍然時常被描述成「基地帝國」。到了二十一世紀，美國至少在三十八個國家擁有七百二十五座基地，而且駐紮在全球各分區的軍隊都設有司令官。[167]美國派駐各地的軍力使美國可以將力量投射到全球各個角落，但美國的做法與英法身為殖民強權投射軍力又有不同。當羅斯福總統考慮是否應該接管英國在加勒比地區的殖民屬地，以便防衛一九四〇年與英國訂定《驅逐艦換基地協議》後新取得的軍事設施時，他最後還是拒絕了這項違反美國反殖民主義精神的做法。與史達林一樣，美國領導人最關切的還是國家安全問題，特別是在面臨共產主義威脅時，而他們從未以任何具有歷史意義的帝國角度來進行思考。美國往往更致力於簽訂區域性的安全公約，其中規模最大也持續最久的就是一九四九年成立的北大西洋公約組織。

正是在處理後殖民衝突上，美國碰到了最大的挑戰。一九四五年，當美蘇雙方同意以北緯三十八度線將朝鮮一分為二時，美軍頓時需要接手管理一個失去宗主的前殖民地。霍吉將軍（John Hodge）指揮的美國陸軍第二十四軍駐紮南韓，這對他們來說是件令人卻步的任務。二十四軍幾乎沒有任何軍官會說韓語，對於朝鮮半島也沒有清楚認識，對於這個國家近期的歷史更是一竅不通。朝鮮人不斷向美軍提出要求，最後終於獲准組織政黨，但政黨數量到了一九四五年十月已經出現了五十四個，一九四七年更是達到三百個。[168]美國很快就在朝鮮設立軍政府，由阿奇博德少將（Archibald Arnold）擔任軍政府長官，然而早期組織非常仰賴前日本官員的協助。這些日本官員在被遣返回日本前，提供了三百五十份詳細的備忘錄給美國軍政府。朝鮮人要求民族自決與經濟改革，不到幾個月的時間各地便出現廣泛的罷工事件與農村抗議活動。一九四六年一月的一份民調顯示，將近半數受訪者喜歡日本統治更勝於美國。[169]在朝鮮半島北部，蘇聯軍隊指派金日成擔任地方共黨領袖。金日成是前抗日游擊隊員，曾在西伯利亞度過戰時歲月。美軍擔心共產黨滲透到朝鮮半島南部農村的人民委員會，因此未能積極回應這些前日本臣民的自治要求。

一九四五年九月，朝鮮半島南部的民族主義者宣布成立朝鮮人民共和國，但霍吉將軍認為這個政府組織太偏向共產主義，於是在三個月後下令禁止。一九四五年十二月二十七日，蘇聯、英國、中國與美國在莫斯科會議上同意共同託管朝鮮，為期至少四年。朝鮮民族主義分子對於國家還必須等待一段時間才能獨立深感不滿，因此導致了僵局。在朝鮮半島北部，金日成等共產黨員在蘇聯指導下推動全面改革，特別是土地重分配，這項措施完全投合了朝鮮農民的想法。一九四六年下半年，金日成成立民主主義民族統一戰線，未來的共產國家開始成形。在朝鮮半島南部，美國軍政府禁止組織工會與進行罷工，並於一九四六年九月暴力鎮壓大邱市的暴動。美國與蘇聯進行協商，討論是否可能建立一個統一且獨立的朝鮮國家，結果協商破裂。九月，美國急欲擺脫昂貴而困難的占領工作，於是要求聯合國接替管理朝鮮半島的任務。聯合國朝鮮（韓國）問題臨時委員會提議舉行全國大選以產生新的立法機構，但蘇聯拒絕承認委員會的權威。選舉於是在朝鮮半島南部舉行，選舉產生的國會只代表一部分朝鮮人口，但國會最終通過憲法，選舉資深民族主義者李承晚（他曾在一九一九年向美國總統威爾遜請願，希望推動朝鮮獨立）擔任大韓民國第一任總統。一九四八年八月十五日，大韓民國（今南韓）正式成立。朝鮮半島北部也舉辦「全國」大選，選舉產生了最高人民會議，會議成員包括來自朝鮮半島南部的共產黨員，並於一九四八年九月九日成立朝鮮民主主義人民共和國（今北韓）。朝鮮的分立剛好對應了一年後的兩德。兩國都宣稱自己代表了朝鮮全境，但只有大韓民國被聯合國認定是合法政府。[170] 一九五〇年，聯合國韓國統一復興委員會成立，但隨著韓戰爆發與後續長期影響，該委員會已無成功的可能。直到一九九一年九月，大韓民國與朝鮮民主主義人民共和國才同時加入聯合國。[171]

一九四九年，美軍撤離大韓民國，結果僅一年後又再度重返。朝鮮半島的北部與南部都追求國家統一，但南方不接受共產主義，而共產主義的北方也不想與李承晚的民族主義與反共政權統一。一九五〇年六月，朝鮮人民軍進攻南方，希望建立一個統一的共產主義朝鮮。大韓民國有限的部隊被逼退到半島南端釜山港周圍的狹小地區。聯合國安全理事會在蘇聯臨時缺席下，通過決議派遣軍隊協助大韓民國。入侵者被擊敗，退回到北方，此時李承晚希望利用共產黨抵抗力量減弱的機會統一整個朝鮮半島。一九五〇年十一月，中國介入韓戰，迫使聯合國軍隊再度南撤。到了一九五一年四月，前線已經趨於穩定，而且幾乎回到戰爭剛開始的地方，雙方終於開始進行協商以結束這場衝突。一九五三年七月，雙方終於簽訂停戰協議。光是在雙方商議的這段期間之內，美國戰略空軍對朝鮮民主主義人民共和國投下的炸彈數量就已經超過二戰時期對德國投下炸彈量的總和。朝鮮半島北部主要城市大約有七成五到九成遭到摧毀。韓戰的損失遠遠超出其他殖民戰爭與後殖民戰爭：估計有七十五萬名士兵死亡，平民的死亡人數則介於八十萬人到兩百萬人之間。[172]

從韓戰的案例可以看出，冷戰對峙往往深受去殖民化危機的影響，日後的越戰也是如此。然而，韓戰的結果也在一定程度上反映出這場戰爭的本質：與其說這是蘇維埃「帝國」與美利堅「帝國」的衝突，不如說是一場意識形態的對峙。這麼說不只是語義上的差異而已。歷經三十年殖民統治的朝鮮半島，最終分裂成兩個主權獨立的國家，之後雖然打了一場持續四年的韓戰，但南北韓終究維持了各自獨立的地位。蘇聯與美國這兩個霸權確實左右了韓戰的結果與後續發展，新成立的共產中國也在其中扮演重要角色，但無論如何，一九四五年日本帝國的終結並未使朝鮮再次淪為被殖民的對象。

※　※　※

從一九三〇年代一直持續到戰後的暴力年代，這場漫長的第二次世界大戰不僅終結了領土型帝國，也讓歷史久遠的「帝國」一詞從此不再受到人們憧憬。一九六一年，牛津大學非洲學專家佩勒姆（Margery Perham）在英國廣播公司主辦的里斯講座中提到，在所有戰後遭到指責的「舊權威」中，「被罵得最慘的就是帝國主義」。佩勒姆相信這是一個深刻的歷史轉變。她表示：「從人類有歷史紀錄以來的這六千年間，帝國主義，也就是某個國家使自己的政治權力凌駕於另一個國家之上……被視為理所當然，人們認為這就是既有秩序的一部分。」然而，歷經二戰之後的人們則普遍相信，唯一的權威必須「源自於他們自身的意志，或至少要看起來像是源自於他們自身的意志」。[173]就在各國競相爭取民族國家地位的狀況下，聯合國成員國的總數於二〇一九年來到了一百九十三個。新的民族國家，無論是以國際組織的席次來展現，還是以區域公約的簽署國來表示，顯然還是無法終止衝突，但當前時代畢竟已不同於上一場帝國大戰爆發之前的時代了。第二次世界大戰的影響遠遠超過美國獨立戰爭、拿破崙戰爭或第一次世界大戰，因為這場戰爭不僅改變了歐洲，也改變了全球的地緣政治秩序。如同伍爾夫在一九二八年推測的，領土型帝國的最後階段並未「安詳地入土」，而是跟著盈滿過量的「鮮血與廢墟」一起被埋葬。

# 插圖說明

**卷　首**：圖中描繪的是一九一一年義土戰爭期間，義大利陸軍抵達鄂圖曼帝國昔蘭尼加省班加西港。最終，義大利控制了昔蘭尼加省與的黎波里塔尼亞省，義大利征服者將這兩省重新命名為「利比亞」。義大利是十一個歐洲帝國的一員。圖源：*D and S Photography Archives/Alamy*

**前　言**：一九四〇年九月二十七日，德國外交部長李賓特洛甫在帝國總理府德國、義大利與日本簽署《三國同盟條約》會場宣讀聲明。該條約確認了三國在歐洲、非洲與亞洲的帝國野心，三國想藉此建立全新的地緣政治秩序。圖源：*INTERFOTO/Alamy*

**序　章**：一九二五年里夫戰爭期間，法軍以火砲轟擊摩洛哥的柏柏人叛軍。這場二十世紀規模數一數二的殖民地戰爭，當地部落民從一九二一年到一九二七年持續反抗西班牙與法國軍隊，以維持自身獨立。圖源：*Photo 12 Collection/Alamy*

**第一章**：淞滬會戰中，日軍士兵躲在沙包後面，上方剛好是可口可樂的廣告招牌。上海是中國最繁華的對外港口，因此成為日軍進攻的首要目標。一九三七年十一月，在與中國國民革命軍激戰之後，日軍成功攻占上海。圖源：*CPA Media Pte Ltd/Alamy*

**第二章**：一九四一年六月二十二日，巴巴羅薩作戰開始，一群疲倦的德軍士兵在蘇聯烏克蘭某處的道路兩旁休息。絕大多數德軍是靠步行或騎自行車穿越蘇聯的鄉野地區。圖源：*World of Triss/Alamy*

**第三章**：一九四四年八月，在橫越法國的莫爾坦戰役後，盟軍西線最高司令艾森豪將軍走過一輛翻覆的德國六號「虎式」戰車。圖源：*Pictorial Press Ltd/Alamy*

**第四章**：一九四一年，列寧格勒的年輕蘇聯女性排成一列前去參加民兵部隊，準備對抗入侵的德國法西斯敵人。圖源：*SPUTNIK/Alamy*

**第五章**：一九四三年七月十二日，盟軍發起入侵西西里島的哈士奇作戰，英國士兵努力涉水上岸。在兩棲作戰中，從運輸艦下船是一項艱鉅的任務。士兵必須爬下繩網（可以看到登陸艦旁邊掛著繩網），然後攜帶重裝備上岸。圖源：*Shawshots/Alamy*

**第六章**：一名女性工人檢查美國波音B－29「超級堡壘」轟炸機的尾翼，美國在戰爭的最後兩年大量生產這類型的轟炸機，對日本進行遠距離轟炸。到了一九四四年，女性占了美國飛機製造勞動力的三分之一。圖源：*Granger Historical Picture Archive/Alamy*

**第七章**：一名德國士兵站在波蘭軍官與波蘭知識分子已經腐爛的屍骸之中，這些人是在一九四〇年四五月期間在卡廷森林附近遭蘇聯內務人民委員部祕密警察屠殺。一九四三年四月，德國占領軍發現了這處亂葬崗並且挖掘出屍體。直到一九九〇年為止，蘇聯政權一直堅稱這是德軍的暴行。圖源：*World History Archive/Alamy*

**第八章：**一九四四年的波蘭救國軍佐斯卡營（The Battalion Zoska），該營與其他部隊共同參與了一九四四年八月到十月的華沙起義，但最終遭德軍與安全部隊殘酷鎮壓。圖源：*UtCon Collection/Alamy*

**第九章：**一九四三年七月庫斯克會戰的兩名蘇聯年輕士兵，其中一人手持十字架等待戰鬥。每個地方的士兵都仰賴小紀念物或護身符來驅散對戰鬥的恐懼。圖源：*Albatross/Alamy*

**第十章：**猶太兒童被運往波蘭的海烏姆諾滅絕營，最後被關在毒氣貨車裡遭一氧化碳毒死。大屠殺的組織者想殺光猶太兒童，使猶太人無法繁衍後代構成德意志帝國的威脅。圖源：*Prisma/Schultz Reinhard/Alamy*

**終　章：**一九五五年四月，印尼總理尼赫魯在印尼舉辦的亞非萬隆會議上向代表們致詞，萬隆會議是首次以亞非國家為主體的大型國際會議，與會國家要不是剛從歐洲與日本帝國主義統治下獨立，就是即將擺脫殖民母國獲得自由。在尼赫魯身旁的分別是迦納（黃金海岸）代表恩克魯瑪（Kwame Nkrumah）、坦加尼喀代表尼耶雷雷（Julius Nyerere）與獨立埃及的領導人納瑟（Gamal Abdel Nasser）。圖源：*UtCon Collection/Alamy*

**卷　末：**一九七一年九月二十一日，聯合國大會在紐約召開，一百三十二國代表起立為大會開幕進行一分鐘的默禱。圖源：*Granger Historical Picture Archive/Alamy*

一九七一年九月二十一日，聯合國大會在紐約召開，一百三十二國代表起立為大會開幕進行一分鐘的默禱。圖源：*Granger Historical Picture Archive/Alamy*

**編輯說明**：以下注釋內容，為方便讀者閱讀，將會採用橫排文字的方式排版，有意參照的讀者建議從本書最後一頁開始回頭讀起。

160 Commission of the Historians of Latvia, *The Hidden and Forbidden History of Latvia under Soviet and Nazi Occupations 1940-1991* (Riga, 2005), 217-18, 251.

161 Ibid., 182.

162 Roberts, *Stalin's Wars*, 247-8.

163 Mark Kramer, 'Stalin, Soviet policy, and the establishment of a communist bloc in Eastern Europe, 1941-1948', in Timothy Snyder and Ray Brandon (eds.), *Stalin and Europe: Imitation and Domination 1928-1953* (New York, 2014), 270-71.

164 Ibid., 280-81; Roberts, *Stalin's Wars*, 314-19.

165 Norman Naimark, *Stalin and the Fate of Europe: The Postwar Struggle for Sovereignty* (Cambridge, Mass., 2019), 18-25.

166 Walton, *Empire of Secrets*, 224-5.

167 Kennedy, 'Essay and reflection', 98-9.

168 Michael Seth, *A Concise History of Modern Korea* (Lanham, Md, 2016), 105; Ronald Spector, 'After Hiroshima: Allied military occupation and the fate of Japan's empire', *Journal of Military History*, 69 (2005), 1132.

169 Spector, 'After Hiroshima', 1132-4.

170 Seth, *Concise History of Modern Korea*, 101-5.

171 *Basic Facts about the United Nations* (New York, 1995), 89-90.

172 Seth, *Concise History of Modern Korea*, 120-21.

173 Margery Perham, *The Colonial Reckoning: The Reith Lectures* (London, 1963), 13.

139 Paine, *Wars for Asia*, 245, 251.

140 Van de Ven, *China at War*, 244-7.

141 Frank Dikötter, *The Tragedy of Liberation: A History of the Chinese Revolution 1945-57* (London, 2013), 4-5.

142 Ibid., 6-8.

143 Taylor, *Generalissimo*, 400.

144 Van de Ven, *China at War*, 251.

145 Donggil Kim, 'Stalin and the Chinese civil war', *Cold War History*, 10 (2010), 186-91.

146 Odd Arne Westad, *Restless Empire: China and the World since 1750* (London, 2012), 292.

147 Dikötter, *Tragedy of Liberation*, 41.

148 Roland Burke, *Decolonization and the Evolution of International Human Rights* (Philadelphia, Pa, 2010), 27-8.

149 Dane Kennedy, 'Essay and reflection: on the American empire from a British imperial perspective', *International Historical Review*, 29 (2007), 83-4. 典型的例子或許是Joshua Freeman, *American Empire: The Rise of a Global Power, the Democratic Revolution at Home* (New York, 2012).

150 Alexander Gogun, 'Conscious movement toward Armageddon: preparation of the Third World War in orders of the USSR War Ministry, 1946-1953', *Journal of Slavic Military Studies*, 32 (2019), 257-79.

151 McIntyre, *Winding up the British Empire*, 88-9.

152 Simon Davis, '"A projected new trusteeship": American internationalism, British imperialism, and the reconstruction of Iran', *Diplomacy & Statecraft*, 17 (2006), 37.

153 Neil Smith, *American Empire: Roosevelt's Geographer and the Prelude to Globalization* (Stanford, Calif., 2003), 351-5.

154 Parker, 'Remapping the Cold War in the tropics', 319-22, 328-31.

155 Daniel Immerwahr, 'The Greater United States: territory and empire in U. S. history', *Diplomatic History*, 40 (2016), 373-4.

156 A. G. Hopkins, 'Globalisation and decolonisation', *Journal of Imperial and Commonwealth History*, 45 (2017), 738-9.

157 Alexander Statiev, *The Soviet Counterinsurgency in the Western Borderlands* (Cambridge, 2010), 131.

158 Ibid., 117, 125, 133.

159 Ibid., 177, 190.

117 Barr, *Lords of the Desert*, 63-4.

118 Ibid., 88-90.

119 Tauber, 'The Arab military force in Palestine', 966-77; James Bunyan, 'To what extent did the Jewish Brigade contribute to the establishment of Israel?', *Middle Eastern Studies*, 51 (2015), 40-41; Fieldhouse, *Western Imperialism*, 193-5.

120 Wyman, *DPs*, 155.

121 Hans van de Ven, *China at War: Triumph and Tragedy in the Emergence of the New China 1937-1952* (London, 2017), 213-14.

122 Beverley Loke, 'Conceptualizing the role and responsibility of great power: China's participation in negotiations toward a post-war world order', *Diplomacy & Statecraft*, 24 (2013), 213-14.

123 Robert Bickers, *Out of China: How the Chinese Ended the Era of Western Domination* (London, 2017), 230-31; Xiaoyan Liu, *A Partnership for Disorder: China, the United States, and Their Policies for the Postwar Disposition of the Japanese Empire* (Cambridge, 1996), 153.

124 Xiang, *Recasting the Imperial Far East*, 4, 25-6.

125 Ibid., 55.

126 Ibid., 94-5; Sarah Paine, *The Wars for Asia 1911-1949* (Cambridge, 2012), 234.

127 Debi Unger and Irwin Unger, *George Marshall: A Biography* (New York, 2014), 371.

128 Jay Taylor, *The Generalissimo: Chiang Kai-Shek and the Struggle for Modern China* (Cambridge, Mass., 2009), 339-43.

129 Odd Arne Westad, *Decisive Encounters: The Chinese Civil War 1946-1950* (Stanford, Calif., 2003), 35; Taylor, *Generalissimo*, 343; Unger and Unger, *George Marshall*, 375.

130 Liu, *Partnership for Disorder*, 282.

131 Taylor, *Generalissimo*, 350; Paine, *Wars for Asia*, 239-40.

132 Westad, *Decisive Encounters*, 47, 150-53.

133 Diana Lary, *China's Civil War: A Social History, 1945-1949* (Cambridge, 2015), 3; Paine, *Wars for Asia*, 226.

134 Lifeng Li, 'Rural mobilization in the Chinese communist revolution: from the anti-Japanese war to the Chinese civil war', *Journal of Modern Chinese History*, 9 (2015), 103-9.

135 Lary, *China's Civil War*, 89-90.

136 Bickers, *Out of China*, 264-6.

137 Taylor, *Generalissimo*, 381.

138 Unger and Unger, *George Marshall*, 379-81.

96 David Fieldhouse, *Western Imperialism in the Middle East, 1914-1958* (Oxford, 2006), 299-302, 326-7; Aiyaz Husain, *Mapping the End of Empire: American and British Strategic Visions in the Postwar World* (Cambridge, Mass., 2014), 14-15, 135-42; Thomas, *Fight or Flight*, 68-70.
97 Barr, *Lords of the Desert*, 94-6; Fieldhouse, *Western Imperialism*, 232-3.
98 Edward Judge and John Langdon, *The Struggle against Imperialism: Anticolonialism and the Cold War* (Lanham, Md, 2018), 11-12.
99 Alexander Shaw, '"Strong, united, and independent": the British Foreign Office, Anglo-Iranian Oil Company and the internationalization of Iranian politics at the dawn of the Cold War, 1945-46', *Middle Eastern Studies*, 52 (2016), 505-9, 516-17.
100 Barr, *Lords of the Desert*, 126-30, 134-9.
101 Calder Walton, *Empire of Secrets: British Intelligence, the Cold War, and the Twilight of Empire* (London, 2013), 288-92.
102 Fieldhouse, *Western Imperialism*, 107-11.
103 Robert Vitalis, 'The "New Deal" in Egypt: the rise of Anglo-American commercial competition in World War II and the fall of neocolonialism', *Diplomatic History*, 20 (1996), 212-13, 234.
104 Parsons, *The Second British Empire*, 124; John Kent, 'The Egyptian base and the defence of the Middle East 1945-1954', *Journal of Imperial and Commonwealth History*, 21 (1993), 45.
105 Kent, 'Egyptian base', 53-60; Judge and Langdon, *The Struggle against Imperialism*, 78-9.
106 Martin Thomas and Richard Toye, *Arguing about Empire: Imperial Rhetoric in Britain and France 1882-1956* (Oxford, 2017), 207-12, 215-27.
107 Walton, *Empire of Secrets*, 298.
108 Husain, *Mapping the End of Empire*, 29.
109 Barr, *Lords of the Desert*, 24-8, 61; Fieldhouse, *Western Imperialism*, 184-5.
110 Fieldhouse, *Western Imperialism*, 205-6.
111 Stefanie Wichhart, 'The formation of the Arab League and the United Nations, 1944-5', *Journal of Contemporary History*, 54 (2019), 329-31, 336-41.
112 Eliezir Tauber, 'The Arab military force in Palestine prior to the invasion of the Arab armies', *Middle Eastern Studies*, 51 (2016), 951-2, 957-62.
113 Barr, *Lords of the Desert*, 73-4; Fieldhouse, *Western Imperialism*, 187-8.
114 Barr, *Lords of the Desert*, 84-8; Thomas, *Fight or Flight*, 117.
115 Walton, *Empire of Secrets*, 105-6.
116 Wyman, *DPs*, 138-9, 155; Cohen, *In War's Wake*, 131-40.

not nice', 748-9.

77 Steven Paget, '"A sledgehammer to crack a nut"? Naval gunfire support during the Malayan emergency', *Small Wars and Insurgencies*, 28 (2017), 367-70.

78 Keith Hack, 'Everyone lived in fear: Malaya and the British way of counter insurgency', *Small Wars and Insurgencies*, 23 (2012), 671-2; Thomas, *Fight or Flight*, 139-40.

79 French, 'Nasty not nice', 748.

80 Hack, 'Everyone lived in fear', 681, 689-92.

81 Kumarasingham, 'Liberal ideals', 816.

82 Ian Hall, 'The revolt against the West: decolonisation and its repercussions in British international thought, 1945-75', *International History Review*, 33 (2011), 47.

83 Pearson, 'Defending the empire', 528-36; Meredith Terretta, '"We had been fooled into thinking that the UN watches over the entire world": human rights, UN Trust Territories, and Africa's decolonisation', *Human Rights Quarterly*, 34 (2012), 332-7.

84 Terretta, '"We had been fooled into thinking..."', 338-43.

85 Daniel Branch, 'The enemy within: loyalists and the war against Mau Mau in Kenya', *Journal of African History*, 48 (2007), 298.

86 Thomas, *Fight or Flight*, 218-19, 223-6.

87 Branch, 'The enemy within', 293-4, 299.

88 Timothy Parsons, *The Second British Empire: In the Crucible of the Twentieth Century* (Lanham, Md, 2014), 176-7.

89 David Anderson, 'British abuse and torture in Kenya's counter-insurgency, 1952-1960', *Small Wars and Insurgencies*, 23 (2012), 701-7; French, 'Nasty not nice', 752-6; Thomas, *Fight or Flight*, 232-3.

90 Jean-Charles Jauffert, 'The origins of the Algerian war: the reaction of France and its army to the two emergencies of 8 May 1945 and 1 November 1954', *Journal of Imperial and Commonwealth History*, 21 (1993), 19-21.

91 Thomas, *Fight or Flight*, 288.

92 Kennedy, *Decolonization*, 56-7.

93 Keith Sutton, 'Population resettlement - traumatic upheavals and the Algerian experience', *Journal of Modern African Studies*, 15 (1977), 285-9.

94 Thomas, *Fight or Flight*, 318-28.

95 關於法國，見Frederick Cooper, *Citizenship between Empire and Nation: Remaking France and French Africa* (Princeton, NJ, 2014), 5-9.

59 Thomas, *Fight or Flight*, 108-9.

60 Bayly and Harper, *Forgotten Wars*, 163-5, 173.

61 Ibid., 170-71.

62 William Frederick, 'The killing of Dutch and Eurasians in Indonesia's national revolution (1945-49): a "brief genocide" reconsidered', *Journal of Genocide Research*, 14 (2012), 362-4.

63 Petra Groen, 'Militant response: the Dutch use of military force and the decolonization of the Dutch East Indies', *Journal of Imperial and Commonwealth History*, 21 (1993), 30-32; Luttikhuis and Moses, 'Mass violence', 257-8.

64 Jennifer Foray, *Visions of Empire in the Nazi-Occupied Netherlands* (Cambridge, 2012), 296-7, 301-3.

65 Gert Oostindie, Ireen Hoogenboom and Jonathan Verwey, 'The decolonisation war in Indonesia, 1945-1949: war crimes in Dutch veterans' egodocuments', *War in History*, 25 (2018), 254-5, 265-6; Bart Luttikhuis, 'Generating distrust through intelligence work: psychological terror and the Dutch security services in Indonesia', *War in History*, 25 (2018), 154-7.

66 Kennedy, *Decolonization*, 53-4; John Darwin, *After Tamerlane: The Global History of Empire since 1405* (London, 2008), 435-6, 450-51.

67 Vincent Kuitenbrouwer, 'Beyond the "trauma of decolonization": Dutch cultural diplomacy during the West New Guinea question (1950-1962)', *Journal of Imperial and Commonwealth History*, 44 (2016),306-9, 312-15.

68 Robert Schulzinger, *A Time for War: The United States and Vietnam 1941-1975* (New York, 1997), 16-17.

69 Bayly and Harper, *Forgotten Wars*, 148-9.

70 Ibid., 20; Thomas, *Fight or Flight*, 124-5.

71 François Guillemot, '"Be men!": fighting and dying for the state of Vietnam (1951-54)', *War & Society*, 31 (2012), 188-95.

72 Szalontai, 'The "sole legal government of Vietnam"', 3-4, 26-9.

73 Kennedy, *Decolonization*, 51, 54.

74 Bayly and Harper, *Forgotten Wars*, 355-6.

75 Ibid., 428-32; David French, 'Nasty not nice: British counter-insurgency doctrine and practice, 1945-1967', *Small Wars and Insurgencies*, 23 (2012), 747-8.

76 Bruno Reis, 'The myth of British minimum force in counter-insurgency campaigns during decolonization (1945-1970)', *Journal of Strategic Studies*, 34 (2011), 246-52; French, 'Nasty

Third World Power 1945-1949', *Diplomacy & Statecraft*, 17 (2006), 835-9; Kumarasingham, 'Liberal ideals', 815-16.

42 Christopher Prior, '"The community which nobody can define": meanings of the Commonwealth in the late 1940s and 1950s', *Journal of Imperial and Commonwealth History*, 47 (2019), 569-77.

43 Harry Mace, 'The Eurafrique initiative, Ernest Bevin and Anglo-French relations in the Foreign Office 1945-50', *Diplomacy & Statecraft*, 28 (2017), 601-3.

44 Deighton, 'Entente neo-coloniale?', 842-5.

45 Martin Thomas, *Fight or Flight: Britain, France and Their Roads from Empire* (Oxford, 2014), 86-90.

46 Jason Parker, 'Remapping the Cold War in the tropics: race, communism, and national security in the West Indies', *International History Review*, 24 (2002), 337-9.

47 Geoffrey Roberts, *Stalin's Wars: From World War to Cold War, 1939-1953* (New Haven, Conn., 2006), 318-19.

48 Leslie James, 'Playing the Russian game: black radicalism, the press, and Colonial Office attempts to control anti-colonialism in the early Cold War, 1946-50', *Journal of Imperial and Commonwealth History*, 43 (2015), 511-17.

49 Balázs Szalontai, 'The "sole legal government of Vietnam": the Bao Dai factor and Soviet attitudes toward Vietnam 1947-1950', *Journal of Cold War Studies*, 20 (2018), 16.

50 Eckel, 'Human rights and decolonization', 122, 126.

51 Penny Von Eschen, *Race against Empire: Black Americans and Anticolonialism 1937-1957* (Ithaca, NY, 1997), 45-50; James, 'Playing the Russian game', 509, 512.

52 Parker, 'Remapping the Cold War in the tropics', 322-3; Von Eschen, *Race against Empire*, 47.

53 McIntyre, *Winding up the British Empire*, 24-6.

54 Yasmin Khan, *The Great Partition: The Making of India and Pakistan* (New Haven, Conn., 2007), 25.

55 Mary Becker, *The All-India Muslim League 1906-1947* (Karachi, 2013), 225-9; Khan, *Great Partition*, 38.

56 Christopher Bayly and Tim Harper, *Forgotten Wars: The End of Britain's Asian Empire* (London, 2007), 77.

57 Ranabir Samaddar, 'Policing a riot-torn city: Kolkata, 16-18 August 1946', *Journal of Genocide Research*, 19 (2017), 40-41, 43-5.

58 Bayly and Harper, *Forgotten Wars*, 253-7.

*1941-1945* (Oxford, 2017), 139-42.

28 Nicolas Bethell, *The Last Secret: Forcible Repatriation to Russia 1944-1947* (London, 1974), 92-118; Keith Lowe, *Savage Continent: Europe in the Aftermath of World War II* (London, 2012), 252-62.

29 Cohen, *In War's Wake*, 26.

30 Wyman, *DPs*, 186-90, 194-5, 202-4.

31 James Barr, *Lords of the Desert: Britain's Struggle with America to Dominate the Middle East* (London, 2018), 22.

32 Jessica Pearson, 'Defending the empire at the United Nations: the politics of international colonial oversight in the era of decolonization', *Journal of Imperial and Commonwealth History*, 45 (2017), 528-9.

33 Jan Eckel, 'Human rights and decolonization: new perspectives and open questions', *Humanity: An International Journal of Human Rights, Humanitarianism and Development*, 1 (2010), 114-16.

34 Stefanie Wichhart, 'Selling democracy during the second British occupation of Iraq, 1941-5', *Journal of Contemporary History*, 48 (2013), 525-6.

35 Eckel, 'Human rights and decolonization', 118; Dane Kennedy, *Decolonization: A Very Short Introduction* (Oxford, 2016), 1; W. David McIntyre, *Winding up the British Empire in the Pacific Islands* (Oxford, 2014), 90-91.

36 Lanxin Xiang, *Recasting the Imperial Far East: Britain and America in China 1945-1950* (Armonk, NY, 1995), 38.

37 Peter Catterall, 'The plural society: Labour and the Commonwealth idea 1900-1964', *Journal of Imperial and Commonwealth History*, 46 (2018), 830; H. Kumarasingham, 'Liberal ideals and the politics of decolonization', ibid., 818. Montgomery citation from 'Tour of Africa November-December 1947', 10 Dec. 1947.

38 Kennedy, *Decolonisation*, 34-5.

39 Geraldien von Frijtag Drabbe Künzel, '"Germanje": Dutch empire-building in Nazi-occupied Europe', *Journal of Genocide Research*, 19 (2017), 251-3; Bart Luttikhuis and Dirk Moses, 'Mass violence and the end of Dutch colonial empire in Indonesia', *Journal of Genocide Research*, 14 (2012), 260-61; Kennedy, *Decolonization*, 34-5.

40 Mark Mazower, *No Enchanted Palace: The End of Empire and the Ideological Origins of the United Nations* (Princeton, NJ, 2009), 150-51.

41 Anne Deighton, 'Entente neo-coloniale? Ernest Bevin and proposals for an Anglo-French

131-3, 176-7, 383; Kelly, *Cold War in the Desert*, 169-71.

9 Ian Connor, *Refugees and Expellees in Post-War Germany* (Manchester, 2007), 8-10談早期的德國屯墾。

10 Labanca, *Oltremare*, 438-9; Gerard Cohen, *In War's Wake: Europe's Displaced Persons in the Postwar Order* (New York, 2012), 6.

11 Lori Watt, *When Empire Comes Home: Repatriation and Reintegration in Postwar Japan* (Cambridge, Mass., 2009), 1-3, 43-4.

12 Louise Young, *Japan's Total Empire: Manchuria and the Culture of Wartime Imperialism* (Berkeley, Calif., 1998), 410-11.

13 Watt, *When Empire Comes Home*, 43-7, 97.

14 Ibid., 47-50.

15 Haruko Cook and Theodore Cook (eds.), *Japan at War: An Oral History* (New York, 1992), 413-15, testimony of Iitoyo Shōgo, official in the Ministry of Commerce and Industry.

16 Connor, *Refugees and Expellees*, 13.

17 Raymond Douglas, *Orderly and Humane: The Expulsion of the Germans after the Second World War* (New Haven, Conn., 2012), 1-2, 93-6.

18 Ibid., 96.

19 Ibid., 126, 149.

20 Ibid., 124-5, 160-11, 309; Ruth Wittlinger, 'Taboo or tradition? The "Germans-as-victims" theme in the Federal Republic until the mid-1990s', in Bill Niven (ed.), *Germans as Victims* (Basingstoke, 2006), 70-73.

21 Diana Lary, *The Chinese People at War: Human Suffering and Social Transformation, 1937-1945* (Cambridge, 2010), 170.

22 G. Daniel Cohen, 'Between relief and politics: refugee humanitarianism in occupied Germany', *Journal of Contemporary History*, 43 (2008), 438.

23 Jessica Reinisch, '"We shall build anew a powerful nation": UNRRA, internationalism, and national reconstruction in Poland', *Journal of Contemporary History*, 43 (2008), 453-4.

24 Mark Wyman, *DPs: Europe's Displaced Persons, 1945-1951* (Ithaca, NY, 1998), 39, 46-7.

25 Ibid., 17-19, 37, 52. 一九四六年三月，善後救濟總署收容了八十四萬四千一百四十四名流離失所者，一九四八年八月，仍有五十六萬兩千八百四十一名。

26 Cohen, 'Between relief and politics', 445, 448-9.

27 R. Rummell, *Lethal Politics: Soviet Genocide and Mass Murder since 1917* (London, 1996), 194-5; *Mark Edele, Stalin's Defectors: How Red Army Soldiers became Hitler's Collaborators,*

信，一九四五年八月十一日。

188 Moore, *Writing War*, 245.

189 Andrew Clapham, 'Issues of complexity, complicity and complementarity: from the Nuremberg Trials to the dawn of the International Criminal Court', in Sands, (ed.), *From Nuremberg to The Hague*, 31-3, 40; Ball, *Prosecuting War Crimes and Genocide*, 73.

190 Clapham, 'Issues of complexity', 40-41; Ball, *Prosecuting War Crimes and Genocide*, 77; Norbert Ehrenfreund, *The Nuremberg Legacy: How the Nazi War Crimes Trials Changed the Course of History* (New York, 2007), 115-21.

191 Beatrice Trefalt, 'Japanese war criminals in Indochina and the French pursuit of justice: local and international constraints', *Journal of Contemporary History*, 49 (2014), 727-9.

192 Ball, *Prosecuting War Crimes and Genocide*, 56-7, 74-6; Cameron, 'Race and identity', 564.

193 Beorn, 'Negotiating murder', 199.

194 Gaggioli, 'Sexual violence in armed conflicts', 512-13, 519-20.

195 McManus, *Deadly Brotherhood*, 211.

## 終章　從殖民帝國到民族國家：新全球時代的誕生

1 Amanke Okafor, *Nigeria: Why We Fight for Freedom* (London, 1949), 6.

2 TNA, KV2/1853, Colonial Office to Special Branch, 22 Sept. 1950; Security Liaison Office to Director General, MI5, 20 Oct. 1950, 'G. N. A. Okafar'; Director General to Security Liaison Office, West Africa, 12 June. 1950.

3 Okafor, *Nigeria*, 5, 30, 39.

4 David Roll, *The Hopkins Touch: Harry Hopkins and the Forging of the Alliance to Defeat Hitler* (New York, 2013), 173-4.

5 TNA, FO 898/413, Political Warfare Executive, 'Projection of Britain', propaganda to Europe: general policy papers.

6 Jean-Christophe Notin, *La campagne d'Italie 1943-1945: Les victoires oubliées de la France* (Paris, 2002), 692-3; Richard Lamb, *War in Italy 1943-1945: A Brutal Story* (London, 1993), 259-60; David Stafford, *Endgame 1945: Victory, Retribution, Liberation* (London, 2007), 354, 469-70.

7 Nicola Labanca, *Oltremare: Storia dell'espansione coloniale italiana* (Bologna, 2002), 428-33; Saul Kelly, *Cold War in the Desert: Britain, the United States and the Italian Colonies, 1945-52* (New York, 2000), 164-7.

8 Antonio Morone, *L'ultima colonia: Come l'Italia è tornata in Africa 1950-1960* (Rome, 2011),

169 Svetlana Alexievich, *The Unwomanly Face of War* (London, 2017), xxxvi.

170 Helene Sinnreich, '"And it was something we didn't talk about": rape of Jewish women during the Holocaust', *Holocaust Studies*, 14 (2008), 10-11.

171 Anatoly Podolsky, 'The tragic fate of Ukrainian Jewish women under Nazi occupation', in Hedgepeth and Saidel (eds.), *Sexual Violence against Jewish Women*, 99.

172 Levenkron, 'Death and the maidens', 16-19; Sinnreich, 'The rape of Jewish women', 109-15; Zoë Waxman, 'Rape and sexual abuse in hiding', in Hedgepeth and Saidel (eds.), *Sexual Violence against Jewish Women*, 126-31; Westermann, 'Stone cold killers', 12-13; Burds, 'Sexual violence in Europe', 42-6.

173 Podolsky, 'The tragic fate of Ukrainian Jewish women', 102-3; Geissbühler, '"He spoke Yiddish like a Jew"', 430-34.

174 Schrijvers, *The GI War against Japan*, 220-21.

175 Wharton, *Shrapnel*, 252.

176 Moore, *Writing War*, 145.

177 Neitzel and Welzer, *Soldaten*, 158-9.

178 Ehrenburg and Grossman, *The Complete Black Book*, 388-9.

179 Christopher Browning, Nazi Policy, Jewish Workers, German Killers (Cambridge, 2000), 155-6. 關於秩序的心理意義，見Harald Welzer, 'On killing and morality: how normal people become mass murderers', in Jensen and Szejnmann (eds.), *Ordinary People as Mass Murderers*, 173-9.

180 Theo Schulte, 'The German soldier in occupied Russia', in Paul Addison and Angus Calder (eds.), *Time to Kill: The Soldier's Experience of War in the West, 1939-1945* (London, 1997), 274-6. 關於殺戮限制遭到翻轉的說法，見Dorothea Frank, *Menschen Töten* (Düsseldorf, 2006), 12.

181 Sturma, 'Atrocities, conscience and unrestricted warfare', 458.

182 Overy, '"Ordinary men," extraordinary circumstances', 518-19, 522-3.

183 這些是一九九五年到一九九六年，英國廣播公司紀錄片對轟炸機司令部進行的訪談。見Richard Overy, Bomber Command, 1939-1945 (London, 1997)，特別是頁198-201有訪談的例子。

184 McManus, *Deadly Brotherhood*, 206.

185 Moore, *Writing War*, 145.

186 Hasegawa, 'Were the atomic bombs justified?', 119.

187 Andrew Rotter, *Hiroshima: The World's Bomb* (Oxford, 2008), 128,引自給Samuel Cavert的

147 Johnston, *Fighting the Enemy*, 98-9.

148 Weiner, 'Something to die for', 114-15.

149 Merridale, *Ivan's War*, 268.

150 Alexandra Richie, *Warsaw 1944: The Fateful Uprising* (London, 2013), 283, 302.

151 Elisabeth Wood, 'Conflict-related sexual violence and the policy implications of recent research', *International Review of the Red Cross*, 96 (2014), 472-4.

152 James Messerschmidt, 'Review symposium: the forgotten victims of World War II: masculinities and rape in Berlin 1945', *Violence Against Women*, 12 (2006), 706-9.

153 Schrijvers, *The GI War against Japan*, 210-12; McLauchlan, 'War crimes and crimes against humanity', 364-5.

154 Lilly, *Taken by Force*, 12; Tanaka, *Hidden Horrors*, 101-3; Joanna Bourke, *Rape: A History from 1860 to the Present* (London, 2007), 357-8.

155 Robert Kramm, 'Haunted by defeat: imperial sexualities, prostitution, and the emergence of postwar Japan', *Journal of World History*, 28 (2017), 606-7.

156 Lilly, *Taken by Force*, 22-3.

157 Julie Le Gac, *Vaincre sans gloire: Le corps expéditionnaire français en Italie (novembre 1942-juillet 1944)* (Paris, 2014), 432-46.

158 Annette Warring, 'Intimate and sexual relations', in Robert Gildea, Olivier Wieviorka and Annette Warring (eds.), *Surviving Hitler and Mussolini: Daily Life in Occupied Europe* (Oxford, 2006), 113.

159 Snyder, *Sex Crimes under the Wehrmacht*, 149, 157-8.

160 Birthe Kundrus, 'Forbidden company: domestic relationships between Germans and foreigners 1939 to 1945', *Journal of the History of Sexuality*, 11 (2002), 201-6.

161 Walke, *Pioneers and Partisans*, 152; Mühlhäuser, 'The unquestioned crime', 38-9.

162 Snyder, *Sex Crimes under the Wehrmacht*, 138-42; Mühlhäuser, 'The unquestioned crime', 41-2.

163 Peipei, *Chinese Comfort Women*, 28-9.

164 Matsumura, 'Combating indiscipline', 91.

165 Milovan Djilas, *Conversations with Stalin* (New York, 1962), 161.

166 Gebhardt, *Crimes Unspoken*, 73-5.

167 Krimmer, 'Philomena's legacy', 90-91.

168 James Mark, 'Remembering rape: divided social memory of the Red Army in Hungary 1944-1945', *Past & Present*, no. 188 (2005), 133, 140-42.3

208.

133 Annette Timm, 'Sex with a purpose: prostitution, venereal disease, and militarized masculinity in the Third Reich', *Journal of the History of Sexuality*, 11 (2002), 225-7; Janice Matsumura, 'Combating indiscipline in the Imperial Japanese Army: Hayno Torao and psychiatric studies of the crimes of soldiers', *War in History*, 23 (2016), 96.

134 Regina Mühlhäuser, 'The unquestioned crime: sexual violence by German soldiers during the war of annihilation in the Soviet Union 1941-45', in Raphaëlle Branche and Fabrice Virgili (eds.), *Rape in Wartime* (Basingstoke, 2017), 35, 40-42.

135 Emma Newlands, *Civilians into Soldiers: War, the Body and British Army Recruits 1939-45* (Manchester, 2014), 124-35; Mark Harrison, *Medicine and Victory: British Military Medicine in the Second World War* (Oxford, 2004), 98-104.

136 Raffaello Pannacci, 'Sex, military brothels and gender violence during the Italian campaign in the USSR, 1941-3', *Journal of Contemporary History*, 55 (2020), 79-86.

137 Timm, 'Sex with a purpose', 237-50; Levenkron, 'Death and the maidens', 19-20; Helene Sinnreich, 'The rape of Jewish women during the Holocaust', in Hedgepeth and Saidel (eds.), *Sexual Violence against Jewish Women*, 110-15; Jeffrey Burds, 'Sexual violence in Europe during World War II, 1939-1945', *Politics & Society*, 37 (2009), 37-41.

138 Peipei, *Chinese Comfort Women*, 1, 9-11, 37-8; Hicks, 'The "comfort women"', 311-12.

139 Hicks, 'The "comfort women"', 312; Tanaka, *Hidden Horrors*, 98-9; Michael Seth, *A Concise History of Modern Korea* (Lanham, Md, 2016), 81-2.

140 Peipei, Chinese Comfort Women, 30-38, 48. 這段刺刀的故事是由在戰爭後期屯駐在華北的第十四師團的一名退伍軍人講述的。

141 Brigitte Halbmayr, 'Sexualised violence against women during Nazi "racial" persecution', in Hedgepeth and Saidel (eds.), *Sexual Violence against Jewish Women*, 33-5; Mühlhäuser, 'The unquestioned crime', 37-8.

142 Wharton, *Shrapnel*, 189.

143 David Snyder, *Sex Crimes under the Wehrmacht* (Lincoln, Nebr., 2007), 137.

144 J. Robert Lilly, *Taken by Force: Rape and American GIs in Europe during World War II* (Basingstoke, 2007), 11; Elisabeth Krimmer, 'Philomena's legacy: rape, the Second World War, and the ethics of reading', *German Quarterly*, 88 (2015), 83-4.

145 Miriam Gebhardt, *Crimes Unspoken: The Rape of German Women at the End of the Second World War* (Cambridge, 2017), 18-22.

146 Peipei, *Chinese Comfort Women*, 37-8.

84.

118 Dick de Mildt, *In the Name of the People: Perpetrators of Genocide in the Reflection of Their Post-War Prosecution in West Germany* (The Hague, 1996), 2.

119 Matthäus, 'Controlled escalation', 228-9.

120 Waitman Beorn, 'Negotiating murder: a Panzer signal company and the destruction of the Jews of Peregruznoe 1942', *Holocaust and Genocide Studies*, 23 (2009), 185-95.

121 Christopher Browning, *Ordinary Men: Reserve Police Battalion 101 and the Final Solution in Poland* (London, 1992), 141-2.

122 Jürgen Matthäus, 'Die Beteiligung der Ordnungspolizei am Holocaust', in Wolf Kaiser (ed.), *Täter im Vernichtungskrieg: Der Überfall auf die Sowjetunion und der Völkermord an den Juden* (Berlin, 2002), 168-76.

123 Stephen Fritz, *Ostkrieg: Hitler's War of Extermination in the East* (Lexington, Ky, 2011), 374.

124 見Westermann, '"Ordinary men" or "ideological soldiers"?', 43-8. 第三〇一警察營當中，每個連約有百分之三十八到五十的人是納粹黨員。

125 現在已經有許多關於猶太人大屠殺的侵害社會心理學研究。見 Richard Overy, '"Ordinary men", extraordinary circumstances: historians, social psychologists and the Holocaust', Journal of Social Issues, 70 (2014), 513-38; Arthur Miller, *The Social Psychology of Good and Evil* (New York, 2004), ch. 9.

126 Rein, 'Local collaboration', 394-5.

127 Edward Westermann, 'Stone-cold killers or drunk with murder? Alcohol and atrocity during the Holocaust', *Holocaust and Genocide Studies*, 30 (2016), 4-7.

128 Ilya Ehrenburg and Vasily Grossman, *The Complete Black Book of Russian Jewry*, ed. David Patterson (New Brunswick, NJ, 2002), 382; de Zayas, *Wehrmacht War Crimes Bureau*, 189; Peipei Qiu with Su Zhiliang and Chen Lifei, *Chinese Comfort Women: Testimonies from Imperial Japan's Sex Slaves* (New York, 2013), 22.

129 Gloria Gaggioli, 'Sexual violence in armed conflicts: a violation of international humanitarian law and human rights law', *International Review of the Red Cross*, 96 (2014), 506, 512-13.

130 Nomi Levenkron, 'Death and the maidens: "prostitution", rape, and sexual slavery during World War II', in Sonja Hedgepeth and Rochelle Saidel (eds.), *Sexual Violence against Jewish Women during the Holocaust* (Waltham, Mass., 2010), 15-17.

131 Tanaka, *Hidden Horrors*, 96-7; George Hicks, 'The "comfort women"', in Peter Duus, Ramon Myers and Mark Peattie (eds.), T*he Japanese Wartime Empire* (Princeton, NJ, 1996), 310.

132 Nicole Bogue, 'The concentration camp brothel in memory', *Holocaust Studies*, 22 (2016),

army, 1940', *Journal of Modern History*, 77 (2005), 325-40.

106 見Mikhail Tyaglyy, 'Were the "Chingené" victims of the Holocaust? Nazi policy toward the Crimean Roma, 1941-1944', *Holocaust and Genocide Studies*, 23 (2009), 26-40. 關於東方羅姆人的命運，見Johannes Enstad, *Soviet Russians under Nazi Occupation: Fragile Loyalties in World War II* (Cambridge, 2018), 66-70; Brenda Lutz, 'Gypsies as victims of the Holocaust', *Holocaust and Genocide Studies*, 9 (1995), 346-59.

107 Thomas Kühne, 'Male bonding and shame culture: Hitler's soldiers and the moral basis of genocidal warfare', in Olaf Jensen and Claus-Christian Szejnmann (eds.), *Ordinary People as Mass Murderers: Perpetrators in Comparative Perspective* (Basingstoke, 2008), 69-71.

108 Jürgen Matthäus, 'Controlled escalation: Himmler's men in the summer of 1941 and the Holocaust in the occupied Soviet territories', *Holocaust and Genocide Studies*, 21 (2007), 219-20.

109 Lower, *Nazi Empire-Building*, 75-6; Kay, 'Transition to genocide', 422; Matthäus, 'Controlled escalation', 223.

110 Sara Bender, 'Not only in Jedwabne: accounts of the annihilation of the Jewish shtetlach in north-eastern Poland in the summer of 1941', *Holocaust Studies*, 19 (2013), 2-3, 14, 19-20, 24-5.

111 Leonid Rein 'Local collaboration in the execution of the "final solution" in Nazi-occupied Belorussia', *Holocaust and Genocide Studies*, 20 (2006), 388.

112 Simon Geissbühler, '"He spoke Yiddish like a Jew": neighbours' contribution to the mass killing of Jews in Northern Bukovina and Bessarabia, July 1941', *Holocaust and Genocide Studies*, 28 (2014), 430-36; *idem*, 'The rape of Jewish women and girls during the first phase of the Romanian offensive in the East, July 1941', *Holocaust Studies*, 19 (2013), 59-65.

113 Rein, 'Local collaboration', 392-4; Eric Haberer, 'The German police and genocide in Belorussia, 1941-1944: part I: police deployment and Nazi genocidal directives', *Journal of Genocide Research*, 3 (2001), 19-20.

114 Rein, 'Local collaboration', 391.

115 Kühne, 'Male bonding and shame culture', 57-8, 70; 有趣的案例研究，見Peter Lieb, 'Täter aus Überzeugung? Oberst Carl von Andrian und die Judenmorde der 707 Infanteriedivision 1941/42', *Vierteljahrshefte für Zeitgeschichte*, 50 (2002), 523-4, 536-8.

116 Lower, *Nazi Empire-Building*, 78-81.

117 Andrej Angrick, 'The men of Einsatzgruppe D: an inside view of a state-sanctioned killing unit in the "Third Reich"', in Jensen and Szejnmann (eds.), *Ordinary People as Mass Murderers*,

against Germany', *Air Power Review*, 13 (2010), 15-16.

88 Ronald Schaffer, 'American military ethics in World War II: the bombing of German civilians', *Journal of American History*, 67 (1980), 321.

89 Charles Webster and Noble Frankland, The Strategic Air Offensive against Germany, 4 vols. (London, 1961), iv, 258-60. 也可見Richard Overy. '"Why we bomb you": liberal war-making and moral relativism in the RAF bomber offensive, 1940-45', in Alan Cromartie (ed.), *Liberal Wars: Anglo-American Strategy, Ideology, and Practice* (London, 2015), 25-9.

90 TNA, AIR 14/1812, Operational Research report, 14 Sept. 1943.

91 TNA, AIR 14/1813, minute from A. G. Dickens for Arthur Harris, 23 Feb. 1945 (Harris marginal notes).

92 Thomas Earle, '"It made a lot of sense to kill skilled workers": the firebombing of Tokyo in March 1945', *Journal of Military History*, 66 (2002), 117-21.

93 Conrad Crane, 'Evolution of U. S. strategic bombing of urban areas', *Historian*, 50 (1987), 37.

94 Cameron, 'Race and identity', 564.

95 Tsuyoshi Hasegawa, 'Were the atomic bombs justified?', in Yuki Tanaka and Marilyn Young (eds.), *Bombing Civilians: A Twentieth-Century History* (New York, 2009), 118-19.

96 Crane, 'Evolution of U. S. strategic bombing', 36.

97 Richard Overy, 'The Nuremberg Trials: international law in the making', in Philippe Sands (ed.), *From Nuremberg to The Hague: The Future of International Criminal Justice* (Cambridge, 2003), 10-11.

98 關於殖民地暴力與種族滅絕，見最近的Michelle Gordon, 'Colonial violence and holocaust studies', *Holocaust Studies*, 21 (2015), 273-6; Tom Lawson, 'Coming to terms with the past: reading and writing colonial genocide in the shadow of the Holocaust', *Holocaust Studies*, 20 (2014), 129-56.

99 Horne, *Race War*, 266, 270.

100 Peter Duus, 'Nagai Ryūtarū and the "White Peril", 1905-1944', *Journal of Asian Studies*, 31 (1971), 41-7.

101 Ronald Takaki, *Double Victory: A Multicultural History of America in World War II* (Boston, Mass., 2001), 148.

102 McManus, *Deadly Brotherhood*, 202; Schrijvers, *The GI War against Japan*, 218-19.

103 Harrison, 'Skull trophies of the Pacific war', 818-21.

104 Johnston, *Fighting the Enemy*, 85-7.

105 Raffael Scheck, '"They are just savages": German massacres of black soldiers from the French

73 Patrick Bernhard, 'Behind the battle lines: Italian atrocities and the persecution of Arabs, Berbers and Jews in North Africa in World War II', *Holocaust and Genocide Studies*, 26 (2012), 425-32.

74 Patrick Bernhard, 'Die "Kolonialachse". Der NS-Staat und Italienisch-Afrika 1935 bis 1943', in Lutz Klinkhammer and Amedeo Guerrazzi (eds.), *Der 'Achse' im Krieg: Politik, Ideologie und Kriegführung 1939-1945* (Paderborn, 2010), 164-8. 關於義大利陸軍暴行的一般研究，見Gianni Oliva, *'Si Ammazza Troppo Poco': I crimini di guerra italiani 1940-43* (Milan, 2006).

75 Alex Kay, 'Transition to genocide, July 1941: Einsatzkommando 9 and the annihilation of Soviet Jewry', *Holocaust and Genocide Studies*, 27 (2013), 411-13; *idem*, 'A "war in a region beyond state control?"', 112-15.

76 Van de Ven, *War and Nationalism in China*, 283-4.

77 Tanaka, *Hidden Horrors*, 186-92; Harries and Harries, *Soldiers of the Sun*, 405.

78 Henning Pieper, 'The German approach to counter-insurgency in the Second World War', *International History Review*, 57 (2015), 631-6; Alexander Prusin, 'A community of violence: structure, participation, and motivation in comparative perspective', *Holocaust and Genocide Studies*, 21 (2007), 5-9.

79 Storchi, *Anche contro donne e bambini*, 29; Ben Shepherd, 'With the Devil in Titoland: a Wehrmacht anti-partisan division in Bosnia-Herzegovina, 1943', *War in History*, 16 (2009), 84; Edward Westermann, '"Ordinary men" or "ideological soldiers"? Police Battalion 310 in Russia, 1942', *German Studies Review*, 21 (1998), 57.

80 Lieb, 'Repercussions of Eastern Front experience', 806; Shepherd, 'With the Devil in Titoland', 84-5.

81 Storchi, *Anche contro donne e bambini*, 23; Lieb, 'Repercussions of Eastern Front experience', 798.

82 Walke, *Pioneers and Partisans*, 191-2; Weiner, 'Something to die for', 117-21.

83 Giovanni Pesce, *And No Quarter: An Italian Partisan in World War II* (Athens, Ohio, 1972), 211.

84 Ibid., 176.

85 Merridale, *Ivan's War*, 269.

86 TNA, AIR 41/5 J. M. Spaight, 'The International Law of the Air 1939-1945', 1946, pp. 1-15.

87 Richard Overy, *The Bombing War: Europe 1939-1945* (London, 2013), 247-9; Peter Gray, 'The gloves will have to come off: a reappraisal of the legitimacy of the RAF bomber offensive

53 Karner, *Im Archipel GUPVI*, 94104.

54 Giusti, *I prigionieri italiani*, 100-102, 110-11, 125-9.

55 Seth Givens, 'Liberating the Germans: the US army and looting in Germany during the Second World War', *War in History*, 21 (2014), 35-6.

56 Neville Wylie, 'Loot, gold, and tradition in the United Kingdom's financial warfare strategy, 1939-1945', *International History Review*, 31 (2009), 301-2; Ball, *Prosecuting War Crimes and Genocide*, 15-16.

57 Givens, 'Liberating the Germans', 35-6.

58 Rutherford, *Combat and Genocide on the Eastern Front*, 107-8.

59 Zygmunt Klukowski, *Diary of the Years of Occupation 1939-1944* (Urbana, Ill., 1993), 28-30, 47, entries for 20, 23 Sept., 30 Oct. 1939.

60 Mark Mazower, *Inside Hitler's Greece: The Experience of Occupation, 1941-44* (New Haven, Conn., 1993), 23-4.

61 Ball, *Prosecuting War Crimes and Genocide*, 64; Harries and Harries, *Soldiers of the Sun*, 411.

62 Rutherford, *Combat and Genocide on the Eastern Front*, 105-10.

63 Givens, 'Liberating the Germans', 33, 46-7.

64 William Wharton, *Shrapnel* (London, 2012), 182-3.

65 Amir Weiner, '"Something to die for, a lot to kill for": the Soviet system and the barbarisation of warfare', in Kassimeris (ed.), *Barbarisation of Warfare*, 102-5.

66 Givens, 'Liberating the Germans', 45-6.

67 Gianluca Fulvetti and Paolo Pezzino (eds.), *Zone di Guerra, Geografie di Sangue: L'atlante delle stragi naziste e fasciste in Italia* (1943-1945) (Bologna, 2016), 96-122.

68 Massimo Storchi, *Anche contro donne e bambini: Stragi naziste e fasciste nella terra dei fratelli Cervi* (Reggio Emilio, 2016), 11-12.

69 Peter Lieb, 'Repercussions of Eastern Front experiences on anti-partisan warfare in France 1943-1944', *Journal of Strategic Studies*, 31 (2008), 797-9, 818-19.

70 Alastair McLauchlan, 'War crimes and crimes against humanity on Okinawa: guilt on both sides', *Journal of Military Ethics*, 13 (2014), 364-77.

71 Hans van de Ven, *War and Nationalism in China 1925-1945* (London, 2003), 284; Weiner, 'Something to die for', 119-21.

72 Wendy Lower, Nazi Empire Building and the Holocaust in Ukraine (Chapel Hill, NC, 2005), 19-29 討論德國東方占領區的殖民性格。關於德國在東方與西方做法上的不同，見 Lieb, 'Repercussions of Eastern Front experiences', 797-8, 802-3.

36 Amaon Sella, *The Value of Human Life in Soviet Warfare* (London, 1992), 100-102.
37 Günther Koschorrek, *Blood Red Snow: The Memoirs of a German Soldier on the Eastern Front* (London, 2002), 275.
38 Catherine Merridale, *Ivan's War: The Red Army 1939-1945* (London, 2005), 110-14.
39 De Zayas, *Wehrmacht War Crimes Bureau*, 88.
40 Maria Giusti, *I prigionieri italiani in Russia* (Bologna, 2014), 132.
41 Felicia Yap, 'Prisoners of war and civilian internees of the Japanese', *Journal of Contemporary History*, 47 (2012), 317; Ball, *Prosecuting War Crimes and Genocide*, 84.
42 Niall Ferguson, 'Prisoner taking and prisoner killing: the dynamic of defeat, surrender and barbarity in the age of total war', in Kassimeris (ed.), *Barbarisation of Warfare*, 142.
43 關於蘇聯的數字，我要感謝James Bacque提供我Prison Department of the Soviet Ministry of Foreign Affairs編纂的'war prisoners of the former European armies 1941-1945', 28 Apr. 1956的數字。也可見 *Russkii Arkhiv 13: Nemetskii Voennoplennye v SSSR* (Moscow, 1999), Part 1, 9. 關於日本戰俘，見 S. I. Kuznetsov, 'The situation of Japanese prisoners of war in Soviet camps', *Journal of Slavic Military Studies*, 8 (1995), 612-29. 關於蘇聯戰俘，見 Alfred Streim, *Sowjetische Gefangene in Hitlers Vernichtungskrieg: Berichte und Dokumente* (Heidelberg, 1982), 175; Christian Streit, 'Die sowjetische Kriegsgefangenen in den deutschen Lagern', in D. Dahlmann and Gerhard Hirschfeld (eds.), *Lager, Zwangsarbeit, Vertreibung und Deportationen* (Essen, 1999), 403-4.
44 Giusti, *I prigionieri italiani*, 133.
45 Eri Hotta, *Japan 1941: Countdown to Infamy* (New York, 2013), 93.
46 Ball, *Prosecuting War Crimes and Genocide*, 63.
47 Yap, 'Prisoners of war and civilian internees', 323-4; Tanaka, *Hidden Horrors*, 16-18.
48 Tanaka, *Hidden Horrors*, 26-7.
49 Habeck, 'The modern and the primitive', 87.
50 Christian Hartmann, 'Massensterbung oder Massenvernichtung? Sowjetische Kriegsgefangenen im "Unternehmen Barbarossa"', *Vierteljahreshefte für Zeitgeschichte*, 49 (2001), 105; Merridale, *Ivan's War*, 122-3; Bartov, *Eastern Front 1941-1945*, 111-12.
51 Christian Streit, *Keine Kameraden: Die Wehrmacht und die sowjetischen Kriegsgefangenen, 1941-1945* (Bonn, 1978), 128.
52 Stefan Karner, *Im Archipel GUPVI: Kriegsgefangenschaft und Internierung in der Sowjetunion 1941-1956* (Vienna, 1995), 90-94; *Russkii Arkhiv 13*, Part 2, 69, 76, 159-60; Giusti, *I prigionieri italiani*, 127.

21 Moore, *Writing War*, 119.

22 Gerald Horne, *Race War: White Supremacy and the Japanese Attack on the British Empire* (New York, 2004), 71-2.

23 Mark Johnston, *Fighting the Enemy: Australian Soldiers and Their Adversaries in World War II* (Cambridge, 2000), 94-9.

24 Raymond Lamont-Brown, *Ships from Hell: Japanese War Crimes on the High Seas* (Stroud, 2002), 68-9.

25 Michael Sturma, 'Atrocities, conscience and unrestricted warfare: US submarines during the Second World War', *War in History*, 16 (2009), 450-58.

26 Ibid., 449-50; John Dower, *War without Mercy: Race and Power in the Pacific War* (New York, 1986), 36.

27 Johnston, *Fighting the Enemy*, 78-80, 94-5; McManus, *Deadly Brotherhood*, 210-11.

28 James Weingartner, 'Trophies of war: U. S. troops and the mutilation of Japanese war dead, 1941-1945', *Pacific Historical Review*, 61 (1992), 56-62; Simon Harrison, 'Skull trophies of the Pacific war: transgressive objects of remembrance', *Journal of the Royal Anthropological Institute*, 12 (2006), 818-28.

29 Schrijvers, *The GI War against Japan*, 207-10; Johnston, *Fighting the Enemy*, 80-82; Craig Cameron, 'Race and identity: the culture of combat in the Pacific war', *International History Review*, 27 (2005), 558-9.

30 Tarak Barkawi, *Soldiers of Empire: Indian and British Armies in World War II* (Cambridge, 2017), 208-17.

31 Theo Schulte, *The German Army and Nazi Policies in Occupied Russia* (Oxford, 1989), 317-20.

32 Jeff Rutherford, *Combat and Genocide on the Eastern Front: The German Infantry's War 1941-1944* (Cambridge, 2014), 69, 81.

33 Habeck, 'The modern and the primitive', 85; 也可見 Alex Kay, 'A "war in a region beyond state control?" The German-Soviet war 1941-1944', *War in History*, 18 (2011), 111-12.

34 Felix Römer, 'The Wehrmacht in the war of ideologies', in Alex Kay, Jeff Rutherford and David Stahel (eds.), *Nazi Policy on the Eastern Front, 1941: Total War, Genocide, and Radicalization* (New York, 2012), 74-5, 81.

35 Sönke Neitzel and Harald Welzer, *Soldaten: Protokolle vom Kämpfen, Töten und Sterben* (Frankfurt/Main, 2011), 135-7; Rutherford, *Combat and Genocide on the Eastern Front*, 86-90; Bartov, *Eastern Front 1941-1945*, 110.

5 NARA, RG107, McCloy Papers, Box 1, United Nations War Crimes Commission memorandum, 6 Oct. 1944, Annex A.

6 Jürgen Matthäus, 'The lessons of Leipzig: punishing German war criminals after the First World War', in Jürgen Matthäus and Patricia Heberer (eds.), *Atrocities on Trial: Historical Perspectives on the Politics of Prosecuting War Crimes* (Lincoln, Nebr., 2008), 4-8; Alfred de Zayas, *The Wehrmacht War Crimes Bureau, 1939-1945* (Lincoln, Nebr., 1989), 5-10.

7 Joel Hayward, 'Air power, ethics, and civilian immunity during the First World War and its aftermath', *Global War Studies*, 7 (2010), 107-8; Heinz Hanke, *Luftkrieg und Zivilbevölkerung* (Frankfurt/Main, 1991), 71-7.

8 William Schabas, *Unimaginable Atrocities: Justice, Politics, and Rights at the War Crimes Tribunals* (Oxford, 2012), 25-32.

9 Peter Schrijvers, *The GI War against Japan: American Soldiers in Asia and the Pacific during World War II* (New York, 2002), 208.

10 Mary Habeck, 'The modern and the primitive: barbarity and warfare on the Eastern Front', in George Kassimeris (ed.), *The Barbarisation of Warfare* (London, 2006), 91; de Zayas, *Wehrmacht War Crimes Bureau*, 118.

11 Schrijvers, *The GI War against Japan*, 222.

12 John McManus, *The Deadly Brotherhood: The American Combat Soldier in World War II* (New York, 1998), 227-30.

13 De Zayas, *Wehrmacht War Crimes Bureau*, 107-8.

14 Omer Bartov, *The Eastern Front 1941-45, German Troops and the Barbarisation of Warfare, 2nd edn* (Basingstoke, 2001). 也可見George Kassimeris, 'The barbarisation of warfare', in *idem* (ed.), *Barbarisation of Warfare*, 1-18.

15 Yuki Tanaka, *Hidden Horrors: Japanese War Crimes in World War II* (Boulder, Colo., 1996), 195-8.

16 Aaron Moore, *Writing War: Soldiers Record the Japanese Empire* (Cambridge, Mass., 2013), 90, 111.

17 Benjamin Uchiyama, *Japan's Carnival War: Mass Culture on the Home Front, 1937-1945* (Cambridge, 2019), 54-64.

18 Ball, *Prosecuting War Crimes and Genocide*, 67-9.

19 Moore, *Writing War*, 123.

20 Meirion Harries and Susie Harries, *Soldiers of the Sun: The Rise and Fall of the Imperial Japanese Army, 1868-1945* (London, 1991), 408-9; Tanaka, *Hidden Horrors*, 21-2.

119 關於歐洲轟炸戰的詳細描述，見Overy, *The Bombing War*, passim.關於對日空戰，見Kenneth Werrell, *Blankets of Fire: U. S. Bombers over Japan during World War II* (Washington, DC, 1996); Barrett Tillman, *Whirlwind: The Air War against Japan 1942-1945* (New York, 2010).

120 Edward Glover, *War, Sadism and Pacifism: Further Essays on Group Psychology and War* (London, 1947), 161-6; Edgar Jones et al., 'Civilian morale during the Second World War: responses to air raids re-examined', *Social History of Medicine*, 17 (2004), 463-79; Shephard, *War of Nerves*, 178-9.

121 Janis, *Air War and Emotional Stress*, 72; Dietmar Süss, *Death from the Skies: How the British and Germans Survived Bombing in World War II* (Oxford, 2014), 344-6.

122 Gillespie, *Psychological Effects of War*, 107-8; Janis, *Air War and Emotional Stress*, 72.

123 UEA, Zuckerman Archive, OEMU/57/3, draft report, 'Hull' (n.d. but Nov. 1941).

124 E. Stengel, 'Air raid phobia', *British Journal of Medical Psychology*, 20 (1944-46), 135-43.

125 Janis, *Air War and Emotional Stress*, 78-9.

126 Ibid., 59-60, 73-7.

127 Shephard, *War of Nerves*, 181-2.

128 Janis, *Air War and Emotional Stress*, 78; M. I. Dunsdon, 'A psychologist's contribution to air raid problems', *Mental Health (London)*, 2 (1941), 40-41; E. P. Vernon, 'Psychological effects of air raids', *Journal of Abnormal and Social Psychology*, 36 (1941), 457-76.

129 Janis, *Air War and Emotional Stress*, 103-4, 106-8.

130 Ibid., 88-91; Gillespie, *Psychological Effects of War*, 126-7.

131 UEA, Zuckerman Archive, OEMU/57/5, Hull report, Appendix II, Case Histories.

132 James Stern, *The Hidden Damage* (London, 1990), first published 1947.

133 Merridale, 'The collective mind', 47-8.

134 Overy, *The Bombing War*, 462-3.

135 Yamashita, *Daily Life in Wartime Japan*, 13-14, 17-34.

136 見Mark Connelly, *We Can Take It! Britain and the Memory of the Second World War* (Harlow, 2004).

137 關於德國，見J. W. Baird, *To Die for Germany: Heroes in the Nazi Pantheon* (Bloomington, Ind., 1990); Neil Gregor, 'A Schicksalsgemeinschaft ? Allied bombing, civilian morale, and social dissolution in Nuremberg, 1942-1945', *Historical Journal*, 43 (2000), 1051-70; Riedesser and Verderber, *'Maschinengewehre hinter der Front'*, 105-6, 163-4; 關於蘇聯，見Merridale, 'The collective mind', 43-50.

99 Fennell, 'Courage and cowardice', 110-11.
100 McManus, *Deadly Brotherhood*, 269-70.
101 Irving Janis, *Air War and Emotional Stress* (New York, 1951), 129-31.
102 Helen Fein, *Accounting for Genocide: National Responses and Jewish Victimization during the Holocaust* (New York, 1979). 關於小情感社群，也可見Barbara Rosenwein, 'Problems and methods in the history of emotions', *Passions in Context*, 1 (2010), 10-19.
103 William Wharton, *Shrapnel* (London, 2012), 155.
104 Newlands, *Civilians into Soldiers*, 164-7.
105 McManus, *Deadly Brotherhood*, 323-4.
106 Simon Wessely, 'Twentieth century theories on combat motivation and breakdown', *Journal of Contemporary History*, 41 (2006), 277-9.
107 Thomas Kühne, *The Rise and Fall of Comradeship: Hitler's Soldiers, Male Bonding and Mass Violence in the Twentieth Century* (Cambridge, 2017), 107-11.
108 Richard Overy, *The Bombing War: Europe 1939-1945* (London, 2013), 351-2.
109 見S. Givens, 'Liberating the Germans: the US Army and looting in Germany during the Second World War', *War in History*, 21 (2014), 33-54.
110 Newlands, *Civilians into Soldiers*, 63; Merridale, 'The collective mind', 53-4.
111 Matsumura, 'Combating indiscipline', 92-3; Merridale, *Ivan's War*, 271, 288-9.
112 Peipei Qiu, Su Zhiliang and Chen Lifei, *Chinese Comfort Women: Testimonies from Imperial Japan's Sex Slaves* (New York, 2013), 21-34; Newlands, *Civilians into Soldiers*, 124-35.
113 Hester Vaizey, *Surviving Hitler's War: Family Life in Germany 1939-1948* (Basingstoke, 2010), 65; Ann Pfau, 'Allotment Annies and other wayward wives: wartime concerns about female disloyalty and the problem of the returned veteran', in Piehler and Pash (eds.), *The United States and the Second World War*, 100-105.
114 Michael Snape, *God and Uncle Sam: Religion and America's Armed Forces in World War II* (Woodbridge, Suffolk, 2015), 349, 358-9; Janis, *Air War and Emotional Stress*, 172-4. 關於空軍人員，見Simon MacKenzie, 'Beating the odds: superstition and human agency in RAF Bomber Command 1942-1945', *War in History*, 22 (2015), 382-400.
115 Snape, 'War, religion and revival', 138.
116 詳細內容見 ibid., 138-49; McManus, *Deadly Brotherhood*, 273-5.
117 Snape, *God and Uncle Sam*, 327, 332-3, 343.
118 James Sparrow, *Warfare State: World War II Americans and the Age of Big Government* (New York, 2011), 65-7; Bromberg, *Psychiatry Between the Wars*, 152.

81 Omer Bartov, *Hitler's Army: Soldiers, Nazis, and War in the Third Reich* (New York, 1991), 96-9.

82 Knippschild, '"Für mich ist der Krieg aus"', 123-6.

83 Fietje Ausländer, '"Zwölf Jahre Zuchthaus! Abzusitzen nach Kriegsende!" Zur Topographie des Strafgefangenenwesens der deutschen Wehrmacht', in Haase and Paul (eds.), Die anderen Soldaten, 64; Jürgen Thomas, '"Nur das ist für die Truppe Recht, was ihr nützt..." Die Wehrmachtjustiz im Zweiten Weltkrieg', ibid., 48.

84 Fennell, 'Courage and cowardice', 100.

85 Jones 'LMF', 448; Brandon, 'LMF in Bomber Command', 120-21.

86 Alan Allport, *Browned Off and Bloody Minded: The British Soldier Goes to War 1939-1945* (New Haven, Conn., 2015), 251, 256.

87 Newlands, *Civilians into Soldiers*, 137-8.

88 Merridale, 'The collective mind', 49-50; Bernd Bonwetsch, 'Stalin, the Red Army, and the "Great Patriotic War"', in Ian Kershaw and Moshe Lewin (eds.), *Stalinism and Nazism: Dictatorships in Comparison* (Cambridge, 1997), 203-6; T. H. Rigby, *Communist Party Membership in the USSR, 1917-1967* (Princeton, NJ, 1968), 246-9.

89 Arne Zoepf, *Wehrmacht zwischen Tradition und Ideologie: Der NS Führungsoffizier im Zweiten Weltkrieg* (Frankfurt/Main, 1988), 35-9.

90 Jürgen Förster, 'Ludendorff and Hitler in perspective: the battle for the German soldier's mind 1917-1944', *War in History*, 10 (2003), 329-31.

91 Reese, *Why Stalin's Soldiers Fought*, 156-8.

92 Günther Koschorrek, *Blood Red Snow: The Memoirs of a German Soldier on the Eastern Front* (London, 2002), 275-6.

93 *Last Letters from Stalingrad*, 27, letter 12.

94 McManus, *Deadly Brotherhood*, 269-72; Michael Snape, 'War, religion and revival: the United States, British and Canadian armies during the Second World War', in Callum Brown and Michael Snape (eds.), *Secularisation in a Christian World: Essays in Honour of Hugh McLeod* (Farnham, 2010), 146.

95 Piehler, 'Veterans tell their stories', in Piehler and Pash (eds.), *The United States and the Second World War*, 226.

96 Moore, *Writing War*, 112-13, 120.

97 Edward Glover, *The Psychology of Fear and Courage* (London, 1940), 82, 86.

98 Ahrenfeldt, *Psychiatry in the British Army*, 200-202.

57 Riedesser and Verderber, *'Maschinengewehre hinter der Front'*, 135-7.

58 Catherine Merridale, 'The collective mind: trauma and shell-shock in twentieth-century Russia', *Journal of Contemporary History*, 35 (2000), 43-7.

59 Merridale, *Ivan's War*, 232; Cowdrey, *Fighting for Life*, 137.

60 Gillespie, *Psychological Effects of War*, 32-3, 191-4; Edgar Jones and Stephen Ironside, 'Battle exhaustion: the dilemma of psychiatric casualties in Normandy, June-August 1944', *Historical Journal*, 53 (2010), 112-13.

61 Pols, 'Die Militäroperation in Tunisien', 135-7.

62 Giovannini, *La psichiatria di Guerra*, 74-6.

63 Ibid., 137-9.

64 Ahrenfeldt, *Psychiatry in the British Army*, 168-70; Jones and Wessely, '"Forward psychiatry"', 411-15.

65 Jones and Ironside, 'Battle exhaustion', 114.

66 Cowdrey, *Fighting for Life*, 149-50; Pols, 'Die Militäroperation in Tunisien', 140-42; Harrison, *Medicine and Victory*, 114.

67 Ahrenfeldt, *Psychiatry in the British Army*, 155-6.

68 Blassneck, *Militärpsychiatrie im Nationalsozialismus*, 47-53, 73-85; Riedesser and Verderber, *'Maschinengewehre hinter der Front'*, 118-23, 140-43, 153-6.

69 Aaron Moore, *Writing War: Soldiers Record the Japanese Empire* (Cambridge, Mass., 2013), 94, 95, 127.

70 Harrison, *Medicine and Victory*, 177.

71 Gillespie, *Psychological Effects of War*, 166.

72 Ahrenfeldt, *Psychiatry in the British Army*, 167.

73 Halliwell, *Therapeutic Revolutions*, 27.

74 Merridale, *Ivan's War*, 282.

75 Matsumura, 'Combating indiscipline', 82-3, 90-91.

76 德國戰俘談論軍隊美德的錄音對話，見Sönke Neitzel and Harald Welzer, *Soldaten: Protokolle vom Kämpfen, Töten und Sterben* (Frankfurt/Main, 2011), 299-307.

77 Franzinelli, *Disertori*, 115-16.

78 Reese, *Why Stalin's Soldiers Fought*, 161-5, 173-5.

79 Ibid., 171.

80 Blassneck, *Militärpsychiatrie im Nationalsozialismus*, 47-50; Riedesser and Verderber, *'Maschinengewehre hinter der Front'*, 109, 115-16, 163-6.

Henderson一九四四年出版的作品）；Bromberg, *Psychiatry Between the Wars*, 153-8; Halliwell, *Therapeutic Revolutions*, 25; Ellen Herman, T*he Romance of American Psychology: Political Culture in the Age of Experts* (Berkeley, Calif., 1995), 86-8. 關於同性戀，見Naoko Wake, 'The military, psychiatry, and "unfit" soldiers, 1939-1942', *Journal of the History of Medicine and Allied Sciences*, 62 (2007), 473-90.

42 McGuire, *Psychology Aweigh!*, 101-2; Condé, 'The ordeal of adjustment', 67-8.

43 Herman, *Romance of American Psychology*, 110-11; Shephard, *War of Nerves*, 235.

44 R. D. Gillespie, *Psychological Effects of War on Citizen and Soldier* (New York, 1942), 166-72; Shephard, *War of Nerves*, 187-9.

45 Crouthamel, '"Hysterische Männer?", 30-34; Manfred Messerschmidt, *Was damals Recht war...NS-Militär und Strafjustiz im Vernichtungs krieg* (Essen, 1996), 102-6.

46 Riedesser and Verderber, *'Machinengewehre hinter der Front'*, 103-5, 115-17; Blassneck, *Militärpsychiatrie im Nationalsozialismus*, 17-20, 22-3.

47 Cowdrey, *Fighting for Life*, 138-9.

48 Jones, 'LMF', 439-44; Brandon, 'LMF in Bomber Command', 119-23.關於精神疾病與轟炸機機組人員的充分描述，見Mark Wells, *Courage and Air Warfare: The Allied Aircrew Experience in the Second World War* (London, 1995), 60-89.

49 Allan English, 'A predisposition to cowardice? Aviation psychology and the genesis of "Lack of Moral Fibre"', *War & Society*, 13 (1995), 23.

50 Condé, '"The ordeal of adjustment"', 65-72.

51 John McManus, *The Deadly Brotherhood: The American Combat Soldier in World War II* (New York, 1998), 193.

52 Grossman, 'Human factors in war', 9-10, 13-15; Brown, '"Stress" in US wartime psychiatry', 130-32.

53 Blassneck, *Militärpsychiatrie im Nationalsozialismus*, 55-6; Cocks, *Psychotherapy in the Third Reich*, 309-12; Riedesser and Verderber, *'Maschinengewehre hinter der Front'*, 145-6.

54 Hans Pols, 'Die Militäroperation in Tunisien 1942/43 und die Neuorientierung des US-amerikanischen Militärpsychiatrie', in Quinkert, Rauh and Winkler (eds.), *Krieg und Psychiatrie*, 133-8.

55 Edgar Jones and Simon Wessely, '"Forward psychiatry" in the military: its origin and effectiveness', *Journal of Traumatic Stress*, 16 (2003), 413-15; Mark Harrison, *Medicine and Victory: British Military Medicine in the Second World War* (Oxford, 2004), 171-3.

56 Raina, *World War II: Medical Services*, 41.

449; Cowdrey, *Fighting for Life*, 151; Ahrenfeldt, *Psychiatry in the British Army*, 172-3; Plant, 'Preventing the inevitable', 222.

27 關於第一次世界大戰的情感危機，見Michael Roper, *The Secret Battle: Emotional Survival in the Great War* (Manchester, 2009), 247-50, 260-65.

28 關於德國對「彈震症」態度的轉變，見Jason Crouthamel, '"Hysterische Männer?" Traumatisierte Veteranen des Ersten Weltkrieges und ihr Kampf um Anerkennung im "Dritten Reich"', in Babette Quinkert, Philipp Rauh and Ulrike Winkler (eds.), *Krieg und Psychiatrie: 1914-1950* (Göttingen, 2010), 29-34. 關於美國的論點，見Martin Halliwell, *Therapeutic Revolutions: Medicine, Psychiatry and American Culture 1945-1970* (New Brunswick, NJ, 2013), 20-27,關於英國的論點，見Harold Merskey, 'After shell-shock: aspects of hysteria since 1922', in Hugh Freeman and German Berrios (eds.), *150 Years of British Psychiatry: Volume II: The Aftermath* (London, 1996), 89-92.

29 Bromberg, *Psychiatry Between the Wars*, 158.

30 Paul Wanke, *Russian/Soviet Military Psychiatry 1904-1945* (London, 2005), 91-2.

31 Wanke, 'American military psychiatry', 132.

32 Gerald Grob, 'Der Zweite Weltkrieg und die US amerikanische Psychiatrie', in Quinkert, Rauh and Winkler (eds.), *Krieg und Psychiatrie*, 153; Cowdrey, *Fighting for Life*, 139; McGuire, *Psychology Aweigh!*, 35-41.

33 Edgar Jones and Simon Wessely, *Shell Shock to PTSD: Military Psychiatry from 1900 to the Gulf War* (Hove, 2005), 70-71, 76; Ben Shephard, *A War of Nerves: Soldiers and Psychiatrists, 1914-1994* (London, 2000), 195.

34 Jones, 'LMF', 440, 445; Sydney Brandon, 'LMF in Bomber Command 1939-1945: diagnosis or denouement?', in Freeman and Berrios (eds.), *150 Years of British Psychiatry*, 119-20.

35 Wanke, '"Inevitably any man has his threshold"', 80-81.

36 Blassneck, *Militärpsychiatrie im Nationalsozialismus*, 21.

37 Geoffrey Cocks, *Psychotherapy in the Third Reich: The Göring Institute* (New Brunswick, NJ, 1997), 308-16; Blassneck, *Militärpsychiatrie im Nationalsozialismus*, 41-5; Riedesser and Verderber, *'Maschinengewehre hinter der Front'*, 135-8.

38 Wanke, '"Inevitably any man has his threshold"', 92-7.

39 Janice Matsumura, 'Combating indiscipline in the Imperial Japanese Army: Hayno Torao and psychiatric studies of the crimes of soldiers', *War in History*, 23 (2016), 82-6.

40 Condé, '"The ordeal of adjustment" ', 65.

41 Brown, '"Stress" in US wartime psychiatry', 123-4（引文出自Merrill Moore and J. L.

*der deutschen Militärpsychiatrie* (Frankfurt/Main, 1996), 146-7, 168; Klaus Blassneck, *Militärpsychiatrie im Nationalsozialismus* (Würzburg, 2000), 35-7.

15 Paolo Giovannini, *La psichiatria di guerra: Dal fascismo alla seconda guerra mondiale* (Milan, 2015), 73-6.

16 Bromberg, *Psychiatry Between the Wars*, 163; Copp and McAndrew, *Battle Exhaustion*, 135; Roger Reese, *Why Stalin's Soldiers Fought: The Red Army's Military Effectiveness in World War II* (Lawrence, Kans, 2011), 238-9.

17 Reese, *Why Stalin's Soldiers Fought*, 173-5.

18 Mark Edele, *Stalin's Defectors: How Red Army Soldiers Became Hitler's Collaborators, 1941-1945* (Oxford, 2017), 30-31, 111.

19 Samuel Yamashita, *Daily Life in Wartime Japan 1940-1945* (Lawrence, Kans, 2015), 159.

20 美軍數字出自Paul Fussell, *The Boys' Crusade: American G.I.s in Europe: Chaos and Fear in World War Two* (London, 2004), 108; 英軍數字出自Ahrenfeldt, *Psychiatry in the British Army*, Appendix B, 273; 德軍數字出自Dieter Knippschild, '"Für mich ist der Krieg aus": Deserteure in der deutschen Wehrmacht', in Norbert Haase and Gerhard Paul (eds.), *Die anderen Soldaten: Wehrkraftzersetzung, Gehorsamsverweigerung und Fahnenflucht im Zweiten Weltkrieg* (Frankfurt/Main, 1995), 123, 126-31; 關於義大利，見Mimmo Franzinelli, *Disertori: Una storia mai racconta della seconda guerra mondiale* (Milan, 2016), 133-49.

21 Jonathan Fennell, 'Courage and cowardice in the North African campaign: the Eighth Army and defeat in the summer of 1942', War in History, 20 (2013), 102-5.

22 關於義大利，見Albert Cowdrey, *Fighting for Life: American Military Medicine in World War II* (New York, 1994), 149-50; Copp and McAndrew, *Battle Exhaustion*, 50-51. 關於印度防線，見B. L. Raina, *World War II: Medical Services: India* (New Delhi, 1990), 40-41.

23 Brown, '"Stress" in US wartime psychiatry', 127.

24 Cowdrey, *Fighting for Life*, 151; G. Kurt Piehler, 'Veterans tell their stories and why historians and others listened', in G. Kurt Piehler and Sidney Pash (eds.), *The United States and the Second World War: New Perspectives on Diplomacy, War, and the Home Front* (New York, 2010), 228-9; Rebecca Plant, 'Preventing the inevitable: John Appel and the problem of psychiatric casualties in the US Army in World War II', in Frank Biess and Daniel Gross (eds.), *Science and Emotions after 1945* (Chicago, Ill., 2014), 212-17.

25 Blassneck, *Militärpsychiatrie im Nationalsozialismus*, 20.

26 Grossman 'Human factors in war', 7-8; Edgar Jones, 'LMF: the use of psychiatric stigma in the Royal Air Force during the Second World War', *Journal of Military History*, 70 (2006),

2 Ibid., v-vii.

3 Ibid., 24-5.

4 引自Pat Jalland, *Death in War and Peace: A History of Loss and Grief in England 1914-1970* (Oxford, 2010), 172-3.

5 Svetlana Alexievich, *The Unwomanly Face of War* (London, 2017), 135-6, 對Olga Omelchenko進行的訪談。

6 David Grossman, 'Human factors in war: the psychology and physiology of close combat', in Michael Evans and Alan Ryan (eds.), *The Human Face of Warfare: Killing, Fear and Chaos in Battle* (London, 2000), 10. 今日，精神科醫生與神經科醫生都同意，被殺的危險與殺人是戰場上主要的「壓力來源」。

7 Thomas Brown, '"Stress" in US wartime psychiatry: World War II and the immediate aftermath', in David Cantor and Edmund Ramsden (eds.), *Stress, Shock and Adaptation in the Twentieth Century* (Rochester, NY, 2014), 123.

8 Ann-Marie Condé, '"The ordeal of adjustment": Australian psychiatric casualties of the Second World War', *War & Society*, 15 (1997), 65-6.

9 Emma Newlands, *Civilians into Soldiers: War, the Body and British Army Recruits 1939-1945* (Manchester, 2014), 156; Condé, '"The ordeal of adjustment"', 64-5; Walter Bromberg, *Psychiatry Between the Wars 1918-1945* (New York, 1982), 162.

10 Grossman, 'Human factors in war', 7; Paul Wanke, '"Inevitably any man has his threshold": Soviet military psychiatry during World War II - a comparative approach', *Journal of Slavic Military Studies*, 16 (2003), 92; Paul Wanke, 'American military psychiatry and its role among ground forces in World War II', *Journal of Military History*, 63 (1999), 127-33.

11 Robert Ahrenfeldt, *Psychiatry in the British Army in the Second World War* (London, 1958), 175-6, 278; Terry Copp and Bill McAndrew, *Battle Exhaustion: Soldiers and Psychiatrists in the Canadian Army* (Montreal, 1990), 126.

12 Frederick McGuire, *Psychology Aweigh! A History of Clinical Psychology in the United States Navy 1900-1988* (Washington, DC, 1990), 99-100

13 Wanke, '"Inevitably any man has his threshold" ', 94認為可以比較美軍士兵精神創傷的比例，因此一千八百三十一萬九千七百二十三名紅軍，有精神創傷的應該有一百萬零七千五百八十五人。比較少的數字，見Catherine Merridale, Ivan's War: The Red Army 1939-1945 (London, 2005), 232. 真實的數字顯然更高，因為許多例子沒有診斷出來，而且許多人在確診前就被殺或被俘。

14 Peter Riedesser and Axel Verderber, *'Maschinengewehre hinter der Front': Zur Geschichte*

202 Eric Sterling, 'The ultimate sacrifice: the death of resistance hero Yitzhak Wittenberg and the decline of the United Partisan Organisation', in Ruby Rohrlich (ed.), *Resisting the Holocaust* (Oxford, 1998), 59-62.

203 Ibid., 63; Einwohner, 'Opportunity, honor and action', 660.

204 Suzanne Weber, 'Shedding city life: survival mechanisms of forest fugitives during the Holocaust', Holocaust Studies, 18 (2002), 2; Krakowski, *War of the Doomed*, 10-11.

205 Glass, *Jewish Resistance*, 3, 14. Glass從猶太游擊隊的生還者取得證言，顯示很多人加入游擊隊就是為了復仇。

206 Walke, *Pioneers and Partisans*, 164-5; Glass, *Jewish Resistance*, 80.

207 Walke, *Pioneers and Partisans*, 180-81; Tec, *Defiance: The Bielski Partisans*, 81-2; Friedman, 'Jewish resistance', 191; Glass, *Jewish Resistance*, 9-10.

208 Tec, *Defiance: The Bielski Partisans*, 73; Krakowski, *War of the Doomed*, 13-16.

209 Weber, 'Shedding city life', 5-14, 21-2.

210 Krakowski, *War of the Doomed*, 12-13; Weber, 'Shedding city life', 23-4.

211 Glass, Jewish Resistance, 3, 93; Bar-On, 'On the position of the Jewish partisan', 235-6.

212 Amir Weiner, '"Something to die for, a lot to kill for": the Soviet system and the barbarisation of warfare', in George Kassimeris (ed.), *The Barbarisation of Warfare* (London, 2006), 119.

213 Stone, 'Jewish resistance in Eastern Europe', 102; Saul Friedländer, *The Years of Extermination: Nazi Germany and the Jews 1939-1945* (London, 2007), 525.

214 Gildea, *Fighters in the Shadows*, 229-30.

215 Poznanski, 'Geopolitics of Jewish resistance', 250, 254-8.

216 Stone, 'Jewish resistance in Eastern Europe', 104; Rohrlich (ed.), *Resisting the Holocaust*, 2.

217 Frediano Sessi, *Auschwitz: Storia e memorie* (Venice, 2020), 316.

218 Friedländer, *The Years of Extermination*, 557-9.

219 詳細的描述見Krakowski, *War of the Doome*d, 163-89; Friedländer, *The Years of Extermination*, 52024.

220 Kochanski, *The Eagle Unbowed*, 309-10.

221 Kazik, *Memoirs of a Warsaw Ghetto Fighter*, 34.

222 Krakowski, *War of the Doomed*, 211-13; Stone, 'Jewish resistance in Eastern Europe', 101-2; Friedman, 'Jewish resistance', 204; Corni, *Hitler's Ghettos*, 317-20.

## 第九章　戰時情緒與心理

1 *Last Letters from Stalingrad,* trs. Anthony Powell (London, 1956), 61-3.

182 Jean Guéhenno, *Diary of the Dark Years, 1940-1944: Collaboration, Resistance, and Daily Life in Occupied Paris* (Oxford, 2014), 270, entry for 21 Aug. 1944.

183 Jean-François Muracciole, *Histoire de la Résistance en France* (Paris, 1993), 119-20; Gildea, *Fighters in the Shadows*, 395-401.

184 Philibert de Loisy, *1944, les FFI deviennent soldats: L'amalgame: De la résistance à l'armée régulière* (Paris, 2014), 187-9, 192-3, 258-9.

185 Richard Barry, 'Statement by U.K. representatives', in *European Resistance Movements*, 351.

186 Maria Pasini, *Brescia 1945* (Brescia, 2015), 40-41.

187 Nechama Tec, *Defiance: The Bielski Partisans* (New York, 1993), 81-2.

188 Léon Nisand, *De l'étoile jaune à la Résistance armée: Combat pour la dignité humaine, 1942-1944* (Besançon, 2006), 21.

189 Renée Poznanski, 'Geopolitics of Jewish resistance in France', *Holocaust and Genocide Studies*, 15 (2001), 256-7; *idem*, 'Reflections on Jewish resistance and Jewish resistants in France', *Jewish Social Studies*, 2 (1995), 129, 134-5.

190 Walke, *Pioneers and Partisans*, 132-4; Zvi Bar-On, 'On the position of the Jewish partisan in the Soviet partisan movement', in *European Resistance Movements*, 210-11.

191 Christian Gerlach, *The Extermination of the European Jews* (Cambridge, 2016), 407, 409-10.

192 Kochanski, *The Eagle Unbowed*, 303; 關於白俄羅斯，見Walke, *Pioneers and Partisans*, 121-5.

193 Kochanski, *The Eagle Unbowed*, 319-21; Janey Stone, 'Jewish resistance in Eastern Europe', in Gluckstein (ed.), *Fighting on All Fronts*, 113-18.

194 Philip Friedman, 'Jewish resistance to Nazism: its various forms and aspects', in *European Resistance Movements*, 198-9.

195 Rachel Einwohner, 'Opportunity, honor and action in the Warsaw Ghetto 1943', *American Journal of Sociology*, 109 (2003), 665.

196 Ibid., 661.

197 Krakowski, *War of the Doomed*, 163-5.

198 Gustavo Corni, *Hitler's Ghettos: Voices from a Beleaguered Society 1939-1944* (London, 2002), 306-7.

199 Ibid., 293-7.

200 James Glass, *Jewish Resistance During the Holocaust: Moral Uses of Violence and Will* (Basingstoke, 2004), 21-2; Friedman, 'Jewish resistance', 196-7.

201 Friedman, 'Jewish resistance', 201-2; Corni, *Hitler's Ghettos*, 303.

157 Michael Foot, *SOE in France* (London, 1966), 473-4.

158 Stafford, *Mission Accomplished*, 223.

159 Olivier Wieviorka, *Histoire de la résistance 1940-1945* (Paris, 2013), 498-9.

160 Gabriella Gribaudi, *Guerra Totale: Tra bombe alleate e violenze naziste: Napoli e il fronte meridionale 1940-44* (Turin, 2005), 197.

161 Ibid., 197-8; Behan, *The Italian Resistance*, 37-8.

162 Santo Peli, *Storia della Resistenza in Italia* (Turin, 2006), 121-3.

163 Max Corvo, *OSS Italy 1942-1945* (New York, 1990), 215.

164 Peli, *Storia della Resistenza*, 152-3.

165 Tommaso Piffer, *Gli Alleati e la Resistenza italiana* (Bologna, 2010), 177-81; Stafford, *Mission Accomplished*, 226; Behan, *The Italian Resistance*, 89-2.

166 Corvo, *OSS Italy*, 227; Peli, *Storia della Resistenza*, 113-14.

167 Peli, *Storia della Resistenza*, 114, 123-5, 139.

168 Corvo, *OSS Italy*, 228.

169 Stafford, *Mission Accomplished*, 217; Peli, *Storia della Resistenza*, 137-9.

170 Claudio Pavone, *A Civil War: A History of the Italian Resistance* (London, 2013), 603-4.

171 Peli, *Storia della Resistenza*, 160-61.

172 Piffer, *Gli Alleati e la Resistenza*, 227-8.

173 Pavone, *A Civil War*, 609-10.

174 Dear, *Sabotage and Subversion*, 155, 182-3.

175 Georges Ribeill, 'Aux prises avec les voies ferrées: bombarder ou saboter? Un dilemme revisité', in Michèle Battesti and Patrick Facon (eds.), *Les bombardements alliés sur la France durant la Seconde Guerre Mondiale: stratégies, bilans matériaux et humains* (Vincennes, 2009), 162; CCAC, BUFt 3/51, SHAEF report 'The Effect of the Overlord Plan to Disrupt Enemy Rail Communications', pp. 1-2.

176 Wieviorka, *Histoire de la résistance*, 504-5.

177 Buton, *Les lendemains qui déchantent*, 104-5.

178 Thomas Laub, *After the Fall: German Policy in Occupied France 1940-1944* (Oxford, 2010), 277-80提到一九四四年報復政策的細節。

179 Wieviorka, *Histoire de la résistance*, 507, 522-3; Buton, *Les lendemains qui déchantent*, 91-2.

180 Raymond Aubrac, *The French Resistance, 1940-1944* (Paris, 1997), 35-7; Gildea, *Fighters in the Shadows*, 386-8.

181 Gildea, *Fighters in the Shadows*, 394-5.

133 Richie, *Warsaw 1944*, 610, 617.

134 Statiev, *Soviet Counterinsurgency*, 122.

135 Krakowski, *War of the Doomed*, 8-9.

136 Dongill Kim, 'Stalin and the Chinese civil war', *Cold War History*, 10 (2010), 186-91.

137 Loulis, *The Greek Communist Party*, 81-2.

138 Iatrides, '"Revolution or self-defense?"', 11-12, 16-18, 19-21.

139 Tommaso Piffer, 'Stalin, the Western Allies and Soviet policy towards the Yugoslav partisan movement 1941-4', *Journal of Contemporary History*, 54 (2019), 424-37.

140 Glantz, 'Stalin's strategic intentions', 690, Directive of 5 Sept. 1944.

141 Trefković, '"Damned good amateurs"', 254-5, 276-7.

142 Pavlowitch, *Hitler's New Disorder*, 236.

143 Michael Foot, *SOE: The Special Operations Executive 1940-46* (London, 1984), 20-21.

144 Olivier Wieviorka, *The Resistance in Western Europe 1940-1945* (New York, 2019), 27.

145 TNA, FO 898/457, 'Annual Dissemination of Leaflets by Aircraft and Balloon 1939-1945'.

146 Richard Overy, 'Bruce Lockhart, British political warfare and occupied Europe', in Smetana and Geaney (eds.), *Exile in London*, 2014.

147 TNA, FO 898/338, PWE 'Special Directive on Food and Agriculture', 1 Aug. 1942; PWE memorandum 'The Peasant in Western Europe', 5 Apr. 1943; Major Baker to Ritchie Calder (PWE), 'The Peasant Revolt', 13 Feb. 1942.

148 TNA, FO 898/340, Patrick Gordon Walker, 'Harnessing the Trojan Horse', 31 Mar. 1944; SHAEF Political Warfare Division, 'Propaganda to Germany: The Final Phase', 4 July 1944.

149 TNA, FO 800/879, Dr Jan Kraus to Lockhart, 10 Nov. 1942; FO 898/420, 'Suggested Enquiry into the Effects of British Political Warfare against Germany', 12 July 1945.

150 Ian Dear, *Sabotage and Subversion: The SOE and OSS at War* (London, 1996), 12-13.

151 Ibid., 12-14.

152 Foot, *SOE*, 171.

153 Peter Wilkinson, *Foreign Fields: The Story of an SOE Operative* (London, 1997), 148.

154 Mazower, *Inside Hitler's Greece*, 297-8, 352.

155 Gerolymatos, *An International Civil War*, 138-41.

156 Mark Seaman, '"The most difficult country": some practical considerations on British support for clandestine operations in Czechoslovakia during the Second World War', in Smetana and Geaney (eds.), *Exile in London*, 131-2; David Stafford, *Mission Accomplished: SOE and Italy 1943-45* (London, 2011), 225.

114 Cobb, *The Resistance*, 163.

115 *European Resistance Movements 1939-1945: First International Conference on the History of the Resistance Movements* (London, 1960), 351-2.

116 Cobb, *The Resistance*, 183-4.

117 Gogun, *Stalin's Commandos*, 45-6.

118 Ibid., 56-9.

119 Nolte, 'Partisan war in Belorussia', 274-5.

120 Gogun, *Stalin's Commandos*, xv-xvi; A. A. Maslov, 'Concerning the role of partisan warfare in Soviet military doctrine of the 1920s and 1930s', *Journal of Slavic Military Studies*, 9 (1996), 892-3.

121 Trifković, '"Damned good amateurs"', 261; Loulis, *The Greek Communist Party*, 81-2.

122 Anita Prazmowska, 'The Polish underground resistance during the Second World War: a study in political disunity during occupation', *European History Quarterly*, 43 (2013), 465-7, 472-4.

123 Tadeusz Bór-Komorowski, 'Le mouvement de Varsovie', in *European Resistance Movements*, 287.

124 Kochanski, *The Eagle Unbowed*, 385-6, 395.

125 Ibid., 390-92, 396-7.

126 Bór-Komorowski, 'Le mouvement de Varsovie', 288-9.

127 Alexandra Richie, *Warsaw 1944: The Fateful Uprising* (London, 2013), 176-80.

128 Kazik (Simha Rotem), *Memoirs of a Warsaw Ghetto Fighter* (New Haven, Conn., 1994), 119, 122.

129 Ewa Stańczyk, 'Heroes, victims, role models: representing the child soldiers of the Warsaw uprising', *Slavic Review*, 74 (2015), 740; Kochanski, *The Eagle Unbowed*, 402, 424-5.

130 David Glantz, 'Stalin's strategic intentions 1941-45', *Journal of Slavic Military Studies*, 27 (2014), 687-91; Alexander Statiev, *The Soviet Counterinsurgency in the Western Borderlands* (Cambridge, 2010), 120-22.

131 Valentin Berezhkov, *History in the Making: Memoirs of World War II Diplomacy* (Moscow, 1983), 357-8; David Reynolds and Vladimir Pechatnov (eds.), *The Kremlin Letters: Stalin's Wartime Correspondence with Churchill and Roosevelt* (New Haven, Conn., 2018), 459, Stalin to Churchill 16 Aug. 1944.

132 TNA, AIR 8/1169, Despatches from MAAF on Dropping Operations to Warsaw [n.d.]; Norman Davies, *Rising '44: The Battle for Warsaw* (London, 2003), 310-11; Kochanski, *The Eagle Unbowed*, 408-11.

91 Stevan Pavlowitch, *Hitler's New Disorder: The Second World War in Yugoslavia* (London, 2008), 114-15.

92 Van de Ven, *China at War*, 146-9.

93 Lifeng Li, 'Rural mobilization in the Chinese Communist Revolution: from the anti-Japanese war to the Chinese civil war', *Journal of Modern Chinese History*, 9 (2015), 97-101.

94 Eudes, *The Kapetanios*, 5-6, 13-14.

95 Stavrianos, 'The Greek National Liberation Front', 45-8.

96 Mazower, *Inside Hitler's Greece*, 265-79.

97 Tsoutsoumpis, *History of the Greek Resistance*, 8-9, 214-18.

98 Iatrides, 'Revolution or self-defense?', 6.

99 André Gerolymatos, *An International Civil War: Greece, 1943-1949* (New Haven, Conn., 2016), 287-8.

100 John Newman, *Yugoslavia in the Shadow of War* (Cambridge, 2015), 241-61.

101 David Motadel, *Islam and Nazi Germany's War* (Cambridge, Mass., 2014), 178-83; Pavlowitch, *Hitler's New Disorder*, 115-17, 124-32.

102 Motadel, *Islam and Nazi Germany's War,* 183, 212; *Pavlowitch, Hitler's New Disorder*, 142-5.

103 Pavlowitch, *Hitler's New Disorder*, 106.

104 Blaž Torkar, 'The Yugoslav armed forces in exile', in Vít Smetana and Kathleen Geaney (eds.), *Exile in London: The Experience of Czechoslovakia and the Other Occupied Nations 1939-1945* (Prague, 2017), 117-20.

105 Gaj Trifković, 'The key to the Balkans: the battle for Serbia 1944', *Journal of Slavic Military Studies*, 28 (2015), 544-9.

106 Gogun, *Stalin's Commandos*, 10.

107 Jared McBride, 'Peasants into perpetrators: the OUN-UPA and the ethnic cleansing of Volhynia, 1943-1944', *Slavic Review*, 75 (2016), 630-31, 636-7.

108 Seybolt, 'The war within a war', 205-15.

109 Li, 'Rural mobilization', 98-9.

110 Geraldien von Künzel, 'Resistance, reprisals, reactions', in Gildea, Wieviorka and Warring (eds.), *Surviving Hitler and Mussolini*, 179-81.

111 Mark Kilion, 'The Netherlands 1940-1945: war of liberation', in Gluckstein (ed.), *Fighting on All Fronts*, 147-8.

112 Seybolt, 'The war within a war', 219-20.

113 Gogun, *Stalin's Commandos*, 187-8; Wieviorka and Tebinka, 'Resisters', 169.

72 Gildea, *Fighters in the Shadows*, 131.

73 Alano, 'Armed with the yellow mimosa', 616.

74 Anagnostopoulou, 'From heroines to hyenas', 481-2.

75 Jelena Batinić, *Women and Yugoslav Partisans: A History of World War II Resistance* (Cambridge, 2015), 128-9, 143-8, 156-7; Jancar, 'Women in the Yugoslav National Liberation Army', 155-6, 161.

76 Cobb, *The Resistance*, 185.

77 Stavrianos, 'The Greek National Liberation Front', 45-50; Dominique Eudes, *The Kapetanios: Partisans and Civil War in Greece, 1943-1949* (London, 1972), 22-3.

78 Spyros Tsoutsoumpis, *A History of the Greek Resistance in the Second World War* (Manchester, 2016), 226.

79 Anika Walke, *Pioneers and Partisans: An Oral History of Nazi Genocide in Belorussia* (New York, 2015), 191-2.

80 Hans van de Ven, *China at War: Triumph and Tragedy in the Emergence of the New China, 1937-1952* (London, 2017), 139-41; Kuisong, 'Nationalist and Communist guerrilla warfare', 309-10.

81 Eudes, *The Kapetanios*, 22.

82 Trifković, '"Damned good amateurs"', 271.

83 Halik Kochanski, The Eagle Unbowed: Poland and the Poles in the Second World War (London, 2012), 389-90.

84 Kuisong, 'Nationalist and Communist guerrilla warfare', 319-20.

85 Peter Seybolt, 'The war within a war: a case study of a county on the North China Plain', in Barrett and Shyu (eds.), *Chinese Collaboration with Japan*, 221.

86 Ben Hillier, 'The Huk rebellion and the Philippines radical tradition', in Donny Gluckstein (ed.), *Fighting on All Fronts: Popular Resistance in the Second World War* (London, 2015), 327.

87 Mark Mazower, *Inside Hitler's Greece: The Experience of Occupation, 1941-44* (New Haven, Conn., 1993), 289-90, 318-20.

88 Gogun, *Stalin's Commandos*, 109.

89 Hans Heinrich Nolte, 'Partisan war in Belorussia, 1941-1945', in Roger Chickering, Stig Förster and Bernd Greiner (eds.), *A World at Total War: Global Conflict and the Politics of Destruction, 1937-1945* (Cambridge, 2005), 268-70, 271-3.

90 Loulis, *The Greek Communist Party*, 85-90, 122; Stavrianos, 'The Greek National Liberation Front', 42-3; John Iatrides, 'Revolution or self-defense? Communist goals, strategy, and tactics in the Greek civil war', *Journal of Cold War Studies*, 7 (2005), 7-8.

57 Chang-tai Hung, *War and Popular Culture: Resistance in Modern China, 1937-1945* (Berkeley, Calif., 1994), 221-30.

58 Cobb, *The Resistance*, 223-4.

59 Gaj Trifković, '"Damned good amateurs": Yugoslav partisans in the Belgrade operation 1944', *Journal of Slavic Military Studies*, 29 (2016), 256, 270; Yang Kuisong, 'Nationalist and Communist guerrilla warfare in north China', in Peattie, Drea and van de Ven (eds.), *The Battle for China*, 325; John Loulis, *The Greek Communist Party 1940-1944* (London, 1982), 153.

60 Shmuel Krakowski, *The War of the Doomed: Jewish Armed Resistance in Poland 1942-1944* (New York, 1984), 5.

61 Svetozar Vukmanović, *How and Why the People's Liberation Struggle of Greece Met with Defeat* (London, 1985), 41,毛澤東轉引自 *The Strategic Problems of the Chinese Revolutionary War.*

62 L. S. Stavrianos, 'The Greek National Liberation Front (EAM): a study in resistance organization and administration', *Journal of Modern History*, 24 (1952), 43.

63 Cobb, *The Resistance*, 60-63.

64 Olivier Wieviorka and Jack Tebinka, 'Resisters: from everyday life to counter state', in Robert Gildea, Olivier Wieviorka and Annette Warring (eds.), *Surviving Hitler and Mussolini; Daily Life in Occupied Europe* (Oxford, 2006), 158-9.

65 Behan, *The Italian Resistance*, 45-8.

66 Philippe Buton, *Les lendemains qui déchantant: Le Parti communiste français à la Libération* (Paris, 1993), 269.

67 Kui-song, 'Nationalist and Communist guerrilla warfare', 323-5; Daoxuan Huang, 'The cultivation of Communist cadres during the war of resistance against Japanese aggression', *Journal of Modern Chinese History*, 10 (2016), 138.

68 Julia Ebbinghaus, 'Les journaux clandestins rédigés par les femmes: une résistance spécifique', in Mechtild Gilzmer, Christine Levisse-Touzé and Stefan Martens, *Les femmes dans la Résistance en France* (Paris, 2003), 141-4, 148-50; Jean-Marie Guillon, 'Les manifestations de ménagères: protestation populaire et résistance féminine spécifique', ibid., 115-20.

69 Julian Jackson, *France: The Dark Years 1940-1945* (Oxford, 2001), 491-4.

70 Barbara Jancar, 'Women in the Yugoslav National Liberation Movement: an overview', *Studies in Comparative Communism*, 14 (1981), 150, 155-6.

71 Jomane Alano, 'Armed with the yellow mimosa: women's defence and assistance groups in Italy 1943-45', *Journal of Contemporary History*, 38 (2003), 615, 618-20.

Hamburg July/August 1943', 1 Dec. 1943, pp. 22-3, 67-8, 87-99.

40 Hans Rumpf, *The Bombing of Germany* (London, 1957), 186-7; Andreas Linhardt, *Feuerwehr im Luftschutz 1926-1945: Die Umstruktierung des öffentlichen Feuerlöschwesens in Deutschland unter Gesichtspunkten des zivilen Luftschutzes* (Brunswick, 2002), 171-82.

41 Iklé, *Social Impact of Bomb Destruction*, 67-8.

42 Yamashita, *Daily Life in Wartime Japan*, 102,引自一九四五年五月寄的信。也可見Aaron Moore, *Bombing the City: Civilian Accounts of the Air War in Britain and Japan 1939-1945* (Cambridge, 2018), 112-14.

43 USSBS Pacific Theater, Report 11, 6, 69.

44 China Information Committee, *China After Four Years of War* (Chongqing, 1941), 174-5.

45 USSBS Pacific Theater, Report 11, 69, 200.

46 Ibid., 2, 9-11.

47 統計數字出處如下:France, Jean Charles Foucrier, *La stratégie de la destruction: Bombardements allies en France, 1944* (Paris, 2017), 9-10; China, Diana Lary, *The Chinese People at War: Human Suffering and Social Transformation, 1937-1945* (Cambridge, 2010), 89.

48 Mitter, *China's War with Japan*, 231-2.

49 Bernard Donoughue and G. W. Jones, *Herbert Morrison: Portrait of a Politician* (London, 2001), 316-18.

50 Edna Tow, 'The great bombing of Chongqing and the Anti-Japanese War, 1937-1945', in Mark Peattie, Edward Drea and Hans van de Ven (eds.), *The Battle for China: Essays on the Military History of the Sino-Japanese War of 1937-1945* (Stanford, Calif., 2011), 269-70, 277-8.

51 China Information Committee, *China After Four Years of War*, 179.

52 CCAC, CHAR 9/182B, Notes for a speech to civil defence workers, County Hall, London, 12 July 1940, pp. 4-5.

53 Matthew Cobb, *The Resistance: The French Fight against the Nazis* (New York, 2009), 39-40.

54 Tom Behan, *The Italian Resistance: Fascists, Guerrillas and the Allies* (London, 2008), 67-8; Cobb, *The Resistance*, 163-4.

55 關於中國的例子，見Poshek Fu, 'Resistance in collaboration: Chinese cinema in occupied Shanghai, 1940-1943', in David Barrett and Larry Shyu (eds.), *Chinese Collaboration with Japan 1932-1945* (Stanford, Calif., 2002),180, 193.

56 Robert Gildea, *Fighters in the Shadows: A New History of the French Resistance* (London, 2015), 70-71, 143-4.

23 Dallek, *Defenseless Under the Night*, 223-5.

24 NARA, RG107, Lovett Papers, Box 139, James Landis, 'We're Not Safe from Air Raids', *Civilian Front*, 15 May 1943.

25 Cambridge University Library, Bernal Papers, Add 8287, Box 58/2, E.P.S. Bulletin No. 1, March 1942.

26 Tetsuo Maeda, 'Strategic bombing of Chongqing by Imperial Japanese Army and Naval Forces', in Yuki Tanaka and Marilyn Young (eds.), *Bombing Civilians: A Twentieth century History* (New York, 2009), 141.

27 Samuel Yamashita, *Daily Life in Wartime Japan, 1940-1945* (Lawrence, Kans, 2015), 28.

28 RAF Museum, Hendon, Bottomley Papers, AC 71/2/31, Address to the Thirty Club by Richard Peck, 8 Mar. 1944, p. 8. 關於針對工業城市進行無差別轟炸的討論，見Richard Overy, '"The weak link"? The perception of the German working class by RAF Bomber Command, 1940-1945', *Labour History Review*, 77 (2012), 24-31.

29 TNA, AIR 14/783，一九四三年十月七日，空軍參謀備忘錄：無差別攻擊的目標是「摧毀工人的住房、殺死技術工人與癱瘓公共設施」。

30 Overy, *The Bombing War*, 328-30.

31 Bland (ed.), *The Papers of George Catlett Marshall: Volume* 2, 678, report of press conference, 15 Nov. 1941.

32 Thomas Searle, '"It made a lot of sense to kill skilled workers": the firebombing of Tokyo in March 1945', *Journal of Military History*, 66 (2002), 116-19.

33 Rana Mitter, *China's War with Japan 1937-1945: The Struggle for Survival* (London, 2013), 191-2; Maeda, 'Strategic bombing of Chongqing', 146-9.

34 Overy, *The Bombing War*, 99-105.

35 Edward Glover, *The Psychology of Fear and Courage* (London, 1940), 35, 63.

36 TNA, HO 186/608, Report of the Regional Commissioner South, 14 Dec. 1940; Ministry of Food report, 'Brief Visit to Southampton, December 3 1940', 5 Dec. 1940.

37 Dietmar Süss, 'Wartime societies and shelter politics in National Socialist Germany and Britain', in Claudia Baldoli, Andrew Knapp and Richard Overy (eds.), *Bombing, States and Peoples in Western Europe, 1940-1945* (London, 2011), 31-3; University of East Anglia, Zuckerman Archive, OEMU/59/13, draft report 'Shelter Habits', Table B, Table C.

38 Kevin Hewitt, 'Place annihilation: area bombing and the fate of urban places', *Annals of the Association of American Geographers*, 73 (1983), 263.

39 TNA, AIR/20/7287, 'Secret Report by the Police President of Hamburg on the Heavy Raids on

the destruction of cities in British imagination and experience, 1908-39', in Stefan Goebel and Derek Keene (eds.), *Cities into Battlefields: Metropolitan Scenarios, Experiences and Commemorations of Total War* (Farnham, 2011), 47-62.

7 Ian Patterson, *Guernica and Total War* (London, 2007), 110.

8 Goldsworthy Lowes Dickinson, *War: Its Nature, Cause and Cure* (London, 1923), 12-13.

9 Franco Manaresi, 'La protezione antiaerea', in Cristina Bersani and Valeria Monaco (eds.), *Delenda Bononia: immagini dei bombardamenti 1943-1945* (Bologna, 1995), 29-30.

10 Foreword to Stephen Spender, *Citizens in War - and After* (London, 1945), 5.

11 Terence O'Brien, *Civil Defence* (London, 1955), 690, Appendix X. 關於性別角色，見Lucy Noakes, '"Serve to save": gender, citizenship and civil defence in Britain 1937-41', *Journal of Contemporary History*, 47 (2012), 748-9.

12 Matthew Dallek, *Defenseless Under the Night: The Roosevelt Years and the Origins of Homeland Security* (New York, 2016), 248-9.

13 Richard Overy, *The Bombing War: Europe 1939-1945* (London, 2013), 215-17.

14 BAB, R 1501/823, Luftschutzgesetz, 7 Durchführungsverordnung, 31 Aug. 1943.

15 Bernd Lemke, *Luftschutz in Grossbritannien und Deutschland 1923 bis 1939* (Munich, 2005), 254-6.

16 O'Brien, *Civil Defence*, chs. 3-5; Lemke, *Luftschutz*, 342-62.

17 TNA, HO 186/602, Statistics on Civil Defence Personnel, Summary of all Services, 30 June 1940, 14 Nov. 1940; HO 187/1156, historical survey, 'Manpower in the National Fire Service'; Shane Ewen, 'Preparing the British fire service for war: local government, nationalisation and evolutionary reform, 1935-41', *Contemporary British History*, 20 (2006), 216-19; Charles Graves, *Women in Green: The Story of the W. V. S.* (London, 1948), 14-20.

18 O'Brien, *Civil Defence*, 548-58, 690.

19 Claudia Baldoli and Andrew Knapp, *Forgotten Blitzes: France and Italy under Allied Air Attack, 1940-1945* (London, 2012), 51-5, 92-3; Service historique de l'armée de l'air, Vincennes, Paris, 3D/44/Dossier 1, 'Formations et effectifs réels, Défense Passive', 15 Jan. 1944.

20 Nicola della Volpe, *Difesa del territorio e protezione antiaerea (1915-1943)* (Rome, 1986), 194-203, doc. 17 'Istruzione sulla protezione antiaerea'.

21 Ibid., 46-8; Baldoli and Knapp, *Forgotten Blitzes*, 54.

22 Larry Bland (ed.), *The Papers of George Catlett Marshall: Volume 2 'We Cannot Delay'* (Baltimore, Md, 1986), 607-8, Radio broadcast on the Citizens' Defense Corps, 11 Nov. 1941.

# 下冊注釋

| | |
|---|---|
| AHB | Air Historical Branch, Northolt, Middlesex |
| BAB | Bundesarchiv-Berlin |
| BA-MA | Bundesarchiv-Militärarchiv, Freiburg |
| CCAC | Churchill College Archive Centre, Cambridge |
| IWM | Imperial War Museum, Lambeth, London |
| LC | Library of Congress, Washington, DC |
| NARA | National Archives and Records Administration, College Park, MD |
| TNA | The National Archives, Kew, London |
| TsAMO | Central Archive of the Russian Ministry of Defence, Podolsk |
| UEA | University of East Anglia, Norwich |
| USMC | United States Marine Corps |
| USSBS | United States Strategic Bombing Survey |

## 第八章　民防與敵後抵抗

1 Raymond Daniell, *Civilians Must Fight* (New York, 1941), 4-5.

2 Mark Edele, *Stalin's Defectors: How Red Army Soldiers became Hitler's Collaborators, 1941-1945* (New York, 2017), 177; 關於英國民防的統計數字，見 Fred Iklé, *The Social Impact of Bomb Destruction* (Norman, Okla, 1958), 163-4.

3 Alexander Gogun, *Stalin's Commandos: Ukrainian Partisan Forces on the Eastern Front* (London, 2016), 155-7.

4 Margaret Anagnostopoulou, 'From heroines to hyenas: women partisans during the Greek civil war', *Contemporary European History*, 10 (2001), 491。出自作者對退役游擊隊員的訪談。

5 Giulio Douhet, *The Command of the Air* (Maxwell, Ala, 2019), 14-24; 也可見Thomas Hippler, *Bombing the People: Giulio Douhet and the Foundations of Air Power Strategy, 1884-1939* (Cambridge, 2013), ch. 4.

6 關於這些說法，見John Konvitz, 'Représentations urbaines et bombardements stratégiques', *Annales*, 44 (1989), 823-47; Susan Grayzel, '"A promise of terror to come": air power and

*Beyond*

71

世界的啟迪

# 二戰

## 帝國黃昏與扭轉人類命運的戰爭（下）

Blood and Ruins: The Last Imperial War, 1931-1945

| | |
|---|---|
| 作者 | 李察・奧弗里（Richard Overy） |
| 譯者 | 黃煜文 |
| 名詞審訂 | 揭仲 |
| 責任編輯 | 洪仕翰 |
| 校對 | 李鳳珠、魏秋綢 |
| 表格協力 | 鄭司律 |
| 內頁排版 | 宸遠彩藝 |
| 封面設計 | 莊謹銘 |
| 行銷企劃 | 張偉豪 |
| 總編輯 | 洪仕翰 |

| | |
|---|---|
| 出版 | 衛城出版 / 遠足文化事業股份有限公司 |
| 發行 | 遠足文化事業股份有限公司（讀書共和國出版集團） |
| 地址 | 231 新北市新店區民權路 108-3 號 8 樓 |
| 電話 | 02-22181417 |
| 傳真 | 02-22180727 |
| 法律顧問 | 華洋法律事務所　蘇文生律師 |
| 印刷 | 呈靖彩藝有限公司 |
| 初版一刷 | 2024 年 9 月 |
| 初版三刷 | 2025 年 2 月 |
| 定價 | 1850 元（全套三冊不分售）<br>1930 元（限量書盒版） |

| | |
|---|---|
| ISBN | 978-626-7376-62-1（全套：平裝）<br>978-626-7376-56-0（PDF）<br>978-626-7376-55-3（EPUB） |



ACRO
POLIS
衛城
出版

Email acropolismde@gmail.com
Facebook www.facebook.com/acrolispublish

國家圖書館出版品預行編目(CIP)資料

二戰：帝國黃昏與扭轉人類命運的戰爭/李察.奧弗里(Richard Overy)著；黃煜文譯. -- 初版. -- 新北市：衛城出版, 遠足文化事業股份有限公司, 2024.09
冊； 公分. -- (Beyond ; 71) (世界的啟迪)
譯自：Blood and ruins : the last imperial war, 1931-1945
ISBN 978-626-7376-59-1(上冊：平裝). --
ISBN 978-626-7376-60-7(中冊：平裝). --
ISBN 978-626-7376-61-4(下冊：平裝). --
ISBN 978-626-7376-62-1(全套：平裝)

1. 第二次世界大戰

712.84 113009532